판소리계 소설과 비판담론

신효경 지음

보고사
BOGOSA

지은이의 말

판소리계 소설은 우리 삶을 비춰주는 거울과도 같다. 시대가 변해도 여전한 빈부의 격차, 부정과 부패, 가식과 위선 등이 판소리계 소설에 고스란히 담겨 있기 때문이다. 판소리계 소설은 풍자와 해학으로 시대를 비판하면서 우리의 삶을 진솔하게 담아낸 생활문학이라 할 만하다. 그것도 현실의 삶에 안주하지 않고 문제를 지속적으로 제기하면서 새로운 세상을 소망했다. 시대를 불문하고 판소리계 소설에 주목해야 하는 이유가 여기에 있다.

이 책은 그간 판소리계 소설에 대한 연구의 성과를 한 곳에 묶은 것이다. 박사학위논문과 학회지에 게재한 글을 가능한 범주로 묶어 한 책이 되도록 했다. 그래서 불가피하게 내용이 중첩되는 경우도 없지 않을 것이다. 그럼에도 불구하고 공부하는 과정을 가감 없이 드러내고자 하여 한 책으로 묶었다. 선학 제현의 도움을 받으면서 갈고 닦을 것을 다짐할 따름이다.

이 책의 내용은 크게 두 부분으로 구성되었다. 제1부의 '판소리계 소설의 비판유형과 담론양상'에서는 창을 상실한 판소리계 소설을 중심으로 작품의 유형을 분류하고 각 유형별로 비판의 양상을 살폈다. 그리고 이들 작품이 실창된 동인과 문학사적 의의를 전승사적인 관점에서 고찰하였다.

제2부의 '판소리계 소설의 비판대상과 담론양상'에서는 조선후기 지배계층과 민중이 날카롭게 대립하는 양상을 짚어보았다. 「판소리계 소설의 신분비판과 정체성담론」에서는 기녀의 유형과 양상을 살피고, 기녀를 통해 사회문제를 지적하면서 문제를 야기한 남성들이 개과천선하는 사정을 살폈다. 「〈배비장전〉의 위선비판과 공동체담론」에서는 조선후기 신분제의 한계와 공동체에서 중시되는 화합에 초점을 두어 고찰하였다. 이어서 「〈춘향전〉의 권력비판과 절행담론」에서는 기녀의 절개를 중심으로 관권을 남용하는 상층부의 실태를 비판하고, 기녀의 절개가 충절로 이어지는 양상을 고찰하였다. 다음으로 「〈옹고집전〉의 경제비판과 윤리담론」에서는 물질을 우선시하는 세태가 윤리의식의 부재를 촉발했고, 그로 인해 빚어지는 문제점을 집중적으로 검토하였다. 마지막으로 「〈심청전〉의 현실비판과 욕망담론」에서는 〈심청전〉을 변용한 판소리 창작극 〈떴다, 물에가 풍〉을 중심으로 인간의 탐욕을 들여다보고, 참다운 개안의 의미와 오유지족의 삶이 무엇인지 짚어보았다.

판소리계 소설은 조선후기 문학에서 주목할 만하다. 당시 사회문제의 제반 영역을 풍자의 기법으로 통렬하게 비판했기 때문이다. 그것도 민중의 차원에서 기존의 제도와 신분 등의 문제를 지적하고 나섰다는 데서 그 의미가 남다르다. 판소리계 소설에 대하여 다방면으로 접근하여 새로운 방법론으로 검토할 필요성이 그래서 있다. 다만 이 책에서는 판소리계 소설에서 주요하게 다룬 비판담론에 초점을 두어 살폈을 따름이다. 물론 지금까지의 연구가 충족될 만한 것이 아님은 잘 알고 있다. 긴 여정을 가지고 연구의 심화는 물론 그 외연까지 확장해 나갈 것을 다짐할 따름이다.

늦은 나이에 공부를 다시 시작해 힘든 점도 많았지만, 그간의 논문을 책으로 간행할 수 있었던 것은 앞에서 이끌어주신 김진영 교수님의 가르침과 따뜻한 격려가 있었기 때문이다. 진심을 담아 교수님께 감사할 따름이다. 그리고 묵묵히 응원해준 가족에게 고마운 마음을 전한다. 지금은 두 분 다 돌아가셨지만, 가장 기뻐해 주실 부모님께 이 책을 바치고 싶다.

이 책이 나올 수 있도록 출판해 주신 보고사에 감사드리며, 예쁘게 편집해 주신 이순민 선생님에게도 감사한 마음을 전한다.

2020년 7월 여름의 한가운데에서

신효경

차례

제1부

판소리계 소설의 비판유형과 담론양상

판소리계 소설에 대한 연구의 성찰과 방법

1. 문제제기

이 연구는 창을 잃고 그 텍스트만 남은 작품, 즉 실창 판소리계 소설의 비판양상을 종합적으로 검토하는 데 목적을 둔다.[1] 물론 이러한 논의를 통해 이들 작품에 나타나는 지향의식이나 실창의 동인, 문학적 가치 등이 밝혀지리라 기대한다. 잘 아는 것처럼 판소리가 공연되던 조선후기는 유교적인 이념을 추수하는 기득권층과 실용성과 경제성을 앞세운 민중층 간의 대립과 갈등이 심화된다.[2] 따라서 상하층의 민중에게 호응했던 판소리 작품은 그들의 처지에 맞게 텍스트를 구비해야 했다. 기득권층에 부응할 만한 내용을 담아야 하는 한편으로, 하층민의 소망도 구현해야

---

1) 사설이 기록으로 전하지만 창(唱)이 전승되지 않는 작품을 실창(失唱) 판소리라 부른다. 판소리 열두 마당 중 다섯 마당은 창과 창본이 전하고, 나머지 여섯 마당은 창을 잃고 사설이 소설형태로 전한다. 이들을 실창 판소리계 소설로 지칭한다. 그리고 〈가짜신선타령〉은 창과 사설 모두 전하지 않는다. 이 작품을 두고 실전(失傳) 판소리라고 부르고자 한다.

2) 예를 들면, 탈춤에서 양반과 노장 등을 비판한 것이나 인형극에서 첨지나 평양감사 등을 비판한 것이 이에 해당된다. 이들은 모두 현실보다는 이상세계를 추구했던 계급에 대한 문제를 제기하고 있다. (김진영, 『고전서사의 향유와 전승』, 월인, 2017, 133쪽.)

했던 것이다. 현재 창으로 전하는 작품이 그러한 내용을 적절히 수렴하여 중층적인 주제를 구현한 것으로 보인다. 문제는 상층부의 그릇된 행태를 일방적으로 공격하고 서사가 종결되는 작품은 상층부의 기호에 영합할 수 없었다는 점이다. 경제적 후원자가 상층부이기에 아무래도 창자는 자가 검열을 단행하면서 일방적으로 공격하는 작품을 공연에서 제외했을 것으로 짐작된다. 판소리 작품 중 일부가 실창되고 그 잔영만 남긴 이유를 여기에서 찾을 수 있겠다.

실창 판소리계 소설은 다른 문학작품보다 당시의 시대상을 적절히 수렴하고 있다. 실창 판소리계 소설의 시대적 배경이 되는 조선후기는 중세에서 근대로의 이행기라는 점에서 역사적인 격동기라 할 수 있다. 정치·경제·사회적으로 혼란스러운 상황 속에서 자본주의적인 경제 발전은 봉건경제의 분해를 촉진시키면서 새로운 사회계급 관계를 형성해 나가도록 했다.[3] 하지만 경제력을 기반으로 새롭게 형성된 유산계급에서는 경제적 이익만 좇아 윤리의식의 부재라는 새로운 문제를 야기하기도 했다. 중세와 근대적인 문제가 복합적으로 불거져 판소리계 소설에서 비판할 대상이 그만큼 확대된 것이다. 실제로 실창 판소리계 소설에서는 그러한 문제를 전격적으로 수렴하면서 비판을 가하고 있다. 유교의 금욕적인 이념을 풍자·비판한 작품은 물론, 사회적으로는 이데올로기적인 명분이나 방탕한 향락적 생활을 일삼는 문제를 비판하기도 하였다.[4] 당시의 기득권이 야기하는 문제를 방관하지 않고 하층민의 입장에서 문제를 부각하면서 비판을 가한 것이라 하겠다.

---

3) 김말순, 「조선후기 사회변동에 대하여-경제적·사회적·사상의 변동을 중심으로」, 『효성사학』 4, 효성여자대학역사학회, 1989, 54쪽.

4) 신해진, 『역주 조선후기 세태소설선』, 월인, 1999, 10쪽.

실제로 이러한 문제는 하층민의 삶을 더 어렵게 하는 독소와 같은 것으로 인식하였다. 그래서 그러한 것과는 조화와 타협의 여지가 없는 것으로 보고 일방적인 공격을 가한 것이다. 적어도 실창 판소리계 소설에서는 그러한 공격성이 농후하다 하겠다. 현전 창본에서 이면적인 주제로 다룰 만한 것을 표면화하여 기득권에 대한 비판을 거침없이 토해내었기 때문이다. 더 이상 판소리로 불리지 못할 만큼 당시 사회적인 문제를 강하게 지적·비판한 것이 실창 판소리계 소설이라 하겠다.

실창 판소리계 소설이 관료의 타락과 부패, 하층민들의 곤궁한 삶의 문제, 모순된 사회제도, 윤리의식의 부재 등을 풍자적으로 비판하고 있음에도 불구하고 그간 이들에 대한 연구는 체계적이지 못했던 것이 사실이다. 창으로 전승되는 작품이 비교 우위에 있는 것으로 생각하여 논의의 대부분이 전승 다섯 마당에 치중되었기 때문이다. 그런데 알고 보면 전승 다섯 마당은 상하층에게 호소할 수 있는 양면성을 가지면서 풍자와 비판정신이 반감된 것이 아닌가 한다. 이에 반해 실창 판소리계 소설은 비판의 정도가 강하여 민중의식을 더욱 선명하게 담은 것으로 볼 수 있다. 어정쩡한 조화와 타협보다 명징한 비판의식을 담았다는 점에서 이들 작품에 대한 관심이 고조되어야 마땅하다. 역발상의 시각에서 보면 창을 잃고 도태된 작품이 아니라 시대정신이나 근대의식을 더 적극적으로 수렴·구현한 작품으로 해석할 수 있기 때문이다.

이 연구에서는 그러한 점을 감안하여 실창 판소리계 소설 모두를 대상으로 비판양상을 집중적으로 검토하고, 나아가 비판의 궁극적인 목표를 지향의식이라는 점에서 찾고자 한다. 이를 바탕으로 실창 판소리계 소설의 실창 동인이나 문학적 가치 및 문학사적 의의를 짚어보도록 하겠다.

2. 기존 연구의 성찰적 검토

실창 판소리계 소설은 인물은 물론, 기존의 율문법이나 관습법제의 문제를 지적하기도 하고, 경제적인 차등이나 부유층의 문란한 생활을 고발하기도 하였다. 그만큼 비판의식이 강함을 알 수 있다. 그래서 이들의 비판양상을 종합적으로 살펴보고, 그를 준거로 미시적인 작업을 진척시켜 이들이 견지한 서사역량을 부각할 필요가 있다. 그간의 연구는 판소리를 이해하거나 판소리계 소설을 이해하는 방편으로 지엽적으로 다루어지거나 단일 작품에 중점을 둔 논의가 지배적이었다. 지금까지 실창 판소리계 소설에 대한 논의를 각 작품별로 종합해 보도록 하겠다.

첫째, 〈배비장전〉의 연구 성과이다. 이 작품은 상층부의 가식적인 행태를 다양한 측면에서 보이고 있다. 그래서 목사를 비롯한 상층부의 인물이 폭풍을 만났을 때 보이는 모습이나 정비장이나 배비장을 중심으로 보이는 가식적인 모습을 논의한 것이 큰 비중을 차지한다. 더욱이 상층 남성의 권위와 위선을 방자와 애랑 등의 천민이 가세하여 공격한 것은 상층부 인물의 왜곡된 실상을 적나라하게 드러내기 위한 것이라 하겠다. 상층부 남성의 훼절은 주자학적 이념에 충실하면서 하층민에게 군림해 오던 그간의 문제를 시정하려는 의도가 내재된 것이라 할 만하다. 이 작품은 속이기 기법을 통해 해학과 풍자를 보인다는 점에서 웃음의 기재로 주목한 논의가 다수 있기도 하다.[5] 이 작품의 서사구조

---

5) 박일용, 「조선시대 훼절담의 변이양상과 그 사회적 의미」, 『조선시대애정소설』, 집문당, 1993; 권순긍, 「〈배비장전〉의 풍자층위와 역사적 성격」, 『반교어문연구』 7, 반교어문학회, 1996; 권순긍, 「〈배비장전〉의 풍자와 제주도」, 『반교어문연구』 14, 반교어문학회, 2002; 윤미연, 「〈배비장전〉에 나타난 웃음의 기제와 그 효용」, 『문학치료연구』 1, 문학치료연구학회, 2004; 윤미연, 「〈배비장전〉의 웃음 속에 담긴 욕망」, 『태릉어문연

는 풍자와 밀접한 관계가 있다. 풍자의 대상은 상층부인 중인 이상의 관리이다. 상층부 중에서 그릇되거나 왜곡된 인간성을 보이는 인물군을 공격하는 것이 핵심이다. 문제는 그러한 공격에 천민이 가세하고 있다는 점이다. 이것은 풍자의 효과를 극대화하기 위한 방편이면서 동시에 상하층의 인물이 다르지 않음을 우회적으로 보인 것이기도 하다. 이를 감안하여 중세를 청산하고 근대로의 진입기 상황을 이 작품이 잘 포착한 것으로 볼 수 있다. 특히 평등의식을 드러내면서 신분에서 오는 질곡을 지적한 것으로 볼 수 있다. 이러한 문제를 종합적으로 다루다 보면 실창 판소리계 소설의 특징도 합리적으로 부각되리라 본다.

둘째, 〈강릉매화타령〉의 연구 성과를 본다. 〈강릉매화타령〉은 인물의 형상과 공모를 주축으로 연구가 이루어졌다.[6] 이 작품이 속이기의 기법을 통해 작중인물의 그릇된 행태를 고발하였기 때문에 인물의 성격, 사건구조, 서사미학 등을 중심으로 논의가 진행된 것이다. 실제로 이 작품은 작명(作名)을 통해 주인공의 인물됨을 암시했을 뿐만 아니라

구』 13, 서울대학교 인문과학대학 국어국문학과, 2006; 김영주, 「〈배비장전〉의 풍자구조와 그 의미망」, 『판소리연구』 25, 판소리학회, 2008; 송주희, 「고전소설에 나타난 속이기의 서사기법적 연구」, 충남대학교 석사학위논문, 2008; 신효경, 「〈배비장전〉에 나타난 신분의 한계와 극복방안」, 『어문연구』 87, 어문연구학회, 2016.

6) 김헌선, 「〈강릉매화타령〉 발견의 의의」, 『국어국문학』 109, 국어국문학회, 1993; 인권환, 「실전 판소리 사설 연구: 〈강릉매화타령〉, 〈무숙이타령〉, 〈옹고집타령〉을 중심으로」, 『동양학』 26, 단국대학교 동양학연구소, 1996; 이정훈, 「강릉매화타령계 소설의 남성 성의식:〈오유란전〉, 〈배비장전〉 및 〈강릉매화타령〉을 중심으로」, 전북대학교 박사학위논문, 1997; 한정미, 「〈梅花歌라〉의 전반적 이해」, 『판소리연구』 10, 판소리학회, 1999; 김석배, 「〈골생원전〉 연구」, 『고소설연구』 14, 한국고소설학회, 2002; 김석배, 「〈강릉매화타령〉의 판짜기 전략」, 『문화와 융합』 26, 문학과언어연구회, 2004; 이문성, 「인물 작명과 골생원의 형상으로 본 〈강릉매화타령〉」, 『판소리연구』 30, 판소리학회, 2010; 손동국, 「〈강릉매화타령〉에 나타난 성적 욕망의 인식 문제」, 『한국어와 문화』 11, 숙명여자대학교 한국어문화연구소, 2012; 윤정안, 「〈강릉매화타령〉의 귀신장난의 의미」, 판소리학회 제 77차 정기학술대회, 2015.

주인공의 허둥대는 모습을 통해 흥미성을 고양하고 있다. 이 작품의 서사기법으로 중시되는 작중극은 통속화를 기반으로 한 웃음의 유발장치라 할 만하다. 하지만 일방적인 공격으로 작품이 귀결되어 모든 계급에서 수용하기는 어렵게 되었다. 골생원이 보여주는 인물의 형상은 향락을 일삼고 관료로서 무책임하게 행동함에도 불구하고 골생원이 갖는 문제를 제대로 논의하지 못한 듯하다. 따라서 골생원의 문제를 종합적으로 검토하면서 더 진척된 논의를 모색해야 하겠다. 특히 유교적인 삶과 근대의식이 어떻게 호응하면서 새로운 시대를 개척하고자 했는지 구체적으로 검토할 필요가 있다.

셋째, 〈변강쇠가〉에 대한 연구이다. 〈변강쇠가〉는 조선후기 제도의 문제에서 빚어진 여러 사정을 담고 있다. 그간의 연구는 성과 죽음을 중심으로 논의가 이루어졌는데[7] 성의 기괴성은 비정상적인 신체 묘사와 죽음을 희화화한 것으로 볼 수 있다.[8] 〈변강쇠가〉는 중심인물인 변강쇠와 옹녀의 성격을 비롯하여 등장인물의 기능과 특성에 대한 연

7) 유선무, 「판소리소설의 인물행동에 관한 연구: 성의 표현을 중심으로」, 건국대학교 박사학위논문, 1988; 이강엽, 「신재효 〈변강쇠가〉의 성과 죽음의 문제」, 『열상고전연구』 6, 열상고전학회, 1993; 정지영, 「변강쇠전 :조선후기 성 통제와 하층여성의 삶」, 『역사비평』 65, 역사문제연구소, 2003; 이문성, 「성묘사의 전통 속에서 본 〈변강쇠가〉의 기물타령」, 『한국학연구』 22, 고려대학교 한국학연구소, 2005; 정미영, 「〈변강쇠가〉의 여주인공 옹녀의 삶과 왜곡된 성」, 『여성문학연구』 13, 한국여성문학학회, 2005; 정하영, 「〈변강쇠가〉 성담론의 기능과 의미」, 『고소설연구』 19, 한국고소설학회, 2005; 이정원, 「〈변강쇠가〉의 성담론 양상과 의미」, 『한국고전연구』 23, 한국고전연구학회, 2011.

8) 서종문, 「〈변강쇠가〉 연구」, 서울대학교 석사학위논문, 1975; 김종철, 「〈변강쇠가〉의 미적 특질, 『판소리연구』 4, 판소리학회, 1993; 김종철, 「〈변강쇠가〉와 기괴미」, 『판소리의 정서와 미학』, 역사비평사, 1996; 서유석, 「〈변강쇠가〉에 나타난 기괴적 이미지와 사회적 함의」, 『판소리연구』 16, 판소리학회, 2003; 서유석, 「〈변강쇠가〉에 나타난 기괴성의 구현양상과 의미」, 경희대학교 석사학위논문, 2003; 서유석, 「〈변강쇠가〉 기괴성의 현대적 변화 양상과 의미」, 『우리문학연구』 50, 우리문학회, 2016.

구도[9] 활발히 진행되었다. 하지만 그동안 작품의 표면에 나타난 성의 기괴성에 치중되어 성과 죽음의 본질에 대한 논의가 소홀하였던 것도 사실이다. 이제 〈변강쇠가〉에 나타나는 비판양상에 주목할 필요가 있다. 성과 죽음이 인간의 평등과 존엄성을 지향했다는 점에서 그리고 상층부에 일방적으로 당하는 유랑민의 처지를 반영했다는 점에서 논의를 진척할 필요가 있기 때문이다.

넷째, 〈장끼전〉에 대한 연구 성과이다. 〈장끼전〉은 수절과 개가를 통한 여성인식과[10] 주제에 대한 논의가 주를 이루고 있다.[11] 실제로 〈장끼전〉은 조선후기 상민들의 어려운 처지를 헤아리는 담론이다. 그 중에서도 서민 남성의 부인으로 살아야 하는 여성의 고단한 삶을 집중해서 보인 작품이라 하겠다. 여성의 개가와 수절문제를 중심에 두고

---

9) 최혜진, 「〈변강쇠가〉의 여성중심적 성격」, 『한국민속학』 30, 한국민속학회, 1998; 윤분희, 「〈변강쇠가〉에 나타난 여성인식」, 『판소리연구』 9, 판소리학회, 1998; 김경미, 「고소설 남성 인물의 형상화:〈변강쇠가〉를 중심으로」, 『이화어문논집』 17, 이화여자대학교 이화어문학회, 1999; 정출헌, 「판소리에 나타난 하층여성의 삶과 그 문학적 형상」, 『구비문학연구』 9, 한국구비문학회, 1999; 박경주, 「여성문학의 시각에서 본 19세기 하층 여성의 실상과 의미」, 『국어교육』 104, 한국국어교육학회, 2001; 김창현, 「〈변강쇠가〉, 뎁득이의 인물형상과 그 의미』, 『국제어문』 38, 국제어문학회, 2006; 이주영, 「〈변강쇠가〉에 나타난 강쇠 형상과 그에 대한 적대의 의미」, 『어문논집』 58, 민족어문학회, 2008; 김정은, 「옹녀의 상부살풀이 과정으로 본 〈변강쇠가〉 연구」, 『겨레어문학』 44, 겨레어문학회, 2010; 우혜영, 「〈장끼전〉·〈변강쇠가〉 연구 – 인물 표현 양상을 중심으로」, 배재대학교 박사학위논문, 2013.

10) 맹택영, 『〈장끼전〉 연구: 주인공의 환경세계와 현실인식을 중심으로」, 『인문과학논집』 17, 청주대학교 인문과학연구소, 1997; 서유석, 「〈장끼전〉에 나타나는 뒤틀린 인물 형상과 여성적 시선」, 『서강인물논총』 29, 서강대학교 인문과학 연구소, 2010; 소인호, 「〈장끼전〉에 나타난 수절과 개가의 문제」, 『인문과학논집』 41, 청주대학교 인문과학연구소, 2010; 우혜영, 「〈장끼전〉·〈변강쇠가〉 연구 – 인물 표현 양상을 중심으로」, 배재대학교 박사학위논문, 2013; 유귀영, 「판소리계 소설 속 하층여성의 烈에 대한 인식과 그 의미」, 『판소리연구』 39, 판소리학회, 2015.

11) 이석래, 「장끼전 연구」, 『성심어문논집』 9, 성심어문학회, 1986.

형상화하여 그간의 연구도 이에 집중된 것이 사실이다. 이 작품이 남성 가부장의 그릇된 인식과 행태, 그로 인해 빚어지는 여성의 굴곡진 삶을 형상화했기에 당연한 일이라 하겠다. 그동안 〈장끼전〉에 관한 연구는 가부장제의 사회모습과 개가 문제에 많은 관심을 기울였다. 이제 성리학적 이념에 따른 불합리한 사회적 모순을 비판한 양상을 부각할 필요가 있다. 다른 작품과 연계하면서 이 작품의 비판의식을 심도 있게 살피면 실창 판소리계 소설의 공통된 특징을 귀납적으로 총결할 수 있으리라 본다.

다섯째, 〈옹고집전〉에 대한 연구 성과이다. 〈옹고집전〉은 물질을 우선하는 세태를 비판한 것이 주종을 이룬다. 이 작품은 가옹과 진옹을 내세워 문제적 인간상을 풍자했다는 점에서 다양한 논의가 가능하다. 작품의 구조와 교육적 가치는 물론, 윤리의식이나 경제문제로 접근하여 성과를 거둔 이유이기도 하다. 모두 이 작품이 구현한 가치나 당시의 사회현실을 견주면서 논의한 것이라 할 수 있다. 그중에서도 특히 주목되는 것은 경제적인 관점에서 그것도 신흥 유산계급의 문제를 지적한 것은 크게 평가할 만한 일이라 하겠다.[12] 이 작품은 성리학적 유교

---

12) 최래옥, 「〈옹고집전〉」, 『한국학논집』 11, 한양대학교 한국학연구소, 1987; 최래옥, 「〈옹고집전〉의 제문제(諸問題)연구」, 『동양학』 19, 단국대학교 동양학연구소, 1989; 장석규, 「〈옹고집전〉의 구조적 통일성과 서술 원리」, 『국어교육연구』 22, 국어교육학회, 1990; 장석규, 「〈옹고집전〉의 구조와 '구원'의 문제」, 『문화와 융합』, 문학과언어연구회, 1990; 김종철, 「〈옹고집전〉 연구 – 조선후기 요호부민의 동향과 관련하여」, 『한국학보』 20, 일지사, 1994; 이강엽, 「자기실현으로 읽는 〈옹고집전〉」, 『고소설연구』 17, 한국고소설학회, 2004; 강현모, 「〈옹고집전〉의 서사구조와 교육적 의미」, 『한국언어문학』 56, 한국언어문학회, 2006; 이재영, 「〈옹고집전〉의 이데올로기 재현 전략과 길들이기」, 『국제어문』 40, 국제어문학회, 2007; 김승호, 「진허가허를 통해 본 〈옹고집전〉의 형성과 서사미학」, 『국제어문』 63, 국제어문학회, 2014; 허원기, 「심학(心學)의 눈으로 바라본 〈옹고집전〉」, 『고소설연구』 41, 한국고소설학회, 2016; 신효경, 「〈옹고집전〉에 나타난 윤리의식

질서를 어지럽힐 만큼 물질을 우선시하는 문제를 심각하게 다루고 있다. 그럼에도 불구하고 이에 대한 논의가 미진하거나 산발적인 것이 사실이다. 그런 점에서 조선후기 경제적인 문제에 초점을 두어 면밀히 살피는 것도 유용할 수 있다. 그렇게 할 때 실창 판소리계 소설이 시대적인 변화를 적절히 포착한 사정을 짚어낼 수 있기 때문이다.

여섯째, 〈무숙이타령〉의 연구 성과를 살펴본다. 〈무숙이타령〉은 자료의 발굴이 상대적으로 늦어 연구 성과가 축적되지 못했다. 연구사적으로 일천하여 몇몇의 논의만 확인할 수 있을 따름이다. 그간의 연구에서는 이 작품이 상업자본의 발달로 유흥 사회화와 불건전한 삶을 꼬집거나[13] 이 작품의 주제를 단일한 것으로 못 박아 두기보다는 새로운 근대사회로의 전환기적 상황에서 발생할 수 있는 생활과 노동, 건전한 삶과 퇴폐적 삶에 대한 가치관의 문제를 생각해야 한다고 보았다.[14] 이 작품은 다른 실창 판소리계 소설에 비해 연구 성과가 많지 않은데, 이제 김무숙과 같은 무노동 계층이 부각한 문제를 더 깊이 있게 살펴야 하겠다. 부를 축적한 부류에서 야기하는 문제는 중세적인 것보다 근대적인 가치관을 담은 것으로 볼 수 있다. 이 작품이 사회, 경제적으로 급변한 조선말기의 사정을 그만큼 잘 포착한 것이라 할 수 있다. 특히 갑부의 아들인 김무숙이 무위도식을 넘어 끝없이 윤리적·도덕적인 해악을 일삼는 문제도 심각하게 다루어야 할 것으로 본다.

실창 판소리계 소설은 다른 고전소설 연구에 비해 작품의 개별적인

의 부재와 극복방안」, 『한국언어문학』 97, 한국언어문학회, 2016.

13) 최원오, 「〈무숙이타령〉의 형성에 대한 고찰」, 『판소리연구』 5, 판소리학회, 1994, 305-322쪽.

14) 인권환, 앞의 논문, 92-93쪽.

연구가 아직 활발하게 진행되지 못한 편이다. 다른 작품들과 묶어서 비교·분석한 논의가 주종을 이루는 것이 그를 반증하고 있다. 실창 판소리계 소설은 조선후기 혼란스러운 과도기적 상황을 적절히 수렴하고 있다. 작게는 가족의 문제를 지적하면서 시정되기를 소망했는가 하면, 크게는 사회와 국가적인 문제까지 짚으면서 개선되기를 바라고 있다. 이제 이들에 대해 본격적이면서도 종합적인 연구가 진행되어야 하겠다. 이를 감안하여 본고에서는 실창 판소리계 소설 모두를 총괄적으로 검토하고자 한다. 특히 조선후기의 사회상을 실창 판소리계 소설이 어떻게 수용하면서 문제를 비판했는지에 초점을 맞추고자 한다. 그것이 이 작품의 향유층에서 지향했던 의식이나 문학사회학적 의미를 살피는 일이기 때문이다.

3. 연구범위와 방법

본 연구는 실창 판소리계 소설의 비판양상과 지향의식, 그리고 실창 동인과 문학사적 의의를 살피기 위해 다음과 같은 논의를 진행하고자 한다. 문학은 시대를 반영하기 때문에 문학작품을 통해 그 사회의 시대상과 인물들의 삶을 추론해 낼 수 있다. 실창 판소리계 소설은 조선후기 사회·경제적 상황, 관료들의 왜곡된 의식, 하층민들의 고단한 삶이 다층적으로 담겨있다. 그만큼 문학사회학적으로 다양한 의미를 함축하고 있는 셈이다. 이를 감안하여 본 연구에서는 먼저 대상 작품을 선정하고 유형을 설정한 다음, 유형별로 비판양상을 검토하도록 하겠다. 이를 바탕으로 지향의식과 실창 동인 및 문학사적 의의를 조망해 보고자 한다. 연구범위와 방법을 구체적으로 들어 보면 다음과 같다.

첫째, 실창 판소리계 소설의 유형을 살피고자 한다. 먼저 유형 분류의 기준을 확인하고, 그 기준에 맞게 유형을 설정하도록 하겠다. 그런 다음 유형별로 분석 텍스트를 선정하도록 하겠다. 실창 판소리계 소설은 다양한 방법으로 유형을 분류할 수 있다. 하지만 본 연구에서는 유형을 분류함에 있어 판소리계 소설의 특징적인 사항을 잡아 나누고자 한다. 그 기준의 핵심은 이들 작품이 공통적으로 강한 비판의식을 구현하고 있다는 점이다. 그래서 비판 대상을 중심에 두고 유형을 분류하고자 한다. 실창 판소리계 소설이 민중의 기저의식에 자리잡은 비판의식의 표출물이라 할 수 있기에 그 대척점에 놓인 상층부와 기득권층을 비판의 대상으로 삼아 유형을 나누는 것이 유용할 수 있다. 이어서 분류한 유형을 구체적으로 제시하고자 한다. 즉 유형 분류의 기준에 맞게 유형을 설정하고 그 이유와 해당 작품을 명시하도록 하겠다. 다음으로 이렇게 제시된 작품 중에서 분석 텍스트를 선정하도록 하겠다. 각 유형에 배치된 작품별로 다양한 이본이 있을 수 있는데, 그 중 선본에 해당하는 것을 분석 텍스트로 확정하도록 하겠다.

둘째, 실창 판소리계 소설의 유형별 비판양상을 살피고자 한다. 앞에서 분류한 각 유형별로 비판양상을 종합적으로 살피도록 하겠다. 먼저 비판의 동인을 살펴보도록 한다. 강한 비판을 가했을 때는 그만큼 강력한 동인이 작동했을 것이기 때문이다. 그래서 유형별로 각 작품에 나타난 비판의 동인을 세부적으로 검토하도록 하겠다. 비판의 동인을 살피는 것은 비판의 타당성을 증명하는 것이기도 하다. 이어서 비판의 양상을 살펴보도록 하겠다. 이 또한 각 유형에 속하는 작품별로 비판의 양상을 검토하도록 하겠다. 이것은 비판의 동인과 연계된 것으로 그

양상에서 민중의식이 발현되고, 비판 대상의 위선이나 거짓된 권위가 여지없이 폭로될 것으로 본다. 이렇게 각 유형의 작품별로 비판의 동인과 양상을 종합적으로 검토하면 실창 판소리계 소설에 투영된 민중의 기저의식이나 시대적인 요청을 읽어낼 수 있으리라 본다.

셋째, 실창 판소리계 소설의 각 유형별 지향의식을 살피고자 한다. 실창 판소리계 소설은 특정인의 작품이 아니라 민중에 의해 성장한 적층 문학적 성격을 띠고 있다. 그만큼 강렬한 민중의식이 각 유형의 작품에 투영되었음은 당연한 일이다. 실창 판소리계 소설에 투영된 민중의식이 이른바 지향의식의 핵심이라 하겠다. 이를 감안하여 먼저 각 유형에 속하는 작품별로 지향의식을 종합적으로 살피고자 한다. 이것은 앞에서 살핀 비판의 동인과 양상을 바탕으로 구현된 주제의식을 살피는 것과도 상통한다. 실창 판소리계 소설 작품은 각기 비판의 대상이 다르다. 그 대상의 그릇된 문제를 시정하는 과정에서 비판의 동인과 양상이 인과를 맺는다. 그것은 이들 작품을 향유하는 수용층의 의식이 담겨서 가능한 것이기도 하다. 따라서 수용층의 의식이 지향하는 바를 구체적으로 살피면 시대의식이나 변혁기의 문학적 대응을 실증적으로 검토할 수 있으리라 본다. 다음으로 각 유형별 지향의식의 관계를 귀납적으로 종합하도록 하겠다. 유형별로 지향했던 의식의 관계를 종합적으로 검토하면 실창 판소리계 소설이 갖는 문학사회학적 의미가 부각될 수 있으리라 본다.

넷째, 지향의식을 통해 본 실창의 동인과 문학사적 의의를 검토하도록 한다. 먼저 실창의 동인을 귀납적으로 정리하도록 한다. 실창 판소리계 소설은 상층부와 기득권에 대한 비판과 풍자가 핵심이다. 현재 창으로 전하는 작품과 비교했을 때 조화보다는 비판에 치중한 것이 사실이다. 그래서 비판의 동인과 양상, 그리고 지향의식 등을 종합하면서 창으로 불리지 못한 동인이 드러나리라 본다. 다음으로 문학사적 의의를 조망하도록 한다. 실창 판소리계 소설은 각 유형마다 조선후기의 사정을 문학적으로 적절히 형상화하고 있다. 그래서 이들을 통하여 변화기 문학의 공시적 양상을 종합적으로 파악할 수 있음은 물론 통시적인 사정까지도 짚어낼 수 있다. 실제로 조선후기를 중세에서 근대로의 이행기라고 한다면 그러한 시대적인 변화 양상을 이 실창 판소리계 소설이 적실히 보이고 있다. 중세적인 전통과 근대적인 변화가 이들 각 작품에 다층적으로 스며있기 때문이다. 따라서 그러한 사정을 감안하여 각 유형이 갖는 문학사적 위상을 짚어보도록 하겠다.

위와 같은 논의를 통해 창으로 전승되는 판소리계 소설과 실창 판소리계 소설의 특성이 비교됨은 물론, 실창 판소리계 소설의 문학적 특성과 가치가 부각될 것으로 본다. 적어도 그들이 실창된 이유와 실창으로 구현할 수 있었던 문학적인 성과가 종합적으로 확인될 수 있기 때문이다. 실창 판소리계 소설에 대해 서사적인 역량이 부족하여 창을 잃은 것으로 보고 말 일은 아니다. 한편으로는 판소리의 공연이 지역적으로 편중되면서 특정 지역의 판소리가 배제된 것으로 치부하고 말 것도 아니다. 일부 작품의 경우 서사적인 인과가 부족할 수 있지만 전체적으로 보면 각 작품이 지향했던 세계가 기존 질서와 괴리되는 파격적인 내용을 다룬 것이 사실이다. 이것은 이들이 확고한 비판의식과 강렬한 민중의식을 구현했음은 물론, 조선후기의 시대상황을 타협 없이 다룬 것으로 보아야 하겠다. 이러한 내용적 특성과 빈한한 서사적 인과가 창을 상실케 한 동인으로 작용했을 것으로 본다. 본 연구를 통해 이와 같은 제반 문제가 비교적 소상하게 검증되기를 바란다.

판소리계 소설의 비판유형과 분류

1. 유형 분류의 기준

판소리는 민중예술로 출발했지만 인기에 편승하여 상하를 아우르는 보편예술이 되었다.[15] 그래서 판소리 창본은 하층민에게 인기를 얻는 한편으로, 상층부의 기호에도 영합해야 했다. 이것이 창자가 청관중의 기호와 의식에 맞게 공연 내용을 조정한 이유이기도 하다. 판소리가 완창보다는 대목 중심의 부분창이라는 점에서 그러한 조정이 가능할 수 있었다. 판소리 창본이 소설과 달리 인과적인 유기성이 부족하거나 주제가 표면과 이면으로 나뉘는 것도 그러한 사정 때문이다.[16] 이것은 창으로 전승되는 판소리 작품에서 나타나는 공통된 현상이기도 하다. 기득권층의 현재적 상황과 민중층의 미래적 희망이 작품 내에 교차하여 그러한 주제를 구현한 것으로 볼 수 있다.

문제는 실창 판소리계 소설의 경우 사정이 사뭇 다르다는 점이다.

---

15) 정충권, 「판소리계 소설의 민중성과 대중성」, 『개신어문연구』 23, 개신어문학회, 2005, 201-217쪽.

16) 최진형, 「판소리 서사체의 주제에 대한 일고찰」, 『반교어문연구』 27, 반교어문학회, 2009, 213-245쪽.

창으로 전승되는 작품의 경우 비판과 함께 타협의 여지를 둔 것에 반해, 실창 판소리계 소설은 타협보다는 비판과 풍자에 경도되어 있기 때문이다. 창으로 전승되는 작품처럼 상층과 하층이 소망하는 내용이 조화를 이루기보다는 하층의 이상이 상층의 기득권을 침해하는 것이라 하겠다. 기득권에 대한 비판의식이 그만큼 강렬하게 형상화되었음을 알 수 있다.[17] 조화보다는 풍자와 비판의 공격성에서 실창의 원인을 찾아야 하는 이유이기도 하다. 이를 전제하면 실창 판소리계 소설의 유형 분류에서 풍자와 비판을 준거로 활용할 수도 있다. 실창 판소리계 소설의 경우 서사역량의 핵심이 풍자와 비판이기 때문이다. 가장 중시한 서사전략을 바탕으로 유형을 나누면 해당 장르의 특성을 이해하는 데도 유용하리라 본다.

이에 본 연구에서는 실창 판소리계 소설을 효과적으로 이해하기 위한 방편으로 유형을 나누되 그 기준을 비판의 대상으로 한정하고자 한다. 그러면 실창 판소리계 소설에서 비판의 대상이 될 수 있는 것이 무엇인지 살펴볼 필요가 있다. 그것이 명확하게 해명될 때 유형 분류의 타당성을 확보할 수 있기 때문이다. 우선 주목되는 것이 실창 판소리계 소설에서 구현한 주제가 하층민을 대변하거나 그들의 의식을 전폭적으로 수용했다는 점이다. 하층민의 기저의식을 바탕으로 작품을 형상화하였기에 그들에게 군림하거나 그들을 탄압하는 일체가 비판의 대상이 될 수 있었다. 이렇게 보면 비판의 대상은 기득권을 형성하는 상층부의 모든 것이 될 수 있다. 상층부에서 스스로를 보호하면서 하층민 위에 군림할 수 있었던 것은 잘 아는 것처럼 신분이나 제도가 핵심이고, 근

---

17) 이상일, 「〈배비장전〉 작품 세계의 재조명 - 구조, 풍자와 웃음, 인물을 중심으로」, 『판소리연구』 39, 판소리학회, 2015, 231-260쪽.

대변혁기에는 유산계급이 기득권을 이루며 문제를 촉발하기도 했다. 그래서 이들이 모두 비판의 대상이었음은 물론이다.

신분의 경우 조선조 내내 사람들을 수직적으로 구획하는 핵심이었다. 상층부의 양반에서부터 최하층의 천민에 이르기까지 이 신분에 따라 역할과 책임이 따랐다. 비록 조선후기에 들어 신분제가 완화되면서 계층 간의 이동이 가능했을지라도[18] 상하의 위계질서는 여전하였다. 물론 신분제라는 점에서 이는 제도적인 문제로 볼 수도 있다. 하지만 이 신분제는 천부적인 것이기에 제도와 다를 수 있다. 제도는 때에 따라 변경되기도 하고, 제도 내에서 위상을 달리하는 인물군상이 등장할 수도 있다. 하지만 신분은 천부적으로 타고난 선민의식을 내세우며 하층민에게 일방적으로 군림하였다. 특히 양반 신분에게만 주어지는 특권 때문에 신분에 대한 반감이 증폭되다가 마침내는 비판의 핵심 대상으로 부각된 것이다. 재능과 무관하게 주어진 신분으로 상층부를 형성하고, 그렇지 못한 계급을 폄시하는 것을 부정하여 공격성을 드러낸 것이다.

제도에 대한 문제도 비판의 대상이 되었다. 중세적인 제도와 봉건적인 제도 일체가 하층민에게는 속박이면서 책임을 강요하는 것이었다. 때에 따라서는 법제가 하층민을 제도권 밖으로 내몰면서 생활 터전을 앗아가기도 했다. 물론 신분제도 법제 속에 들 수 있지만 신분은 선천적으로 부여된 것이고, 제도는 후천적으로 만들어진 것이라는 점에서 차이를 보인다. 이 제도는 수시로 변경되면서 하층민을 구속하거나 수탈하는 장치로 활용되곤 하였다. 하층민의 입장에서는 이러한 제도가 달가울 리 없어 문학작품에서나마 통렬한 비판을 가하고 있다. 실제로 조선후기

18) 정진영, 「향촌사회에서 본 조선후기 신분과 신분변화」, 『역사와 현실』 48, 한국역사연구회, 2003, 53-80쪽.

의 현행법이나 관습법 대부분이 기득권을 옹호하는 데 치중될 수밖에 없었다. 상층이 모범을 보이고 하층을 교화해야 한다는 관념이 작동했기 때문이다. 문학작품에서 각종 제도는 하층민을 옥죄는 도구이자 척도였다. 실창 판소리계 소설에서 이러한 제도적인 문제를 제기하면서 그것을 무시하거나 일탈하는 내용을 다룬 것도[19] 그러한 사정 때문이다.

계급에 대한 문제가 불거지자 그것 또한 비판의 대상이 되었다. 조선후기는 유산계급과 무산계급의 문제가 심각하게 대두되기 시작한다. 물론 유산계급에서 무산계급을 착취하거나 방탕한 소비생활로 건전한 사회기풍을 해치는 데 앞장섰기 때문이다.[20] 그래서 무산계급인 하층민이 기득권을 형성한 유산계급에 대한 반감을 드러내며 그들을 비판의 대상으로 여긴 것이다. 이 유산계급은 주자학을 신봉하면서 귀족적인 자산가로 성장한 부류는 물론이고, 새로운 시대에 부응하여 요호부민처럼 부를 축적하여 경제적인 상층부를 구축한 부류도 있었다. 이러한 경제적 상층부는 축적한 부를 하층민이나 사회를 위해 쓰기보다는 더 많은 부를 축적하는 데 활용하곤 하였다. 그러한 가운데 무산계급인 하층민의 삶은 어려움이 가중될 수밖에 없었다. 그래서 그러한 경제적 문제를 야기하는 유산계급을 비판·공격하는 일이 빈발할 수 있었다. 이것은 변화된 세태에서 새로운 기득권을 형성한 부류에 대해 반감을 드러낸 것이라 할 수 있다.

이렇게 보면 비판의 대상이 신분인 인물문제, 경직화된 제도문제, 문

---

19) 윤분희, 「〈변강쇠전〉에 나타난 여성인식」, 『판소리연구』 9, 판소리학회, 1998, 325-349쪽.

20) 진은진, 「〈흥부전〉에 나타난 악과 세속적 욕망」, 『판소리연구』 26, 판소리학회, 2008, 229-252쪽.

란한 계급문제임을 알 수 있다. 이렇게 나누는 것이 일정한 기준을 확보했다고 장담할 수는 없지만 적어도 하층부에서 상층부를 비판 대상으로 삼았다는 것만은 공통적이라 하겠다. 그래서 비판의 대상을 준거로 유형을 나누면 신분 비판형, 제도 비판형, 계급 비판형이 될 수 있다. 어느 유형 분류이든 한 가지 기준으로 충족될 수 없듯이 이렇게 셋으로 구획하는 것 또한 만족할 수는 없다. 그럴지라도 실창 판소리계 소설을 이해하는 데는 유용한 준거일 수 있겠다.

신분 비판형의 경우 서사의 근간이 상층 신분의 문제점을 다룬 것이다. 물론 신분 비판형에서 제도나 계급의 문제가 일부 가세할 수는 있다. 서사의 특성상 복합적인 면이 있어 미시적으로는 제도와 계급이 부수적으로 따르는 것이 자연스러울 수 있다. 하지만 서사의 근간이 신분에서 야기된 것이기에 신분에 대한 문제를 집중적으로 다룬 것을 묶어 신분 비판형으로 분류하였다. 〈배비장전〉과 〈강릉매화타령〉과 같은 것이 이에 해당한다 하겠다. 이들 작품이 양반 관료의 위선과 그릇된 권위를 신랄하게 폭로하기 때문이다. 제도 비판형은 현행법이나 관습법 때문에 야기된 문제를 서사의 자양으로 삼은 것이다. 일부의 경우 신분이나 계급의 문제가 개입할 수 있지만, 근간적인 내용은 법제와 제도에서 빚어진 하층민이나 여성의 문제이다.[21] 법제와 제도로 인해 하층민이 정처 없이 떠돌면서 경제적으로 궁핍해지거나 가정적으로 파탄지경에 이르는 문제를 다루고 있다. 〈변강쇠가〉와 〈장끼전〉이 그러한 사정을 대변하는 대표 작품이다. 계급 비판형은 경제적인 우열에서 빚어지는 문제를 중점적으로 다룬 것이다. 이 유형에서도 세부적인 곳에서는 신분

---

21) 서유석, 「〈장끼전〉에 나타나는 '뒤틀린' 인물 형상과 여성적 시선」, 『서강인문논총』 29, 서강대학교 인문과학연구소, 2010, 235-264쪽.

이나 제도의 문제가 개입할 수 있지만, 경제적인 계급에서 발생한 문제가 서사의 일관된 방향임은 물론이다. 유산계급의 그릇된 행태를 고발하면서 서사역량을 높였기 때문이다. 〈옹고집전〉과 〈무숙이타령〉 등이 이에 해당된다.

이러한 분류는 모두 비판 대상을 전제한 것이다. 비록 층위나 범주가 명확하지 않을지라도 실창 판소리계 소설에서 중시하는 비판을 전제하고, 그 대상을 준거 삼아 유형을 나누고자 했다. 그렇기 때문에 이러한 유형 분류가 해당 작품을 이해하는 데 도움이 되리라 본다. 이 기준에 맞춘 유형과 유형의 세부적인 사항을 다음 절에서 집중적으로 살펴보도록 하겠다.

2. 유형 분류의 실제

조선후기는 역사적으로 중세에서 근대로 이행하는 과도기라 할 수 있다. 그래서 정치·사회적으로 혼란스러운 가운데 다양한 변화가 나타났다. 신분의 우위를 내세우며 향락에 빠져 지내거나 부정과 부패를 일삼는 무리가 여전하여 비판의 대상이었음은 물론, 신구의 제도가 하층민의 삶을 옥죄는 장치로 기능하는 문제를 지적하면서 시정되기를 희망하기도 하였다. 그런가 하면 일부에서는 물질만능주의에 사로잡혀 향락과 퇴폐적인 생활을 일삼기도 하였다. 이를 전제하여 실창 판소리계 소설을 신분 비판형, 제도 비판형, 계급 비판형으로 나누어 살피고자 한다.

1) 신분 비판형

이 유형은 관료의 신분으로 자신의 임무에 충실하지 못한 이들에 대한 비판을 담고 있다. 관리는 그에 상응한 윤리·도덕적 요건을 충족해야 마땅하다. 치자로서 피치자의 모범이 되어야 하기 때문이다. 하지만 신분질서가 느슨해지면서 그릇된 양반 관료의 문제가 비판의 대상이 될 수밖에 없었다.

양반은 방대한 토지의 지주이면서 한편으로 자신의 이익과 권위를 유지하기 위해 주자학적인 가치관을 우선시하였다. 하지만 현실을 무시한 관념적 논쟁의 결과 초기의 진취성을 상실하고 도리어 사회변화를 제약하기에 이른다. 이러한 상황은 왜란과 호란을 유발하고 그로 인해 신분제 변화를 가져온다. 실제로 조선후기에 들어오면 양반의 수가 증대되어 그들이 사족 계급으로서 모두 지배층에 오를 수 없게 된다. 더욱이 경제적인 문제가 중시되면서 신분은 양반이지만 서민적인 생활을 감내해야 하는 계급, 즉 몰락양반이 양산된다. 권력의 중심에서 소외된 사족계급은 현실적·경제적으로 중인 이하의 신분과 다를 것이 없게 되었다. 그러는 과정에서 중인·상민들이 현실에 대해 새롭게 인식하면서 전통적인 윤리관·인간관에 반기를 들고 독자노선을 걸었다. 이들은 화폐경제·상업경제에 기민하게 적응하여 부를 축적하고, 그 부를 통해 신분의 한계를 넘는 유산계급을 이루게 되었다. 하층에서 기득권층의 문제를 강하게 지적할 수 있었던 저력도 여기에 있었다.

그런 반면에 양반계급은 신분 분화로 수권양반과 몰락양반이 양극화되면서 일부 양반은 관직에서 소외되어 가난한 평민과 다름없는 삶을 살게 되었다. 이러한 상황 속에서도 신분만을 믿고 위엄과 권위를 내세우는 인물이 여전히 있었다. 하지만 기층민들은 그들을 종이호랑이와 같이 취급할 따름이었다. 실용노선을 걷는 기층민에게는 그들의 가식이 조롱과 비판의 대상이 될 수밖에 없었기 때문이다. 이것이 점차 확대되어 기층민들이 사족 계급, 또는 지배층 전체를 비판하는 양상으로 확대되었다. 그래서 조선후기는 기득권층과 기층민의 갈등과 대립, 그리고 조화를 모색해 나가는 과도기라 할 수 있다. 이른바 변증법적인 변화를 거쳐 합일의 새로운 사회로 나아가고자 모색한 시기라 할 수 있다. 이러한 문제를 다룬 작품이 바로 〈배비장전〉과 〈강릉매화타령〉이다. 두 작품은 주인공들이 관리로서의 임무를 충실해야 함에도 불구하고 자신의 신분과 직위를 망각하고 있다. 두 작품 모두 관료들의 퇴행적 행태를 천민이 가담하여 비판·풍자하고 있다. 양반 관료사회에 만연해 있는 부정과 부패의 문제점을 극적으로 부각하기 위한 전략이라 하겠다. 이제 두 작품에 반영된 신분과 관련된 문제를 개괄해 보도록 한다.

〈배비장전〉은 신분문제를 형상화한 것으로 기존의 설화와 관련이 깊다. 실제로 기층민 사이에서는 가식적인 양반, 나아가 지배층의 그릇된 행태를 비판하는 일이 빈발했고 그것이 다양한 이야기로 형상화되기에 이른다.[22] 기생이 관리를 농락하는 기롱설화(妓弄說話), 사람이 쌀뒤주 속에 들어간 이야기인 미궤설화(米櫃說話), 이를 뽑히는 이야기인 발치설화(拔齒說話) 등이 그것이다. 이 이야기의 공통점은 가부장제와 남존여비를 강조하는 사회에서 최하층의 여성이 그것도 기득권의 남성을 기롱하는 공통점을 가지고 있다. 이때의 기생은 민중을 대변하는 것으로 보아도 무방하다. 이것을 확대해서 보면 하층민의 인식변화로 더 이상 가식적인 양반들에게 무조건적인 복종을 불허하겠다는 의

22) 이상현, 「〈裵裨將傳〉의 根源說話 연구」, 부산외국어대학교 석사학위논문, 1993.

지의 표현이라 하겠다. 따라서 훼절담을 주요 모티브로 생산된 조선후기 소설들은 정남(貞男)을 자처하던 남성의 숨겨진 추악함을 과감하게 드러내어 풍자의 대상으로 삼은 것이다. 그중의 대표적인 작품이 바로 〈배비장전〉이라 하겠다.

〈배비장전〉은 제주목사와 배비장 그리고 애랑과 방자를 내세워 조선의 집권층과 지배층의 간섭에서 벗어나고픈 민중의 심리를 적절히 형상화하였다. 즉 강압적인 상층부의 구속에서 벗어나려는 민중의 몸부림을 문학적으로 형상화한 것이라 하겠다. 이것은 신분제도의 붕괴가 야기한 것으로, 조선사회가 가지고 있는 모순과 병폐를 고발한 것이기도 하다. 문제를 해결하기 위해서는 여전히 중세적인 이념에 사로잡혀 현실을 직시하지 못하는 인물을 올바르게 교정해야만 했다. 즉 문제적인 인물을 고발하고 시정함으로써 신분제의 폐해를 극복하는 것이 핵심이라 하겠다. 잘 아는 것처럼 배비장은 중세적인 이념에 사로잡혀 현실을 제대로 직시하지 못하고 있다. 더욱이 가식과 권위만을 내세우며 상하의 조화를 백안시하고 있다. 이렇게 부정적인 양반들이 상하층 모두에게 풍자의 대상이 된 것이다.[23] 〈배비장전〉의 정비장과 배비장과 같이 위엄과 체통을 갖추지 못한 인물을 시정하여 올바른 가치관을 갖도록 한 것이다. 그래야만 상하가 조화를 이루는, 더 나아가 상하의

---

23) 〈배비장전〉은 배비장의 상관인 제주목사가 배비장의 가식적인 허물을 벗기기 위해 공모를 지시하고, 관비인 애랑과 방자가 가담하여 배비장을 훼절시켜 망신을 준다. 상층부인 제주목사가 가담한 가운데 하층민인 애랑과 방자가 공모하여 상층부인 배비장을 끌어내림으로써 신분의 평등을 추구한 것이라 할 수 있다. 조선후기에 상하층이 공모하여 가식적인 인물을 훼절시키는 소설이 유행한 것도 저와 같은 사회적인 분위기 때문이라 하겠다. 이것은 신분제도의 모순을 극복하고 새로운 사회로 나아가는 과정에서 발생한 필연적인 현상이기도 하다. 그것은 근대로의 지향의식을 대중문학으로 형상화한 것으로 보아도 좋겠다.

구분이 없는 이상적인 사회를 만들 수 있었기 때문이다.

〈강릉매화타령〉은 양반 관료사회의 무능과 안일함을 비판한 작품이다. 이 작품은 하급관리가 자신의 일에 충실하지 않고 기생과 함께 향락적인 삶을 일삼는 것을 비판한 것이다. 목적성이나 방향성을 상실하고 일탈적인 삶만 추구하는 문제를 지적한 것이다. 이 작품의 주인공인 골생원은 강릉사또가 책방으로 임용한 하급관리이다. 골생원은 관리가 되어서도 사또를 보좌하기보다는 향락에 빠져 지낼 따름이다. 자신의 본분에 충실하지 못한 골생원의 행태는 질책과 비판의 대상일 수밖에 없었다. 관료사회에서 행해지는 부정과 부패, 어리석은 관리의 잘못된 행태를 골생원을 내세워 고발한 것이다.

〈강릉매화타령〉은 관습처럼 행해오던 관리의 임용 문제를 제기한 것이기도 하다. 양반들 중에서 하급관리로 임용된 후 자신의 가문이나 권세만 믿고 직무에 충실하지 않는 일이 빈발했다. 그러한 인물을 그냥 두고 볼 수 없어 비판을 통해 올바르게 교정해야 했다. 하급관리일지언정 봉록을 먹는 입장에서 자신의 본분에 충실하도록 일깨운 것이다. 하지만 골생원은 관료의 업무를 소홀히 하고 기강을 어지럽히는 문제적 인물이었다. 양반 관료사회의 기강을 바로 잡을 목적에서 그를 비판하는 것은 당연한 일이었다.

〈강릉매화타령〉은 강릉사또의 명령으로 주색에 빠진 골생원을 공모를 통해 징치하고 있다. 이때 매화와 강릉백성들이 총동원되어 망신을 준다. 상층부인 강릉사또는 골생원을 알몸으로 만들어 망신을 줌으로써 양반 관료사회의 기강을 바로 잡고, 강릉백성과 공모하여 백성을 결속시킴으로써 화합을 추구한 것이라 할 수 있다. 이는 양반 관료와 백성, 상층부와 하층부가 화합하여 공동체 안에서 화합과 조화를 모색할 수 있음을 보인 것이라 하겠다.

2) 제도 비판형

이 유형은 제도적인 문제로 발생한 폐해를 고발·풍자한 것이다. 조선후기는 경제발전으로 양인들도 양반에게 귀속되어 농사짓던 시대에서 벗어나 토지를 소유하고 재산을 늘려가며 경제력을 갖추게 된다. 하지만 경제발전의 이면에는 토지를 소유하지 못한 이들이 유랑민으로 전락하는 부작용을 낳았다. 또 다른 한편으로는 가부장제의 남성 중심 사회에서 재가 금지법은 여성에게 불합리한 제도이기도 했다. 조선을 지배한 핵심이 신분제였지만 그 이면에는 세부적인 관습이나 제도에서 오는 문제도 적지 않았다. 경제제도나 양성불평등을 초래하는 관습적인 제도가 하층민의 삶을 더 어렵게 만든 것이다.

우선 농촌사회의 경우 자작농제보다는 소작농제가 하층민의 삶을 어렵게 만들었다. 자작농의 경우 예속되지 않고 주체적인 삶을 살아갈 수 있었지만, 공공의 토지를 경영하거나 권력층이나 부유층의 농토를 경영하는 소작농은 예속적인 삶을 살아가야 했고, 더 나아가 농업기술의 발달로 광작이 이루어지면서 소작농은 더 이상 향촌사회의 구성원으로 살아가기 어렵게 되었다. 그러한 사정은 여성의 경우 더 혹독하게 나타났다. 하층민에다 여성이라는 이유로 고달픈 삶이 배가되었기 때문이다. 제도적으로 여성과 남성의 차별을 인정하면서 여성의 재가를 법률로 금하기도 하였다. 재가 금지제도는 여성의 삶을 제한하는 것이라 하겠거니와 그러한 제도를 어길 경우 자녀의 사회진출에 제약을 가하여 어쩔 수 없이 제도를 따르도록 강요하기도 하였다. 이러한 어려운 처지에 놓인 여성은 이중의 고통을 겪을 수밖에 없었다. 그러한 사정을 잘 다룬 작품이 바로 〈변강쇠가〉와 〈장끼전〉이다.

〈변강쇠가〉는 변강쇠와 옹녀를 통해 당시 사회의 제도적인 문제를 고발하고 있다. 이 작품은 삶의 희망을 잃어버린 하층민의 좌절을 보여주고 있다. 더욱이 죽음을 앞둔 변강쇠가 옹녀에게 수절을 강요하는 것은 조선후기의 모순된 사회제도를 비판한 것이라 할 수 있다. 변강쇠는 조선후기 농업생산력의 발달과 상품 및 화폐 경제의 환경에서 농민층의 분화로 새로 등장한 몰락하층민이라 할 수 있다. 조선후기 새로운 사회경제 질서로 등장한 몰락하층민들은 중세 봉건해체기의 주요한 특징 중 하나이다.[24] 변강쇠가 옹녀의 육체만 밤낮으로 탐하며 의욕 없는 삶을 살아간 것도 봉건 해체기의 무기력한 몰락하층민을 대변한 것으로 볼 수 있다. 그렇다고 모든 것을 포기할 수는 없었다. 변강쇠가 부른 기물타령이나 나무타령을 통해 당시 유랑민들의 정착 욕구와 모두가 조화롭게 살아가는 공동체의 삶을 갈구한 사정을 읽어낼 수 있기 때문이다. 사회제도나 경제제도로 인해 자신의 터전을 잃고 떠돌지만, 공동체 내에서 안정적인 삶을 소망한 것이라 할 수 있다.

조선후기는 임진왜란과 병자호란을 겪으며 무너진 조선사회의 권위 회복과 사회질서 회복을 위해 성리학적 유교 이념을 강화하였다. 이러한 사회 분위기 속에 여성은 남성의 전유물로 여겨졌으며, 열녀를 지향하는 가운데 개가 금지법이 유행처럼 확산되었다. 당시 하층여성에게

---

24) 〈장끼전〉의 장끼가 엄동설한에 콩을 주우러 가는 상황이나, 〈흥부전〉의 흥부가 형 놀부의 집에서 쫓겨난 채 고단한 가장으로 살아가는 모습, 〈토끼전〉의 토끼가 자신이 살던 터전을 버리고 선뜻 자라를 따라갈 수 있는 모습에서 조선후기 몰락하층민의 공통된 삶을 추측할 수 있다. (고연화, 「창을 잃은 판소리계 소설 연구: 〈장끼전〉, 〈옹고집전〉, 〈배비장전〉을 중심으로」, 성균관대학교 석사학위논문, 2007, 32-34쪽.)

있어 개가가 또 다른 삶의 방편이었던 점을 감안하면 옹녀에게 수절은 삶의 좌절이나 마찬가지였을 것이다. 하지만 옹녀가 수절을 거부하고 다른 남성들을 유혹하는 행위는 기존의 사회제도를 거부하는 것이기도 하다. 또한 변강쇠가 죽음을 통해 보여주는 사건들은 조선후기 모순된 사회제도와 인간의 존엄성을 의식한 것이라 할 수 있다.

〈장끼전〉은 조선후기 하층민의 어려운 처지를 제도적인 문제와 결부시켜 비판한 작품이다. 이 작품을 통해 봉건해체기의 불안정한 삶을 살 수밖에 없었던 몰락하층민의 사정을 읽어낼 수 있다.[25] 장끼의 고단한 삶은 송만재의 《관우희》와 이유원의 《관극팔령》을 통해 살필 수 있다.[26] 이들 전적에서 하층민의 어렵고 고달픈 사정을 확인할 수 있기 때문이다.

먼저 〈장끼전〉을 통해 농민에게 가해지는 수탈을 짐작할 수 있다. 이것은 불합리한 경제제도에서 기인한 것임은 물론이다. 먹을 것을 구하기 힘든 고된 삶을 살아가는 장끼 가족은 포수에게는 사냥감의 표적

---

25) 16세기에는 과전법의 해체와 양대 전쟁을 계기로 권력층에 의한 토지 집중이 확대되어 토지를 상실한 농민이 많아진다. 17-18세기를 거쳐 농업생산이 회복되고 발전되면서 농업의 발전은 수공업의 발전을 촉진시켰으며 더불어 상품생산과 화폐 유통도 활발해졌다. 한편 고리대가 성행하여 일부 수공업자와 상인들은 상품의 생산과 유통과정에서 막대한 화폐자본을 축적하여 거상으로 성장하기도 하였다. 그러나 상품화폐경제의 발전은 도리어 양반 토호세력의 치부욕을 자극하여 그들은 고리대금업을 통해 토지를 겸병하였고, 갖은 수단으로 백성을 수탈하였다. (고수현·권정만, 「조선후기 윤증의 유교적 복지사상에 관한 탐색적 연구」, 『복지상담교육연구』 4, 한국복지상담교육학회, 2015, 25쪽.)

26) 푸른 이마 붉은 가슴 장끼와 까투리/묵밭에 붉은 콩을 의심하면서/한번 쪼곤 덫에 걸려 죽어버렸네/추운 산 마른 가지 눈 덮인 때에(송만재)

온 산에는 눈 덮여 새조차 날지 않는데/꿩들이 마구 내려 셀 수가 없네/까투리는 버리라고 간곡히 말렸건만/구복이 구구해 덫을 건드렸구나(이유원)

(장석규, 「〈관우희〉·〈관극팔령〉의 창작방법과 송만재·이유원의 작가의식」, 『문화와 융합』 12, 문학과언어연구회, 1991, 247쪽.)

에 지나지 않는다. 이렇게 위험한 세계에 무방비 상태로 노출될 수밖에 없는 삶이 당시 하층민들의 처지이다. 봉건사회가 해체되던 이 시기에는 농민층의 분화가 일어나 장끼나 까투리처럼 떠돌아다닐 정도로 몰락한 부류가 나타났다. 이른바 정착하지 못하고 떠도는 유랑민이 그들이다. 앞에서 살핀 변강쇠와 옹녀도 마찬가지의 부류라 할 수 있다. 기층민을 헤아리지 못한 경제제도, 나아가 그들을 수탈하는 산업구조가 유랑민을 양산하고 이들 유랑민을 다룬 작품이 대두될 수 있었던 것이다. 이 작품은 하층민의 어려운 처지를 헤아리면서 그를 야기한 제도적인 문제를 지적한 것이라 하겠다.

다음으로 여성에 대한 제도적인 압박 문제이다. 장끼는 죽음을 앞두고 까투리에게 수절을 요구한다. 장끼가 내세우는 가부장의 권위와 수절 요구는 조선후기 여성에게 가해지는 큰 고통 중의 하나였다. 이러한 문제를 강하게 비판하고 나선 인물이 까투리이다. 까투리는 배고픔을 참지 못하고 가부장의 권위만 내세우는 장끼에게 현실적인 문제를 들어 충고한다. 이것은 가부장제에 대한 문제를 제기하는 것이라 하겠다. 그러한 의식이 있었기 때문에 다른 홀아비 장끼에게 재가할 수 있었던 것이다. 재가를 단행한 것은 기존의 제도가 문제가 있음을 천명한 것이라 하겠다. 조선후기에는 여성들이 정절을 목숨보다 소중히 여기고 과부의 수절이 여성의 의무인 것처럼 인식하였다.[27] 더 나아가 그것을 법제화하여 여성들을 옥죄고 있었다. 그럼에도 불구하고 까투리가 그 제

27) 임진왜란과 병자호란을 겪은 후 사회적인 혼란과 무질서가 야기되자 지배층에서는 백성들이 정신을 무장할 필요가 있다고 보았다. 이러한 사회질서 회복을 위한 방책 중의 하나로 여성의 정절과 순종을 더욱 강화하였다. 그래서 조선후기에는 조선전기보다 수절하는 여성이 증가하였으며 열녀의 수 또한 급증하였다. (박주, 『조선시대의 여성과 유교문화』, 국학자료원, 2008, 27쪽.)

도를 과감하게 어긴 것은 근대적인 여성의식을 드러낸 것이라 하겠다. 이처럼 까투리는 여성의 인권을 무시하고 인간의 존엄성이 배제된 사회의 모순된 제도 아래서 당당히 여성의 목소리를 높이고 주체성을 가진 여성의 모습을 보여주고 있다. 까투리의 이러한 여성의식은 남녀차별의 제도적인 모순을 극복하고 인간평등과 존엄성을 중시하는 근대의식을 담아낸 것이라 할 수 있다.

3) 계급 비판형

이 유형은 조선후기에 들어서 발생한 경제적인 계급의 문제, 그 중에서도 유산계급의 문제를 전면에 내세워 비판한 것이다. 조선후기는 통치의 근간이었던 유교이념이 경제력 앞에서 서서히 무너지면서 사회질서가 흔들리고 있었다. 자본이 중시되는 사회로 변화되면서 경제력을 갖춘 계급은 기득권층으로 자리 잡게 된다. 임진왜란과 병자호란의 피해가 영조 연간에는 전쟁 이전 수준에 근접하는 회복세를 나타냈다. 잉여농산물 증가는 상업 발달을 촉진시켰고, 농촌에서 유리된 과잉인구는 도시인구 증가를 가져왔다. 그 결과 개성이나 한양과 같은 상업도시에는 부상대고(富商大賈)와 함께 그들이 고용한 농업·상업 노동자 집단이 늘기 시작했다. 조선후기 한양은 더 이상 군자와 양반의 도시가 아니라 상인과 서민의 도시로 급격히 변해 가고 있었다. 조선후기 권문세가를 중심으로 부를 축적하여 군림하는 계급이 나타날 수 있었던 이유이기도 하다. 여기에 중인이나 상민이 상거래와 교역을 통해 부를 축적한 유산계급으로 부상하기도 하였다.

문제는 경제의 집중과 부패로 사회 질서가 어지럽게 되자 서민들에 대한 착취는 더욱 심해졌다는 점이다. 토지 공유제도가 무너지면서 관가·관아·군영 등에 의한 토지 매점이 늘어났고, 이에 따라 권신이나 세도가들이 권력을 이용한 민전(民田)의 점탈이 횡행하였다. 그래서 서민들은 생활 근거지조차 잃는 상황을 맞는다.[28] 조선후기의 이러한 경제현실은 지배계급에 대한 부정적인 비판의식을 증폭시켰고, 그러한 과정에서 소시민적인 자아각성으로 근대를 지향하게 된다.[29] 퇴폐적인 경제 상황으로 어려움을 겪던 서민들은 물질만 우선시하는 유산계급에 반감을 드러낼 수밖에 없었고 그들을 응징할 방안을 모색하게 되었다. 특히 기존의 도덕관념이나 인륜강상마저 도외시한 채 오직' 경제적인 이익만을 좇는 계급은 맹공의 대상이 되었다. 이는 인본보다는 자본이 중시되는 사회로 넘어가는 과정에서 빚어진 문제를 비판한 것이라 하겠다. 그러한 사정을 수렴한 실창 판소리계 소설이 바로 〈옹고집전〉과 〈무숙이타령〉이다. 이제 두 작품에 나타난 그러한 사정을 개관해 보도록 한다.

〈옹고집전〉은 조선후기의 경제와 윤리의 문제를 복합적으로 엮은 작품이다.[30] 그래서 작중의 인물이나 사건·배경 등이 조선후기의 시대상을 잘 반영하고 있다. 옹고집은 양반의 지주가 아니기 때문에 요호부

---

28) 한우근, 『한국통사』, 을유문화사, 1970, 330-331쪽.

29) 인권환, 『판소리 창자와 실전 사설 연구』, 집문당, 2002, 113쪽.

30) 〈옹고집전〉은 한 부자가 화주승에게 악행을 저지르다 징치를 당하는 '장자못 전설'과 같은 악인 징치 설화, 쥐나 고양이, 여우나 지네 등과 같은 동물이나 산삼과 같은 식물, 피 묻은 빗자루와 같은 무생물 등이 사람으로 둔갑한다는 둔갑설화, 부적이나 주문(呪文)과 같은 민간전승, 〈유연전〉과 같은 실화 등이 하나 또는 둘 이상이 결합하면서 기본 줄거리가 이루어졌다. 거기에 정치적으로는 억압되었으나 강한 생명력을 잃지 않았던 불교가 사상적 배경으로 작용하고, 조선조 후기의 시대상, 곧 금전적 이해관계나 신분구조의 와해 현상 등이 보태져서 완성된 것이 지금의 〈옹고집전〉이라 할 수 있다. (장석규, 「옹고집전」, 『판소리의 세계』, 문학과 지성사, 2000, 303쪽.)

민층(饒戶富民層)이라 할 수 있다. 요호부민들의 경우 중간계급의 특성 때문에 향촌사회에서 경제력을 바탕으로 지배계급으로 올라서고자 수령과 결탁하여 이향층(吏鄕層)을 형성하게 된다.[31] 옹고집이 그러한 경우에 속한다고 볼 수 있다. 이 작품은 정신보다 물질이 살아가는 데 유용하다는 사고방식이 팽배하였던 사정을 그대로 담고 있다. 그래서 유산계급은 부를 축적하기에 여념이 없었던 것이다. 옹고집이 풍년들기를 싫어하는 것은 흉년이 들 때를 이용하여 자기가 보유하고 있는 곡식을 팔아 부를 축적해 보겠다는 속셈을 드러내는 것도 그 때문이다. 또한 가옹과 진옹을 가리기 위한 고을 수령의 판결에서 호적상고보다는 가옹의 부력을 기준으로 삼은 것도 금력이 중요해졌기 때문이다.[32] 이처럼 경제를 앞세운 옹고집의 반사회적 행동은 서민들에게는 비난과 질타의 대상이 되기에 충분했다.

〈옹고집전〉은 물질만능주의의 병폐, 그로 인한 윤리의식의 부재와 극복방안을 다루고 있다. 금전을 중시하는 사회 풍조는 조선의 기반이었던 유교윤리마저 무너뜨린다. 그래서 그것을 복구할 필요성이 대두되었다. 이 작품에서는 옹고집의 비윤리적 행태에 대해 신통력을 가진 학대사가 등장하여 초월적으로 해결하고 있다. 학대사는 민중의 대변인으로 윤리의식의 부재를 해결하면서 상하층의 조화를 모색하는 인물로 볼 수 있다. 학대사는 옹고집을 징치하기 위해 가옹을 만드는데, 가옹 또한 진옹의 잘못을 깨닫게 해주는 민중의 대변자라 할 수 있다. 특

31) 고석규, 「19세기 향촌지배세력의 변동과 농민항쟁의 양상」, 서울대학교 박사학위논문, 1991, 184쪽.

32) 정상진, 「〈옹고집전〉의 서민의식과 판소리로서의 실전고」, 『문창어문논집』 23, 문창어문학회, 1986, 162-164쪽.

히 민중의 대변인인 학대사는 가옹을 통해 조선후기의 잘못된 유산계급과 도리를 저버린 세태를 강하게 경계하고 있다. 이것은 윤리의식의 부재를 극복하고 상층부와 하층부가 조화를 이루어 새로운 사회로 나아가기 위한 민중의 기저의식이라 할 수 있다. 이는 근대로 나아가는 과정을 대중문학으로 형상화한 것이기도 하다.

〈무숙이타령〉은 물질을 기반으로 소비와 향락을 일삼는 계급을 비판하고 있다. 이 작품이 형성·유통된 조선후기는 서울로 반입되는 공물이 화폐성격을 띠면서 상품 유통량을 증가시키고, 인구의 증가는 서울을 상공업 중심의 도시로 성장하게 했다. 이러한 변화로 상인 수공업자 집단이 늘어나고 이들의 분화로 자본을 축적하는 부상(富商)과 수공업자들이 양산되었다. 상공업 발전의 중심지로 성장하고 상품화폐 경제가 확대되는 가운데 사회적 지위보다는 경제적 재산의 유무가 중요해지는 사회로 변화하고 있었다.[33] 〈무숙이타령〉은 이러한 경제 환경에서 잉태된 작품이다. 부를 축적한 유산계급과 그들의 도시생활 및 행태를 비판적으로 형상화한 것이 〈무숙이타령〉이다.

〈무숙이타령〉은 인간의 윤리나 도리보다는 물질을 우선시하는 시대상을 잘 반영하고 있다. 무숙의 방탕한 소비는 물질의 소중함과 가치를 모르는 데서 기인한다. 더구나 계획 없는 소비 행태는 자신을 돌아볼 줄 모르는 데 그치지 않고 가족에 대한 무관심으로 이어진다. 그래서 공동체 다수에게 비판의 대상이 되고 만다. 이처럼 〈무숙이타령〉은 인간의 도리보다 물질의 노예가 되어 가족을 저버리고 방탕한 소비만 일삼는 무숙을 비판한 것이다. 그것도 기생 의양과 김 선달이 공모하여

---

33) 나종면, 『18세기 조선시대의 예술론』, 한국학술정보, 2009, 27쪽.

어떠한 삶이 바람직한지 일깨우는 작품이라서 더 의미가 있다. 이 작품에 나타난 물질의 병폐, 그로 인한 윤리의식의 부재와 극복방안을 살피는 것이 그래서 중요하다. 경제력만 있으면 신분상승을 이룰 수 있는 사회로 변하면서 물질 앞에 인간의 도리를 저버리는 행위를 일삼는 것은 비판의 대상이 되기에 충분하다. 그러한 문제를 기생이면서 첩실인 의양이 나서서 현명하게 해결하고 있다. 의양은 물질의 병폐가 가져온 윤리의식의 부재를 해결하면서 가족공동체의 화합을 이루는 인물이라 할 수 있다. 또한 〈무숙이타령〉은 무숙의 재산을 지켜내고 관리하는 의양을 통해 현명한 경제관념과 물질에 대한 새로운 인식과 가치를 제시하고 있다. 더욱이 가족을 되돌아보게 만듦으로써 가족의 소중함을 동시에 일깨우는 작품이라 할 수 있다. 최하층의 여성을 동원하여 유산계급의 문제를 지적하고 마침내는 모든 것이 제자리를 찾아갈 수 있도록 한다는 점에서 여성인물을 긍정적으로 인정한 작품이기도 하다.

3. 유형별 텍스트의 선정

본 연구에서 살필 텍스트 선정을 위하여 각 작품의 전승과 이본 양상을 개괄하도록 하겠다. 그러는 중에 선본을 찾아 분석 텍스트로 확정하고자 한다. 실창 판소리계 소설은 다양한 이본이 전한다. 필사는 물론이거니와 목판과 구활자본이 전하기 때문이다. 전체적으로 민중의식을 다양하게 수렴하면서 이본이 양산된 것으로 볼 수 있다. 이를 감안하여 앞에서와 마찬가지로 신분·제도·계급을 전제하고 각각에 해당하는 작품의 전승 양상을 살피면서 텍스트를 선정하도록 하겠다. 선정된 텍스트를 대상으로 다음 장에서 비판양상을 종합적으로 검토하도록 한다.

1) 신분 비판형의 텍스트

신분 비판형에서 다룰 작품은 〈배비장전〉과 〈강릉매화타령〉이다. 두 작품 모두 양반 관료의 그릇된 행태를 고발하고 풍자했기 때문이다. 여기에서는 두 작품의 이본을 검토하면서 본 논문에서의 분석 텍스트를 선정하도록 하겠다.

먼저 〈배비장전〉의 텍스트 선정이다. 잘 아는 것처럼 〈배비장전〉은 〈배비장타령〉의 사설이 기록 문학으로 전환된 것을 말한다. 이에는 1916년 구활자본으로 출판된 신구서림본, 1950년 국제문화관본(김삼불 교주본), 1956년 세창서관본, 국문 필사본인 박순호본이 해당된다.

국제문화관본과 세창서관본은 문체가 판소리 사설체이고, 박순호본은 신구서림본의 사본이다. 국제문화관본은 배비장이 망신을 당하고 난 후의 후일담이 생략되어 있고, 세창서관본은 신구서림본을 바탕으로 한자를 빼고 다듬은 것이다. 이로 볼 때 가장 빠르게 간행된 것은 1916년에 간행된 신구서림본으로 그 이전의 사설의 내용은 알 수 없다. 다만 당시까지 전하던 판소리 사설이 소설과 다르지 않았으리라 본다. 본고에서는 가장 이른 시기에 판소리 사설이 소설로 정착된 신구서림본 중 정병욱 교주의 〈배비장전〉을 텍스트로 삼고자 한다.

다음으로 〈강릉매화타령〉의 텍스트를 선정하겠다. 〈강릉매화타령〉의 사설 정착본으로는 1993년 김헌선에 의해 학계에 보고된 〈매화가(梅花歌)라〉(국문 필사본, 19장)와[34] 2002년에 김석배에 의해 보고된 〈골승원젼이라〉 두 종이 존재한다.

〈매화가라〉는 〈강릉매화타령〉의 이본으로 처음 발견된 것이다. 이 작품은 등장인물이 면밀하게 맞물리지 못한 채 각기 따로 놀고 있어서 여타 판소리의 등장인물과는 변별된다. 그러면서도 다른 판소리 사설에서 찾기 힘든 특이한 시정 세태가 반영되어 있고, 또 생생한 단면을 획득하고 있다. 특히 다른 판소리 사설에서는 좀처럼 찾기 힘든 장면과 과장, 시전의 면모, 전문적인 직업화가, 시장터의 아이 등 전형적인 인물이 등장하는 특성을 보여[35] 주목되는 바가 컸다. 그러던 중 다른 이본인 〈골생원전〉이 발굴되었다. 〈골생원전〉은 〈매화가라〉보다 내용이 풍부하고 사설에 있어서도 현저한 차이를 보이고 있다. 그래서 〈강릉매화타령〉의 실체를 밝히는 데 크게 기여할 수 있는 이본이다. 〈골생원전〉은 〈매화가라〉보다 후대에 나온 이본으로 독자성이 강하고 19세기 후기에 판소리로 불리던 〈강릉매화타령〉의 사설이 정착된 것으로 보고 있다. 〈골생원전〉은 〈매화가라〉에 보이지 않는 새로운 사건과 삽화가 다양하게 이입되고, 장면 극대화 현상이 강화되었으며, 새로운 삽입가요가 들어있을 뿐 아니라 골생원에 대한 희화화·비속화가 강화되었다는 점에서 독자성을 인정할 수 있다.[36] 본고에서는 양반의 권위를 상실한 상황을 살필 수 있는 이영규 소장 〈매화가라〉와 자료로서의 완정성을 생각하여 김석배 소장 〈골생원전〉을 분석 텍스트로 삼고자 한다.

---

34) 김종철, 「〈배비장타령〉외 기타 실전 판소리」, 『판소리의 세계』, 문학과 지성사, 2000, 331쪽.

35) 김헌선, 앞의 논문, 174쪽.

36) 김석배, 「골생원전 연구」, 『고소설연구』 14, 한국고소설학회, 2002, 127-128쪽.

2) 제도 비판형의 텍스트

제도 비판형의 분석 텍스트로 선정한 작품은 〈변강쇠가〉와 〈장끼전〉이다. 두 작품 모두 당시의 제도 때문에 고통을 겪는 군상을 문학적으로 형상화했기 때문이다. 전자가 농업제도나 경제제도에서 발생한 문제라면, 후자는 권위적인 가부장제에서 야기된 문제를 전격적으로 다루고 있다. 각각의 작품에서 분석 텍스트로 유용한 작품을 선정하도록 하겠다.

먼저 〈변강쇠가〉의 텍스트 선정이다. 〈변강쇠가〉는 〈변강쇠타령〉·〈가루지기타령〉·〈횡부가(橫夫歌)〉 등으로도 불려왔다. 현재는 소리의 맥을 상실하여 사설만 전해지는 작품이다. 송만재의 〈관우희〉에 〈변강쇠타령〉이라는 곡명이 처음 보이고, 신재효가 정리한 판소리 여섯 마당에도 포함되어 있다. 조선 말기의 명창인 송흥록·장자백 등이 이 소리를 잘 불렀다는 기록을 참고하면,[37] 적어도 19세기 말까지는 연행되었으리라 짐작된다.

20세기 이후로는 전승이 끊어졌으나 박동진이 신재효의 사설을 개편하여 곡을 붙여 1970년에 가창한 이후 몇 차례 더 공연한 바 있다. 이본은 가람본 1종, 김동욱본 2종이 있으나, 이들 모두 신재효본의 필사본들로서 이본적 독자성은 떨어진다. 따라서 현존하는 이본은 신재효에 의해 정착된 〈변강쇠가〉만이 있을 뿐 다른 판소리처럼 소설화되어 전하는 것이 없다.[38] 이에 본고에서는 신재효본 〈변강쇠가〉를 분석

---

37) 정노식, 『조선 창극사』, 조선일보가, 1940, 25쪽, 105쪽. (강진옥, 「변강쇠가」, 『판소리의 세계』, 문학과 지성사, 2000, 283쪽, 재인용.)

38) 신재효본의 이본으로 성두본·가람본·고수본이 있다. 전체 내용은 같고 '성두본'의 경우 결말에서 조금 차이가 있을 뿐이다. (강한영, 「신재효 판소리 사설 해설」, 『한국 고전

텍스트로 삼고자 한다.

다음으로 〈장끼전〉의 분석 텍스트를 선정하도록 한다. 〈장끼전〉은 일명 〈웅치가(雄雉歌)〉, 〈자치가(雌雉歌)〉, 〈장끼타령〉이라고도 한다. 장끼와 까투리를 주 인물로 하여 숱한 조류를 등장시켜 인간생활의 일면을 풍자한 판소리계 우화소설이다. 필사본으로 〈ᄭᅯᆼ자치기라〉(홍재휴 소장), 〈ᄌᆞ치가라〉(홍재휴·김광순 소장), 〈ᄭᅯᆼ어자치ᄀᆞ권지단니라〉(홍재휴 소장), 〈황츙션싱젼〉(서울대 소장본), 〈자치가젼〉(계미, 한국정신문화연구원 소장), 〈장ᄭᅵ젼〉(김동욱 소장) 등이 활자본으로는 덕흥서림본(장끼전, 1923·1924), 영화출판사본(장끼전, 1951), 세창서관본(장끼전, 1952), 영창·한흥·진흥본(장끼전, 1952), 삼문사본(장끼전, 1953), 최상수본(장끼전, 1955) 등이 있다.[39]

〈장끼타령〉은 온전한 판소리 사설이 전하지 않는다. 대신 독서물로 정착된 소설본 〈장끼전〉이라든가 규방 여성들에 의해 가사체로 정착된 〈자치가〉, 또는 민요·민담 등을 통해 대체적 면모를 접할 수 있다.[40] 〈장끼전〉의 각 편들은 장끼의 죽음 부근에서 끝나는 이본군, 오리의 청혼을 물리치는 부분에서 끝나는 이본군, 다른 장끼에게 개가하는 것으로 끝나는 이본군 등으로 분류될 수 있다. 어느 계열이 〈장끼전〉의 본 모습인지, 판소리 〈장끼타령〉에 가까운지에 대해서는 여전히 논란이 있다. 본고에서는 〈장끼전〉의 이본 중 세창서관본을 텍스

문학 대계』 12, 민중서관, 1974, 28-29쪽.) 강쇠의 시신을 갈이질한 뎁득이가 개과천선을 약속하고 떠난 후 음행을 경계하는 사설 내용이 부연되어 여타 본에 비해 사설의 완결성을 보여주고 있다. (강진옥, 「변강쇠가」, 『판소리의 세계』, 문학과 지성사, 2000, 283쪽, 각주 재인용.)

39) 김재환, 『한국 동물우화소설 연구』, 집문당, 1994, 107쪽.

40) 민찬, 『조선후기 우화소설 연구』, 태학사, 1995, 177-178쪽.
정출헌, 「장끼타령」, 『판소리의 세계』, 문학과 지성사, 2000, 312-313쪽.

트로 삼고자 한다. 세창서관본 〈장끼전〉은 개가 유형으로 본고의 의도에 잘 부합하기 때문이다. 한편으로는 완정된 텍스트구조를 갖추어 논의의 효율성이 담보될 수 있기 때문이다.

3) 계급 비판형의 텍스트

계급 비판형은 경제적인 우열의 문제, 즉 유산계급과 무산계급의 문제를 다룬 것이다. 특히 유산계급의 그릇된 행태를 고발·시정하는 것에 역점을 두고 있다. 이에 해당하는 작품은 〈옹고집전〉과 〈무숙이타령〉이다. 두 작품 모두 요호부민과 같은 신흥부유층으로 도덕적이거나 윤리적인 문제를 무시하고 경제적인 이익이나 우위만을 강조하고 있다. 각 작품에서 분석 텍스트로 유용한 작품을 선정하도록 하겠다.

먼저 〈옹고집전〉의 분석 텍스트를 선정하도록 하겠다. 〈옹고집전〉은 목판본이나 활자본은 발견되지 않고 독서물로서의 한글 필사본으로만 남아 있다. 그 표제가 대부분의 이본에서 〈옹고집전〉이라 하였고, 〈옹씨전〉 또는 〈옹생원전〉이라 한 것도 있다. 하지만 기본 줄거리가 크게 다르지는 않다.[41] 김삼불(金三不)이 〈배비장전〉과 함께 교주하여 1950년에 활자본으로 발행한 〈옹고집전〉이 널리 알려져 있다. 거기에다 강전섭·김동욱·김일근·김종철·박순호·사재동·최래옥 등과 단국대·연세대학교의 도서관이 소장하고 있는 한글 필사본이 더 있고, 박동진이 작창(作唱)한 〈옹고집전〉과,[42] 국제문화관에서 간행한 것을 다시 교주하여 출판한 정병욱 교주본이 있다. 정병욱 교주본은 박헌옥본(朴憲玉本)을

41) 장석규, 「옹고집전」, 『판소리의 세계』, 문학과 지성사, 2000, 299-300쪽.
42) 장석규, 앞의 책, 303쪽.

수록하면서 이명선본(李明善本)을 참고로 한 것이다.[43)]

이본들 중 상대적으로 가장 오래된 것으로 판단되는 것이 박순호본 〈용생원전〉과 김종철본 〈옹고집전〉이다. 이 이본들은 옹고집의 승려 학대와 그에 대한 징치가 주요 내용을 이루고 있다. 그 외에 다른 이본들은 이보다 후대적 양상을 띠는데, 박순호 30장본, 김삼불 교주본, 최래옥본, 김동욱본 등에서는 옹고집이 승려 학대뿐만 아니라 부모까지도 구박하는 것으로 설정되어 있다. 강전섭본, 김일근본, 박순호 33장본, 사재동본, 연세대학교 도서관본 등에서는 승려 학대, 부모 구박에다 아내까지도 쫓아내는 사건까지 첨가되어 있다. 본고에서는 이들 중 김삼불본을 정병욱 교수가 재발행한 『배비장전·옹고집전』(신구문화사, 1974)을 텍스트로 삼고자 한다. 이 작품이 비교적 안정된 텍스트 구조에다 본고에서 의도하는 유산계급의 부정적인 행태를 살피는 데 도움이 되기 때문이다.

다음으로 〈무숙이타령〉의 분석 텍스트를 살펴본다. 〈무숙이타령〉은 〈왈자타령〉이라고도 한다. 이 작품의 사설 정착본으로는 〈계우사〉(국문필사본, 44장)가 현재 유일본이다. 소장자는 박순호 교수이며, 『판소리연구』 5(판소리학회, 1995)에 주석본이 수록되어 있다.[44)] 본고에서는 현재 유일본인 박순호 소장 〈계우사〉를 텍스트로 삼아 분석하고자 한다.

43) 정충권, 「〈옹고집전〉 이본의 변이양상과 그 의미」, 『판소리연구』 4, 판소리학회, 1993, 320쪽.

44) 김종철, 「〈배비장전〉 외 기타 실전 판소리」, 『판소리의 세계』, 문학과 지성사, 2000, 332쪽.

판소리계 소설의 유형별 비판양상

판소리계 소설 중 〈춘향전〉·〈흥부전〉·〈별주부전〉·〈심청전〉·〈적벽가〉 등이 표면적으로 충효열의 유교적 이념을 지향했다면, 창을 잃어버린 〈변강쇠가〉·〈장끼전〉·〈옹고집전〉·〈배비장전〉·〈강릉매화타령〉·〈무숙이타령〉 등 실창 판소리계 소설은 조선후기 사회 제도의 모순과 윤리의식의 부재, 관료사회의 부패 등 사회 문제를 전면적으로 표출하고 있다. 이러한 이유로 실창 판소리계 소설은 다른 판소리계 소설과 달리 신분이나 제도, 그리고 계급에 대한 비판의식이 강하게 담길 수 있었다. 이는 조선후기의 시대적인 상황을 적절히 반영한 것으로 이해할 수 있다.

이에 이 장에서는 실창 판소리계 소설의 유형별 비판양상을 살펴보도록 하겠다. 실창 판소리계 소설을 앞에서 나눈 신분 비판형, 제도 비판형, 계급 비판형에 따라 각 작품별로 그 양상을 살펴보고자 한다.

1. 신분 비판형의 양상

신분 비판형은 신분이 양반 귀족이거나 중인의 준 귀족에 해당하는 지배층에서 보이는 관리의 부정과 부패상을 비판한 것이다. 조선후기는 신분제가 붕괴되면서 몰락 양반은 관직에서 소외되어 일반 평민과 다를 바 없는 삶을 살게 된다. 반면 경제력이나 가문의 실세로 음서나 천거 등에 의해 하급관리가 된 계급에서는 관료의 책임의식보다는 부정과 부패, 심지어 향락에 빠져 자신의 본분을 망각하는 관료가 속출하게 된다. 이와 더불어 지방에서는 이서집단들이 하급관리들과 결탁해 백성들을 수탈하는 등 관료사회는 상하를 막론하고 부정부패가 만연했다. 〈배비장전〉과 〈강릉매화타령〉은 조선후기 관료사회의 부정과 부패, 관료의 안일함을 비판한 대표적인 작품이라 할 수 있다. 따라서 여기에서는 〈배비장전〉과 〈강릉매화타령〉의 비판양상을 고찰해 보도록 하겠다.

1) 〈배비장전〉의 양상

〈배비장전〉은 관료사회의 부정과 부패, 정남(貞男)을 자처하던 양반의 추악함을 공모(共謀)를 통해 풍자한 작품이다. 따라서 〈배비장전〉을 통해 관료사회에서 행해지는 민중에 대한 수탈과 권위만 앞세우는 지배계급인 양반의 문제점을 확인하고 비판의 동인과 양상을 살펴보도록 한다.

(1) 비판의 동인

양반 관료의 부정부패 현상은 시대상을 보여주는 총체성을 갖고 있다. 부정부패는 어느 한 개인과 집단의 도덕적 부정에서만 발생하지 않는다. 관리의 역할과 부패의 요인은 정치·경제·사회적 환경과 결부된다. 조선사회의 뿌리 깊은 주자학의 사회 이념은 변화하는 사회에 대응하기를 거부하며 기득권층에 유리하게 이용되고 있었다. 실제로 조선후기는 과잉 성장한 관료집단과 외척이 한 집단으로 묶여 외척의 벌열가문들이 비대화되고 군주의 견제력이 약화되던 시기였다. 관료집단은 서울을 기반으로 자신들의 입지를 강화시켜 갔으며, 지방수령을 보호해 주면서 지방의 이익을 잠식해 들어갔다. 그 결과 지방의 경제적 모순도 더욱 심화되어 갔다.[45] 이처럼 국가와 지역 단위에서 전개된 부정부패는 사회경제의 변동과 지방사회 각 계급 상호간에 관련성을 가지고 있었다. 부정부패는 어느 시기에나 발생하였지만 조선후기의 경우 일상적 부정부패의 범위를 넘어 중세사회가 해체되어 가는 구조적 변동과 밀접하게 맞물려 발생하고 있었다. 부정부패의 발생은 단순히 개인의 도덕적 타락 문제가 아니라 조선후기 사회·경제 변동의 구조적 상황에서 오는 것으로, 오히려 역사의 변화가 거칠게나마 빠르게 이루어졌음을 의미한다.[46]

경제발전과 함께 조선후기 가장 큰 변화는 신분제였다. 조선 초에 확립되었던 반상제도는 조선후기로 오면서 동요되기 시작한다. 임병양란을 겪으면서 민중의식이 고양되고, 국가의 재정을 위해 신분제를 탄력적으로 운용하는 과정에서 신분의 이동이 촉발되었다. 그러면서 신분으로는 상층이면서 경제적으로는 하층민이 나타났는가 하면, 경제적으로는 유산계급이면서 신분으로는 하층민인 경우가 발생하여 신분과

---

45) 오동규, 「조선후기 지방행정에 있어서 수령의 역할과 부패 유발구조에 관한연구」, 한서대학교 석사학위논문, 2003, 95쪽.

46) 장동표, 「조선후기 군현단위의 부정부패와 이서층 중심의 포흠」, 『한국사연구』 130, 한국사연구회, 2005, 31-36쪽.

계급이 혼재·괴리된 복잡한 사회구조를 갖게 되었다. 하지만 궁극적으로는 경제력을 바탕으로 한 유산계급이 중시되면서 신분만을 강조하는 상층부가 스스로 한계에 봉착하여 비판의 대상이 되고 만다. 이를 적절히 수용한 작품이 바로 〈배비장전〉이다.

〈배비장전〉은 양반 관료의 가식적인 행태를 폭로한 해학적인 작품이다. 이 작품과 관련된 설화가 야담 등의 한문 단편은 물론 구비서사물로 다양하게 유통된 점을 상기하면[47] 조선후기에 위선적인 양반 관료에 대한 비판의식이 팽배했음을 짐작할 수 있다. 그것은 실용성을 강조하는 상황에서 관념적인 이념에 사로잡혀 가식적인 행위를 일삼는 양반층의 행태가 못마땅하여 빚어진 일이다.

〈배비장전〉의 경우 다양한 측면에서 비판의 동인을 찾을 수 있다. 이미 현실은 변화하여 신분을 넘어 계급으로 치닫고 있음에도 불구하고 여전히 중세적인 이념 속에 갇혀 지내는 양반 관료는 답답하기 이를 데 없는 존재였다.

> 사또와 모든 비장이 명기 색기(名妓色妓) 술을 부어 감홍로(甘紅露)·계당주(桂糖酒) 취ㅎ게 먹고 춘흥 겨워 노닐 적에, 배비장은 가장 청고(淸高)한 척하고 송정 암상(松亭岩上)에 외면 단좌(單坐)하여 남 노는 것 비양하고 글 지어 읊으되, 천장(天長)하니 한양(漢陽)은 노천리(路千里)요, 해활(海闊)하니 영주(瀛州)는 파만경(波萬頃)을. 여화미인(如花美人)은 간초월(看楚越)이요, 취롱강산 무한경(醉弄江山無限景)을[48]
>
> 이때 배비장이 글을 읊으고 무료히 앉았다가 우연히 수포동(水布洞)

47) 김수중, 『고전소설과 문학정신』, 태학사, 2007, 120-121쪽.

48) 정병욱 교주, 『배비장전·옹고집전』, 신구문화사, 1974, 49-50쪽.

> 녹림간(綠林間)을 바라보니 …(중략)… 옥녀(玉女) 일색 일미인이 어릴락 비칠락 백만 교태(百萬嬌態)를 다 부리며 춘광(春光)을 희롱할 제, …(중략)… 그 여자 근본을 듣고 싶으되, 묻도 못하고 헛침만 모두 삼키며 안간힘만 쓰고 무수히 자탄하되,[49]

배비장은 양반으로서 도덕군자를 자임하고 기생을 천시하는 등 고결한 척 생활하지만, 이것은 가식적인 것으로 근본에 있어서는 보편적인 인간임이 확인된다. 그래서 양반에서 비롯된 모든 문제, 즉 위선적인 행위, 가유로서의 행태, 관료로서의 무능 등을 총화한 작품이 바로 〈배비장전〉이라 할 수 있다.

(2) 비판의 양상

〈배비장전〉은 다양한 측면에서 양반의 문제점을 확인하면서 비판을 가하고 있다. 이것은 조선후기의 변화하는 세태에 양반 관료층이 민첩하게 대응하지 못하여 빚어진 일이기도 하다. 양반은 대체로 관료층으로 군림하면서 하층민을 수탈하거나 억압하는 존재였다. 하지만 경제력을 앞세운 하층에서 성공한 부류가 나타나는 한편으로, 상층인 양반이 몰락하는 경우도 흔하게 발생하였다. 이러한 상황에서 하층민을 무시하고 자신들의 권위만 내세운 양반 관료층은 민중에게 지탄의 대상일 수밖에 없었다. 〈배비장전〉에 등장하는 양반은 무능과 가식, 위선으로 점철되어 있는데 이것은 그만큼 이 작품에 비판의 대상이 적층되어 있음을 뜻하는 것이다. 이를 몇 가지로 나누어 살피도록 한다.

첫째, 양반의 위엄과 그 한계에 대한 비판이다. 조선시대 양반은 교

---

49) 정병욱 교주, 50-53쪽.

육·과거응시·입사(入仕)에서 배타적인 특권이 보장된 기득권 세력이었다. 그들은 권력을 이용하여 규정 이상의 토지와 노비를 소유하였는가 하면, 반역(叛逆)과 같은 대죄(大罪)를 짓지 않은 이상 관직과 토지가 주어지고, 수족과 같은 노비를 대대로 전할 수도 있었다. 조선시대의 양반은 결국 개인의 능력보다는 그들의 가문을 통해 기득권을 계승해 왔다. 하지만 조선후기에 들어오면서 양반의 권위와 위세는 갈수록 격하될 수밖에 없었다. 몰락양반의 경우 겨우 명맥만 유지할 뿐 신분에서 오는 이득을 기대하기 어려웠다. 그러면서도 기존의 신분적 질서를 중시하여 고답적인 행태를 보이는 인물이 없지 않았다. 그러한 정도가 심화된 것은 역설적으로 신분제의 폐해가 극단에 이르렀음을 말하는 것이기도 하다. 다음의 인용문을 보자.

> 한양에 김경(金卿)이라 하는 양반이 있되 문필 재력(才力)이 비범하여 십오 세에 생원(生員), 진사(進士), 이십 전에 장원 급제, 초입사(初入仕)에 한림(翰林), 주서(注書), 이조(吏曹), 옥당(玉堂), 승지(承旨), 당상(堂上), 방백(方伯)을 바라더니, 대신 서계(大臣書啓) 끝에 제주 목사 제수(除授)되니…….[50)]

제주목사로 부임되는 김경은 문필도 뛰어나고 재능 또한 출중한 인물로 전형적인 양반 관리의 엘리트 인물이다. 이는 주자학적인 사회에서 가장 이상적인 인물이라 할 수 있다. 문장력을 바탕으로 치자(治者)의 지위에 오르는 것이 주자학자의 이상이요, 꿈이기 때문이다. 그를 실현한 김경이야말로 모든 이에게 존경받아 마땅한 인물이라 할 수 있

50) 정병욱 교주, 9쪽.

다. 하지만 제주도로 떠나는 배 안에서의 김경은 관리로서의 책임의식이나 양반으로서 위엄과 체통은 어디에서도 찾아볼 수 없다.

> 술 들어라. 먹고 놀자. 사또, 취흥(醉興)이 도도(陶陶)하여 풍월(風月) 지어 읊으되, 청천(靑天)이 도수중(倒水中)하니 어유 백운간(魚遊白雲間)이라, 이 글 어떠한고? 비장들이 대답하되, 예, 좋소. 문장귀(文章句)요. 사또 취중에 희담(戱談)한다. 누구서 제주 배 타기 어렵다 하더니, 누워서 떡 먹기는 눈에 고물이나 떨어지고, 안자서 똥, 누기는 발 허리나 시리지. 내 서울서 들으니 바다에 꼬리 큰 고기가 있다하니 그 말이 옳으냐?[51]

배가 제주도로 안전하게 닿기도 전에 제주목사가 보이는 행태는 양반의 권위 및 위엄과는 거리가 멀다. 더구나 태풍을 만나 죽을 상황의 위기에서 제주목사와 그를 보좌하는 비장들이 보이는 행태는 양반들의 권위나 위엄이 얼마나 허망한 것인지 여실히 보여준다. 다음은 태풍을 만나 죽을 고비를 맞은 비장들의 모습이다.

> 비장 ① - 홀로 계신 부모님은 자식이 이제나저제나 올까 기다리며 계시고, 젊은 아내는 한숨과 눈물로 날마다 남편이 돌아오기를 기다리고 있을 것이라며 한탄한다.
>
> 비장 ② - 나이 사십에 자식도, 양자도 없는 처지에 조상 제사 끊기게 됨을 걱정한다.
>
> 비장 ③ - 형세가 가난하여 마누라 속곳이 없어 한 벌 얻어 입힐까 하고 나왔다가, 속절없이 물에 빠져 귀신이 될까 탄식한다.
>
> 비장 ④ - 형세가 가난하지는 않지만 양반의 이름을 갈고 추천을 얻

51) 정병욱 교주, 14쪽.

어서 출세를 바라고 나와 속절없이 죽게 됨을 원통해 한다.

위의 내용에서 알 수 있듯이 제주목사와 비장들은 위험한 상황을 앞두고 죽음에 대한 두려움으로 신세 한탄만 할 뿐 위기를 극복하려는 어떠한 노력도 하지 않는다. 죽음 앞에서 양반의 체통은 여지없이 무너져 혼비백산할 따름이다. 그러는 과정에서 제주목사는 바다에 제를 올리기로 결정한다.

> 이렇듯 탄식할 제, 사또 정신없이 앉아 그 거동을 보다가 무슨 생각이 났던지 사공을 불러 분부한다. 용왕이 이제야 제수(祭需)를 달라나 싶으니, 고사나 극진히 드려 보아라.[52]

조선조 유학자들은 주자학적인 이념으로 무장하여 무당을 천시함은 물론 그들이 벌이는 굿을 미신이라 하여 경계하였다. 그런데 제주목사가 바다에 제를 올리는 행위는 파격적인 일이 아닐 수 없다. 부득이한 상황에서 취할 수 있는 일이라고 해도 풍랑을 극복할 현실적인 조치를 망각한 것이기 때문이다. 여전히 관념론적인 세계관에 사로잡혀 문제를 직시하지 못하는 상황을 보인 것이다. 그러는 과정에서 제주목사는 관리로서의 체통과 위엄을 상실하고, 위기 대처능력이 전혀 없음이 만천하에 드러난다. 이것은 양반 지배층의 한계를 스스로 노정하는 것이기도 하다.

제주목사는 자신뿐만 아니라 휘하 관리와 관민 모두를 책임져야 하는 막중한 자리이다. 그것이 지배층이 감당해야 할 책무이기도 하다.

---

52) 정병욱 교주, 18쪽.

하지만 그는 절체절명의 위기에 봉착하자 우왕좌왕하면서 갈피를 잡지 못한다. 자타가 공인하는 인재로 전도유망한 관리에 임명되었음에도 불구하고 어려운 상황에 슬기롭게 대처하지 못한다. 자신의 안위만을 생각하며 전전긍긍하다 스스로 한계를 드러내고 만다. 이는 지배층의 무능을 우의적으로 표현한 것이기도 하다.

제주목사가 갑자기 발생한 문제에 현실적으로 대처하지 못한 데에는 조선사회가 주자학적 이념에 사로잡혀 변화하는 시대의 흐름을 외면하고 있었기 때문이다. 기득권층은 서울로 집중되는 국가의 부를 향유하면서 자신들의 권력유지에 급급하였다. 주자학은 사회를 이끌어가는 이념이라기보다 적대적인 또는 위협될 만한 사상을 제거하는 무기로 활용되었다. 집권층은 맹목적으로 주자학에 매달려 새로운 사상을 탄압하거나 체제 유지에 장애가 되지 않을 정도로 통제하고 있었다.[53] 제주목사는 유교사회에서는 이상적인 인물이지만 변화하는 시대에 대처하지 못하는 양반의 한계와 현실을 반영하지 못하는 주자학의 한계를 드러낸 것으로 볼 수 있다.

둘째, 어리석은 관리에 대한 비판이다. 지배층의 우매한 처사는 자신은 물론이거니와 수많은 관민까지 역경으로 내몰게 된다. 그래서 어진 마음으로 선정(善政)하는 관리야말로 고금을 통해 존중받아 마땅하다. 하지만 관리가 만민을 생각하지 않고 권력욕에 사로잡히면 사회기강이나 윤리도덕이 붕괴되는 문제가 발생한다. 특히 자신의 이익과 취향만 좇다가 지탄받는 일이 얼마든지 있었다. 〈배비장전〉에서 그러한 역할을 맡은 인물이 바로 정비장이다.[54] 구관 사또를 보좌하던 정비장은 제주

---

53) 오동규, 앞의 논문, 95쪽.

목사의 부임으로 제주도를 떠난다. 그동안 같이 지내오던 기생 애랑과 이별하는 상황에서 정비장이 보인 행동은 어리석은 관리의 전형이라 하겠다.

정비장은 관리로서 무엇이 정당한지를 모르는 인물이다. 그러기에 기생 애랑에게 휘둘리며 문제적 인물로 부각된다. 그는 자신의 정체성을 망각한 채, 그리고 건전한 삶의 방식도 상실한 채 살아왔기 때문에 문제적 인물이 되었고, 그를 시정할 필요성 때문에 애랑이 그의 그릇된 인간상을 전격적으로 해부한 것이다. 그는 그동안 모아온 모든 재물을 애랑에게 다 빼앗기고 심지어 양피(羊皮) 갖두루마기, 자신의 몸을 지키는 보검인 철병도(鐵柄刀)와 입고 있던 숙주 창의·분주(盆紬)바지 상하 의복, 고의적삼, 부모님이 남겨 준 유체인 상투까지 베어준다. 거기에 자신의 앞니까지 빼어 달라는 애랑의 요청에 아무 저항도 없이 실행한다. 정비장의 모습을 통해 조선후기의 무능력하고 어리석은 관리들의 행태를 풍자한 것이라 하겠다.

실제로 정비장은 자신이 소유한 모든 것을 애랑에게 넘겨주고, 부모에게 물려받은 신체의 일부까지 애랑에게 빼앗긴다. 유교적인 측면에서 효의 근원인 신체를 훼손하면서까지 애랑을 만족시키기 위해 노력한다. 이것은 해서는 안 될 그릇된 행태, 즉 애랑에게 침혹된 문제를

54) 조선후기에 이르러서 비장(裨將)은 중간관리로 위로는 고을 수장을 모시면서 아래로는 백성들을 보살피는 일을 맡았다. 하지만 선정보다는 자신들의 출세욕을 앞세우는 경우가 비일비재했다. 이들이 새롭게 대두되는 신흥세력이라는 점에서 이것은 필연적인 현상이라 하겠다. 실제로 이들의 출신 성분은 중서층(中胥層)뿐만 아니라 문벌이나 경제적으로 몰락한 양반 출신도 더러 있었다. 어려운 처지에서 비장이 된 이들은 지방 관리로서 공익을 위한 충실도나 윤리적인 도덕률이 상대적으로 낮을 수밖에 없었다. 개인적으로 입신출세와 가문의 부귀영화를 성취하는 것이 중요했기 때문이다.

부각하는 것이면서 동시에 균형감각을 잃고 허둥대는 지배층의 문제를 고발한 것이기도 하다.

> 여보 들으시오, 나으리 이곳 계실 때는 먹고 입고 살기 걱정 없이 세월을 보내더니, 인제는 뉘게다 의탁하오라고 일조(一朝) 이별이 웬 일이요. …(중략)… 글랑은 염려 마라. 내 올라갈지라도 한동안 먹고 쓰기 넉넉하게 베짐 풀어 주고 가마. …(중략)… 중량(中凉) 한 통, 세량(細凉) 한 통, 탕건(宕巾) 한 죽, 우황(牛黃) 열 근, 인삼(人蔘) 열 근, 월자(月子) 서른 단, 마미(馬尾) 백 근, 장피(獐皮) 사십 장, 녹비(鹿皮) 이십 장, 홍합(紅蛤)·전복(全鰒)·해삼(海蔘) 백 개, 문어(文魚) 열 개, 삼치 서 뭇, 석어(石魚) 한 동, 대하(大蝦) 한 동, 장곽(長藿)·소곽(小藿) 다시마 한 동, 유자(柚子)·백자(柏子)·석류(石榴)·비자(榧子)·청피(青皮)·진피(陳皮)·용(茸), 얼레·화류(樺榴) 살쩍·삼층난간 용봉장(三層欄干龍鳳欌)·이층 문갑(二層文匣)·가께수리·산유자(山柚子) 궤·뒤주 각 여섯 개, 걸음 좋은 제마(濟馬) 두 필, 총마(驄馬)세 필, 안장이 두 켤레, 백목(白木) 한 동, 세포(細布) 세 필, 모시 다섯 필, 면주(綿紬) 세 필, 간지(簡紙)열 축, 부채 열 병(柄), 간필(簡筆) 한 동, 초필(草筆) 한 동, 연적(硯滴) 열 개, 설 대 열 개, 쌍수복 백통(雙壽福白銅)대 한 켤레, 서랍 하나, 남초(南草) 열 근, 생청(生淸) 한 되, 숙청(熟淸) 한 되, 생율(生栗) 한 되, 마늘 한 접, 생강 한 되, 나미(糯米) 열 섬, 황육(黃肉) 열 근, 후추 한 되, 아그배 한 접 애랑 주며…[55]

정비장은 홀로 남게 된 기생 애랑을 위해 백성의 고혈을 짜서 수탈한 재물을 모두 넘겨주고 만다. 정비장이 하급관리임에도 불구하고 많은 재물을 갈취할 수 있었던 데에는 관료제도의 구조와 운영에 문제가 많았

---

55) 정병욱 교주, 21-24쪽.

음을 보여준다. 실제로 관리와 관서(官署)의 위계질서는 관품에 의해 힘을 발휘한다. 하지만 최고의 관서가 아니라 해도 정치적 의미가 각별한 경우에는 그에 상당한 힘을 행사할 수 있었다.[56] 무엇보다 백성과 관련된 직무를 바탕으로 관원들이 영향력을 발휘할 수 있었던 관직은 탁직(濁職)이라 호칭될 만큼 손쉽게 재물을 얻을 수 있었다. 탁직은 직무가 백성의 삶과 직결되는 수령직이 가장 대표적이었는데,[57] 정비장은 수령을 보좌하는 위치에서 혹정을 일삼았음을 알 수 있다. 한편으로 정비장이 애랑에게 모든 재산을 넘겨주는 행위는 그렇게 모은 재산마저 관리할 수 없을 정도로 무능함을 지적한 것이기도 하다. 또한 백성을 위한 선정에는 무관심한 채 오로지 축재에만 여념이 없었던 정비장의 그릇된 가치관을 부각한 것이라 하겠다. 그런가 하면 어리석은 관리 때문에 백성들이 도탄에 빠지고, 그 고통스러운 마음을 설원하는 차원에서 기생인 애랑이 정비장의 모든 재물을 빼앗는 것으로 볼 수도 있다. 이것은 정비장을 어리석은 관리로 그림으로써 당시 지배층의 문제점을 드러낸 것이라 하겠다. 한편으로는 민중의 건전한 삶과 기득권층의 문제적인 삶을 어리석은 관리를 통해 보인 것이기도 하다.

셋째, 가유(假儒)의 위선에 대한 비판이다. 한양에 사는 김경은 제주

56) 지방의 서리와 향리도 부정부패의 근원이었다. 이들은 조선후기로 올수록 그 권한이 약해졌을 뿐만 아니라 녹봉 지급이 중단되면서 사실상 근무 대가가 전무한 상태 아래서 관을 위해 근무하게 된다. 이러한 사정 속에서 이들은 각 부서의 운영 경비에서 보수를 지급받았으나 그것으로는 생계를 유지하기 어려웠다. 따라서 이들은 직무와 관련하여 새로운 명목으로 백성들에게 부가세를 확보하여 수입에 충당하기도 했으며, 수령을 보좌하는 하급 관리들과 결탁하여 부정부패를 일삼았다. 그래서 경제적으로나 도덕적으로 타락한 지배층이 사회적인 문제를 야기하곤 하였고, 그러한 계급에 대한 반감이 문학작품으로 형상화된 것이라 하겠다.

57) 오종록,「조선시대의 관료제도 및 그 운영의 특성: 부정부패의 구조적 원인과 관련하여」,『한국사연구』 130, 한국사연구회, 2005, 19쪽.

목사에 제수되면서 배 선달(裵先達)에게 비장의 소임을 맡긴다. 배 선달의 어머니와 부인은 배비장이 제주도에서 주색에 빠지지나 않을까 걱정한다. 그러한 부인에게 배비장은 다음과 같이 호언장담한다.

> 글랑은 염려마오. 이팔가인 체사소(二八佳人體似酥)하니 요간장검 참우부(腰間長劍斬愚夫)라, 수연불견 인두락(雖然不見人頭洛)이나 암리초군 골수구(暗裡招君骨髓求)라 하였으니, 계집은커녕 아이들 비역이나 하게 되면 가막쇠 아들일세.[58]

제주로 떠나기 전 배비장은 자신은 주색에 빠질 리 없다고 단언하고, 선비로서 정당하게 처세할 것임을 다짐한다. 그래서 그는 위엄 있는 사대부, 지조 있는 선비, 정념을 가진 지아비의 모습으로 인식된다. 이렇게 도덕과 윤리로 철저하게 무장시킨 다음 그 가식을 폭로하여 극적 효과를 도모한 것이다.

배비장의 굳은 의지는 정비장과 애랑이 벌이는 이별 장면을 목격하는 데에서도 확인된다. 생사를 넘나드는 풍랑을 겪고 제주에 도착한 배비장은 정비장이 애랑에게 모든 것을 빼앗기는 광경을 목격한다. 겨우 기생에 빠져 자신의 모든 것을 주고 마는 정비장을 한심하게 보면서 자신만큼은 그러한 일이 절대 없을 것이라고 확신한다. 정남인 자신의 의지를 재확인한 것이다. 다음의 인용문을 보자.

> 허랑한 장부로다. 이친척 원부모(離親戚遠父母) 천리 밖에 와서 아녀자에 대혹(大惑)하여 저다지 애걸하니 체면이 틀리었다. 우리야 만고

58) 정병욱 교주, 10-11쪽.

> 절색(萬古絕色) 아니라 양귀비·서시라도 눈이나 떠 보게 되면 바색의 아들일다.[59]

위의 인용문은 정비장이 애랑에 빠져 모든 것을 잃는 모습을 보고 한탄하면서 자신은 그러하지 않겠다고 다짐하는 대목이다. 실제로 조선후기는 일처다첩제의 특성상 여러 명의 첩을 둘 수 있었다. 남성 중심의 가부장제에, 남존여비의 사회적 분위기가 있어서 그러한 것이 문제되지 않았다. 하지만 그 실태를 보면 적서차별이 자심하고, 그로 인한 문제가 사회 곳곳에서 제기되었다. 특히 능력을 가진 중인이나 서얼들이 문제를 제기하면서 사회기강이 복잡한 양상을 띠었다. 그래서 일견 배비장의 정남으로서의 다짐이 온당하지만, 현실은 그와 같지 못함을 역설적으로 보이기 위한 것이라 하겠다. 제도와 윤리, 그리고 관행과 현실이 부조화를 이루면서 가식적인 문사(文士)가 양산될 수밖에 없었던 구조를 보인 것이다.

> 네 만일 자금이후(自今以後)로 기생년들을 내 안전에 비추었다가는 엄곤(嚴棍)하리라. 분부할 제. 여차 곡절(如此曲折)을 사또가 잠깐 들으시고 일등명기(一等名妓)를 다 부르신다.[60]

> 사또와 모든 비장이 명기 색기(名妓色妓) 술을 부어 감홍로(甘紅露)·계당주(桂糖酒) 취ㅎ게 먹고 춘흥 겨워 노닐 적에, 배비장은 가장 청고(淸高)한 척하고 송정 암상(松亭岩上)에 외면 단좌(單坐)하여 남 노는 것 비양하고 글 지어 읊으되[61]

---

59) 정병욱 교주, 39쪽.

60) 정병욱 교주, 45쪽.

위의 인용문은 제주목사와 비장이 모두 모여 연회를 벌이는 장면으로, 기생들이 참여하여 분위기를 고조시킨다. 하지만 정남을 자청(自請)한 배비장은 기생들이 자기 안전(眼前)에 비추면 엄곤(嚴棍)하겠다고 하달한다. 꽃 같은 미인은 자기와 아무 상관이 없다며 도덕군자처럼 자신을 내세우고 있다. 배비장의 이런 행동은 제주목사와 비장들이 위엄과 체통을 지키지 않는 인물로 비치게 했다. 자신만 정남으로서의 위치를 지키고 다른 모든 인물은 그렇지 못하다고 치부한 것이다. 이러한 내막을 알게 된 제주목사는 기생들을 소집시켜 배비장을 훼절시키기 위하여 공모한다. 정남으로서의 배비장이 실은 가식으로 가득 찬 인물임을 밝힘으로써 당시 관리의 그릇된 도덕률을 폭로하려는 것이다. 이것은 보복의 차원에서 벌이는 일이지만 실은 당시 지배층의 윤리와 도덕이 문제가 있음을 공통적으로 인식한 결과이기도 하다. 실제로 이 작품이 창작되던 시기에는 이제 더 이상 주자학적인 이상이 실현되기 어려웠다. 그래서 구습에 얽매인 계급에서는 변화하는 세태에 민첩하게 대응하지 못하다가 비판과 풍자의 대상이 되고 말았다. 그러한 사정을 극적으로 담아낸 것이 바로 〈배비장전〉이다. 신분사회를 넘어 계급사회로 나아가자 선비·유자로서의 삶이 어렵게 된 내막을 그렇게 담아낸 것이다.

2) 〈강릉매화타령〉의 양상

골생원은 관리로서 자신의 본분을 망각한 채 기생에 빠져 향락을 일삼고, 나라의 관리로서 사사로운 이득만 추구하여 비판의 대상이 되었다. 이것은 골생원이 가정적인 배경으로 관리가 되었기에 엄정한 공직

61) 정병욱 교주, 49-50쪽.

자로서의 책임의식이 결여되어 야기된 일이었다.[62] 공무에 충실하면서 정체성을 확립해야 함에도 불구하고 여전히 방탕한 생활로 나날을 보내는 골생원은 어느 모로 보나 비판의 대상이었고 시정의 대상이었다. 풍자적인 기법으로, 그것도 속이기의 극적인 방법으로 그를 대중 앞에 나신으로 나서도록 한 이유도 여기에 있다. 이제 비판의 동인과 양상을 구체적으로 살펴보도록 한다.

(1) 비판의 동인

〈강릉매화타령〉은 관료사회의 부정과 부패를 풍자한 작품이다. 골생원의 집안 내력은 상세히 알 수 없지만 양반 김등이 강릉사또로 부임하면서 골생원을 책방 관리로 임명한 것을 보아 그는 권세가의 집안 자제임을 짐작할 수 있다. 골생원은 과거를 통해 관직에 오른 관료가 아니다. 취재(取才)에[63] 의해 하급관리가 된 인물이라 하겠다. 자신의 능력으로 관리가 된 인물이 아니라서 공직자로서의 책임의식이 부족한 것으로 보인다. 실제로 그는 자신이 맡은 책방의 책임보다는 수청 기생을 옆에 두고 밤낮으로 향락을 일삼기에 바쁘다. 관료에게 요구되는 인물의 품행

62) 조선시대 관료를 등용하는 제도에는 과거와 음서, 천거가 있었다. 과거를 통해 관료가 되면 높은 벼슬까지 오를 수 있어 출세의 지름길이었다. 음서는 과거를 치르지 않고 가문의 권력과 배경으로 관직에 나갈 수 있었지만 벼슬에 제한을 두었다. 또한 천거를 비롯하여 문음, 취재, 이과 등의 특별채용 제도가 있었는데 이는 과거나 보거 등으로는 발탁할 수 없는 인재를 등용하려는 목적에서 비롯되었다. 하지만 조선후기에 오면 신분제의 붕괴로 경제력을 배경으로 중인 이하의 계급이 지배층을 이루어 특별채용 제도나 음서의 본래 취지가 퇴색되어 갔고, 관료의 자리에서 책임을 다하기보다는 해태(懈怠)와 안일함으로 퇴폐적 행위를 일삼는 계급이 나타난다.

63) 취재(取才)는 과거 시험을 보지 않고 주로 양반의 자손, 친척이나 경아전(京衙前)인 녹사(錄事)·서리(書吏) 등에게 관직을 주기 위해 실시되었다.

이나 도덕적 인격을 갖추지 못했기 때문이다. 골생원은 조선후기 관료사회의 부패한 인물의 전형으로, 이러한 부류가 관료사회의 기강을 흔들어 놓았다.

골생원은 기생에게 빠져 지내는 것도 모자라 나라의 관리인 화공을 사사로운 일에 불러 쓰는 등 관리로서의 권한을 남용하고 있다.

> ᄉᆡᆼ원 탄식ᄒᆞᆫ다 방ᄌᆞ 블너 분부ᄒᆞ되 너 이 고을 화공이 잇ᄂᆞᆫ다 화공 잇ᄉᆞ오되 관 분부로 오옵제 ᄉᆞᄉᆞ로ᄂᆞᆫ 못 불으ᄂᆞᆫ이다 관 분부로 블으라[64]

이렇게 사사로운 행동은 관료사회의 기강을 무너뜨리고 양반사회의 위엄이 붕괴되는 사태로까지 번지게 된다. 그러한 사정은 골생원이 양반의 신분으로 하급관리를 맡고 있음에도 불구하고 시전의 아이에게 뺨을 맞고 다니는 것을 통해서도 짐작할 수 있다.

> 器物 積在 ᄒᆞ이 所願다로 보고 샤오 저 아ᄒᆞ 이운 말니 兩班아 무어실 사아시오 셜짐 되짐 만효베가을 사야시오 소훤다오 사오 …(중략)… 아이 그거도 아이 삿것다 저 아의 이보소 아무 거도 아이 사면ᄉᆡᆨ 이전 전전 단이언가 ᄒᆞ고 ᄲᅡᆷ을 ᄒᆞᆫ번 닥 치이 긔 兩班이 부긔여라고 다라나셔[65]

이 작품에서는 문제적 인물인 골생원이 책방의 소임을 망각하고 기생에게 침혹되어 방탕하게 지내거나 양반의 본분인 과거를 소홀히 하고 안일한 생활에 빠져 지내는 행태를 고발하고 있다. 즉 양반 관료층의

---

64) 김진영 외, 『실창판소리사설』, 박이정, 2004, 241쪽.
65) 김진영 외, 앞의 책, 213-214쪽.

그릇된 행태를 전면에 내세우고, 그들이 그러한 일탈에서 돌아와 건전한 삶을 살 수 있도록 계도(啓導)하고자 창작한 작품이라 할 수 있다.

(2) 비판의 양상

조선시대의 관리는 학문적 소양뿐 아니라 유교적 덕목까지 갖추어야만 했다. 관리의 특별채용 제도였던 천거제도에서도 가장 중시했던 것 중의 하나가 관리의 능력과 품행이었다. 하지만 천거된 자들은 재능을 갖춘 인재들보다 고관이나 권세가의 친척, 또는 청탁의 무리들이 더 많았으며 심지어는 부자·형제·동료끼리 천거하고 무실(無實)한 자가 천거되어 웃음거리가 되는 사태가 발생하기도 하였다.[66] 〈강릉매화타령〉은 이러한 관료사회의 타락을 지적한 대표적인 작품이라 할 수 있다. 그 비판의 양상을 살펴보면 다음과 같다.

첫째, 일탈적 행위를 일삼는 부패형 관료에 대한 비판이다. 조선시대 수령은 이른바 근민지직(近民之職)으로 지방민을 직접 상대해 시정을 펼치는 행정관이다. 그래서 그의 현부(賢否)가 백성들의 일상생활과 직결되어 있었다. 따라서 수령의 임용은 최대한 신중을 요하는 중대사였다.[67] 하지만 조선사회는 폐쇄(閉鎖)된 관료사회이면서 신분사회였기에 관리들의 횡포나 부패가 비일비재했다. 이러한 현상은 신분제가 모호해진 조선후기에 더욱 극성을 떨었다. 민생을 살펴야 할 위치에 있었

66) 정구선, 『한국 중세의 천거제도』, 서경문화사, 2007, 93-98쪽.

67) 『태조실록』 권1 원년 7월 정미에는 "수령은 백성과 가까운 직책이므로 중요하지 않을 수 없다. 도평의사사·대간·육조로 하여금 각기 아는 자를 천거토록 하라. 천거된 자가 적임자가 아니면 천거한 자에게 미치게 하라."고 하였다. 이를 통해 건국초기부터 전국에 수령을 파견하여 강력한 군현제에 의한 통치를 지향하고 있음을 확인할 수 있다. (정구선, 앞의 책, 117쪽, 재인용.)

던 관료들이 지배층으로 군림하면서 막강한 권력을 행사하였다. 그러는 중에 권력의 남용으로 각종 사회적인 문제를 야기하였다. 관리 추천권을 자의적으로 행사하는 것도 큰 문제 중의 하나였다. 객관적인 지표 없이 임의로 추천권을 행사하다 보니 온갖 비리가 발생할 수 있었다.[68] 골생원이 관리임에도 불구하고 일탈적인 행위를 일삼은 것도 이러한 관리 임명과 무관하지 않다.

수령(守令), 즉 사또는 조선시대 군현에 파견된 지방 관리로 백성을 책임져야 할 막대한 임무를 지게 된다. 당연히 사또의 임무를 보좌할 인물의 역할도 클 수밖에 없다. 그래서 강릉사또는 문장이 뛰어난 골생원이 책방 관리로 적합할 것으로 판단하여 선발하였다. 하지만 강릉사또는 골생원의 능력만 보았을 뿐 그의 인품을 살피지 못했다. 부하를 관리하고 기강을 바로잡아야 할 강릉사또의 안일한 대처로 무능력자인 골생원을 관리로 발탁한 것이다. 실제로 골생원은 과거를 보러 한양으로 떠나기 직전까지 기생 매화에게 빠져 안일하게 지낼 따름이었다. 골생원의 잘못된 행동은 결국 과거시험장에서 기생을 그리워하는 시를 쓰는 상황으로 발전되고, 마침내 시전 아이에게 뺨을 맞는 사태로까지 번지게 된다. 양반 관료로서의 책무를 다하지 못하여 망신을 당한 것이다.

---

68) 가문이나 권력을 배경 삼아 고위관리들은 이른바 권력형 부패를 일삼았다. 이들은 뇌물을 상납 받고 그것에 얽매여 관리를 추천한다든가 인사청탁을 받고 발탁하거나 특진을 시키는 행위를 일삼았으며, 사법처리를 하는 관리들이 업무처리에서 원고와 피고를 바꾸어 처리하거나 오히려 피해자를 가해자로 몰아서 처리하고 옥사행정에서도 일방에 편향된 처리를 일삼았다. 또한 권력자를 배경으로 백성들에게 전답을 빼앗는 등 갖가지 농간을 부려 백성들을 억울하게 만들었다. 지방의 관리 중에는 관리로는 행동하기 곤란한 미풍양속과 공서양속에 어긋나는 범죄행위를 저지르는 등 각양각색의 사회문제를 야기시켰다. (이명복, 「조선시대 관리범죄에 관한 연구: 조선왕조실록의 사례를 중심으로」, 동국대학교 박사학위논문, 2005, 159쪽.)

> 아조 丁未初 江原道 江陵、、、使道 到任時、、、房으로 ᄂᆡ어온 한 양班이、、、지와 禮法、、、볼作시면 身長、、、두볍 可옷、、、암니망근쎈、、、笑오 입은、、、쥽치 자바 홀친 덧ᄒᆞ고ᄒᆞᄂᆞᆫ、、、고요 난장이 곰사동이 외작볼규 안잔잘이、、、로곡 生긴 양班이 비록 體질긔여 ᄒᆞ나 骨生員、、、ㅇㅇ才文筆긔니ᄒᆞ다.[69]

골생원은 표면상으로는 양반이지만 천민보다도 못한 추태를 보인다. 〈강릉매화타령〉은 관료사회의 무능함과 무책임함을 골생원이라는 인물을 통해 '색골로서 볼썽사나운'[70] 이미지로 형상화하여 그것을 비판의 대상으로 삼고 있다. 관리로서 골생원의 무책임함은 자신의 직위를 남용하는 사태로 이어진다.

> 구종 든 달낭쇠 치아다 보며 업다 일언 졔미 그져긔보텀 하든 이별이제ᄭᅡ지 하졔 여보오 셔방임 어셔 가옵시다 옛날을 모로시요 쳔하영웅 관운장도 여몽의 간계즁의 구령직ᄉᆞ하여씨이 셔방임도 그 궁긔쌔지면 엄벙덤벙하다가 둠벙사하거드면 집의도 못 가올이다[71]

위의 인용문은 골생원이 과거를 보러 상경하는 중에도 매화를 그리워하다 길을 못 떠나고 있는 상황을 나타낸 것이다. 매화에 대한 골생원의 마음은 과거장에서 기생을 그리워하는 시로 일관된다. 골생원이 과거장에서 일탈하는 행위는 관료사회의 부정적인 이미지가 함축적으로 내포되어 있다. 나라의 관리를 선발하는 신성한 과거시험장에서 골생원이 보여주는 행위는 그만큼 관료사회가 부패했음을 암시하기 때문

69) 김진영 외, 앞의 책, 207쪽.

70) 이문성, 『조선후기 막장 드라마 강릉매화타령』, 지성인, 2012, 15쪽.

71) 김진영 외, 앞의 책, 231쪽.

이다. 골생원은 강릉으로 돌아오는 도중 매화가 죽었다는 소식을 듣게 된다. 책임의식이 없는 골생원은 책방 관리라는 자신의 직책을 이용하여 나라의 중요한 일을 맡은 화공을 개인의 사사로운 일에 불러 쓰기도 한다.[72] 이렇게 골생원은 양반이면서 자신의 본분을 망각하고 일탈적인 행위를 일삼다가 결국 비판의 대상이 되고 말았다. 그것도 양반 관료의 부정적인 행태의 전범으로 비판·폭로의 대상이 된 것이다.

둘째, 무능하고 무절제한 관료사회에 대한 비판이다. 지방의 수령은 임지에서의 고립성과 기술직·기능적 능력문제를 보완하고자 사적으로 자신의 막료를 두는 경우가 많았다.[73] 골생원의 경우 그렇게 해서 책방으로 발탁된 인물이다. 문제는 이렇게 선발된 관리들이 지방 행정에서 부정적인 일을 자행하는 경우가 많았다는 점이다. 무능에서 오는 문제는 물론 향락적인 생활이나 권력의 남용 등이 그것이다. 때로는 재물을 축적하여 비판의 대상이 되기도 하였다. 골생원의 경우 무능에다가 향락적 생활이 문제가 되었다.

> 강능의 일등명기 ᄆᆡ화라 하ᄂᆞᆫ 기ᄉᆡᆼ으로 ᄎᆡᆨ방의 ᄌᆡ미주이 골ᄉᆡᆼ원 궐소견이 보든 ᄇᆡ 쳐암이라 감지덕지 혹한 마암 ᄆᆡ화다려 밤나즈로 슈작하고 농도 하고 노ᄅᆡ도 블너 츔도 츄고 슐도 먹고 시도 하고 ᄆᆡ화 쥬ᄉᆡᆨ

---

72) 조선시대 화원은 예조의 도화서에 소속된 국가에서 필요한 도화를 담당하는 하위 기술직 관료이다. 도화서 화원들은 주로 임금의 어진이나 의궤도, 연회도 및 지도제작 또는 중국이나 일본 사행원으로 참여하여 그림을 담당해 왔다.

73) 막빈(幕賓), 책실(冊室), 막비(幕裨) 등으로 불리는 이들은 가까운 친속(親屬)이거나 임지에서 고용된 인물이었다. 이들은 수령의 재무관리를 보조하고 수령의 공사서신(公私書信)을 대필하였는데, 이렇게 수령의 권한 행사에 개입하면서 지방행정의 부패를 조장하였다. (이상엽, 「조선후기 지방행정에 있어서 이서(吏胥)의 역할과 부패 유발요인」, 『한국행정학보』 36, 한국행정학회, 2002, 33쪽.)

> 알셤 모식 아조 풍덩 싸지거다 체소한 져 골싱원 허여날 질 젼이 업셔 조기바닥의 쥬야 잠겨 소락하여 일삼의며 탐화봉졉이라[74]

골생원의 이와 같은 문제는 당시의 관료사회 전반에 대한 것이기도 했다. 여기에서 더 나아가 골생원을 신체와 정신이 온전하지 못한 결핍된 모습으로 형상화한 것도 관료사회의 부정과 부패를 비판한 것이라 하겠다. 특정인의 일탈적인 행위에 국한하지 않고 이서층으로 지칭되는 하급관리의 문제를 전격적으로 공격한 것이라 할 수 있다. 이들이 일반 백성과 피부를 맞댄 관리이기에 비판의 실질적인 대상이 될 수 있었다. 골생원의 부친은 골생원이 과거에 떳떳하게 급제하여 관리가 되기를 소망하고 있다. 이는 학문으로 정신을 다져 자신의 위치를 확고히 하고 출사하기를 바란 것이기도 하다. 하지만 골생원이 보이는 행태는 불효는 물론이고, 기생에게 빠져 자신의 임무를 소홀히 하는 등 책임을 방기할 따름이다. 이것은 관리의 임용권과 그것의 그릇된 향사가 불러온 문제이기도 하다.

조선후기의 관리는 선량한 풍속이나 사회질서를 어지럽히는 행위, 즉 공서양속(公序良俗)에 반하는 행동을 할 경우 그 처벌이 매우 엄하였다.[75] 골생원이 양반이지만 신성한 과거시험장을 문란하게 만든 행위

74) 김진영 외, 앞의 책, 225-226쪽.

75) 인조 26년, 간원이 경상 도사(慶尙都事) 최진명(崔振溟)은 기생을 태우고 멋대로 돌아다니고 또 여러 고을에 폐단을 끼친 죄로, 전남 좌수영(全南 左水營) 우후 채시한(蔡蓍漢)은 선전관으로 심양(瀋陽)에 있을 적에 장사치들의 뇌물을 많이 받고 포로가 된 부녀들을 겁간한 죄로, 흥덕 현감(興德縣監) 조시형(趙時亨)은 날마다 술에 취해 있고 사창(私娼)을 끼고 노닥거리며 공공연히 뇌물을 주고받은 죄로 사판에서 삭제하라고 하였다.(諫院啓曰: "慶尙都事崔振溟, 馱妓橫行, 諫院啓曰: "慶尙都事崔振溟, 馱妓橫行, 且貽弊列邑, 請罷職." 上從之. 又啓曰: "全南左水虞候蔡蓍漢, 曾以宣傳官在瀋時, 多受商賈賂物, 陰奸被虜婦女, 請削去仕版. 上命罷其職. 又啓曰: "興德縣監趙時亨沈酗度日, 率畜私娼, 賄賂公行, 請

는 그래서 비판의 대상이 될 수밖에 없었다.

> 글령져령 과건날리 닷쳐온니 골ᄉᆡᆼ원 거동 바라 남의 눈이 얼려워 명지 집필먹 갓초와 츈당ᄃᆡᆨ 드려간니 글제을 걸려시되 쳔하ᄐᆡᆨ평츈니라 둘례시 ᄒᆞ야신니 장즁지게 벡들리 불르건니 씌건이 쎠 휘장을 닷토올제 닐천의 션장 글리 드려간니 그 글례 하여시되 요순니후 유동군한니 일월츈당덕군신을 쳔왕목덕한이 시황노한이 편편쥬옥이라 귀귀비졈 자자관쥬한이 장즁 잠관되거고나 골ᄉᆡᆼ원 거동 보소 속이 캄캄하게 안져 글자만 무슈이 외오되 글 지을 공부 안이 하고 ᄆᆡ화만 ᄉᆡᆼ각하며 天下太平春 天下太平春 天下太平春 天下太平春 ᄆᆡ화반 츈자반 칠 셕거 써시되 차시예 무ᄆᆡ화한이 츌늬불사츈을 부지ᄐᆡᆨ평츈이요 원건ᄆᆡ화화자 ᄆᆡ화한이 부지하일예 견ᄆᆡ화 츙쥬젼명쥬로다 시관이 글을 보고 밋친놈의 글이로다 휘장 밧긔 츌셩송한이 명지 썽거 바리고[76)]

위와 같은 행위도 문제이지만 돈이 없어 시전 아이에게 멸시당하고 뺨을 맞는 것도[77)] 무능한 관료의 한계를 드러내고 그것을 하층에서 징치한 것으로 볼 수 있다. 이는 한편으로 그만큼 사회질서가 붕괴되었음을 보여주는 것이기도 하다. 이제 그들의 무능과 안일이 하층민에게조차 인정받지 못하는 상황으로 내몰리고, 그러한 사정을 이 작품에서 적극적으로 풍자·비판한 것이라 하겠다. 관료사회가 무능력하고 통제력을 발

削去仕版. "三啓, 從之.(仁祖04926/01/11(丁未)004『王朝實錄』35집. (이명복, 앞의 논문, 159쪽.)

76) 김진영 외, 앞의 책, 235쪽.

77) 김헌선은 양반에게 손찌검을 하면서도 당당한 아이와 부끄러움을 느껴서 도망치는 양반 골생원의 극명한 대립은 명분보다 실재가 앞서고 돈이 중시되는 사회로 변하고 있음을 보여준다고 보았다. (김헌선, 「강릉매화타령 발견의 의의」, 『판소리연구』, 태학사, 1998, 557쪽.)

휘할 수 없으면 백성을 다스릴 권위와 위엄이 상실되고 만다. 강릉사또의 입장에서 관료 사회의 위계질서를 바로 잡고 양반의 권위와 위엄을 회복시키기 위해서 골생원을 징벌해야 하는 이유이기도 하다. 풍자적인 방법으로 골생원을 기롱한 것도 바로 이 때문이라 하겠다.

셋째, 전통윤리의 일탈에 대한 비판이다. 골생원의 성적 욕망이 지탄받는 이유는 개인의 욕구 충족을 넘어 나라의 윤리를 어지럽혔기 때문이다. 골생원은 과거를 보러가기 위해 매화와 이별하면서 옥지환과 동곳을 주고받는다. 동곳은 상투가 풀리지 않게 꽂는 물건으로 이것을 빼면 상투가 흐트러진다. 격식과 체면을 생명처럼 여겼던 유교사회에서 상투가 풀어지는 것은 곧 굴복을 의미하는 것이라 하겠다.[78)]

> 골ᄉᆡᆼ원 글 지여 ᄆᆡ화긔 화답하고 상토을 어로ᄆᆡᆫ져 화ᄎᆡ치 ᄲᅢ여ᄂᆡ여 안나 옛ᄯᅡ 바더라 이것바더 가져ᄯᅡ가 ᄂᆡ칠 츌ᄶᅡ 긔롭거든 일노 보고 시롬 플나 ᄆᆡ화 거동보소 송금단 속져고리 제ᄉᆡᆨ고롬 어로만져 옥환한 ᄶᅡᆨ 슬너ᄂᆡ여 골ᄉᆡᆼ원ᄭᅴ 올이면서 옥셩으로 여ᄶᅡ오ᄃᆡ 여보오 셔방임 이것 부ᄃᆡ 가져ᄯᅡ가 구무 혈ᄶᅡ 긔롭거든 이나 보고 시름 플소[79)]

양반 남성의 지조이자 위엄인 동곳을 기생에게 성적 기물로 건네는 골생원의 행태는 양반사회의 위엄과 권위를 무너뜨리는 것과 같다. 또한 골생원의 윤리의식의 부재는 나라의 인재를 뽑는 신성한 과거장을 문란하게 만들어 놓는 장면과 매화가 죽은 줄 알고 양반상례의 격식을 차려 첩을 애도하는 장면에서도 확인할 수 있다.

---

78) 박남일, 『좋은 문장을 쓰기 위한 우리 말 풀이사전』, 서해문집, 2004, 363쪽.
79) 김진영 외, 앞의 책, 230-231쪽.

> 파파퍼펴 ᄒᆞ어싯이 팟고 드던 주장궁이 펑펴지덜 어이ᄒᆞ니 과콰 와워 ᄒᆞ거싯이 병 드어언 사절ᄒᆞ이 과연 못살거나 ᄒᆞᆫ장 이니 탄식ᄒᆞᄌᆡ 방자야 예 官廳 ○ 불너야 예 불너쏘 官廳 ᄎᆞᆫ 선신 ᄒᆞ어 骨生員 分付ᄒᆞ어 주과포나 차리라 옛랄 唐明皇도 오난 질 마오 역의 楊貴비魂을 불어 魂神 祭祀 ᄒᆞ앗싯이 그 정셩도 어지도다 나도 이재 ᄆᆡ화 무부던이 제사ᄒᆞ자 예 주과포 차여솟 ᄆᆡ화 무던의 가어、、、 어동육셔 진셜ᄒᆞ고 骨生員 업져 祝文 닐운 후어 册房으로 와셔 죵시 ᄆᆡ화을 못이지저 그ᄌᆡ 아고아고 痛哭하여 방자 예 보시오 父母 주근듸 아고아고 ᄒᆞ제 접 주근듸 아고아고 ᄒᆞ오 骨生員 부근여워 父母 주○○ 실풀 야자 아고요 접주근ᄃᆡ는 사앙야자 아고어라 아고아고 셔운지거[80)]

골생원은 매화의 죽음 앞에서도 자신의 주장군을 사용하지 못함을 아쉬워하며 탄식하고 있다. 거기에 관아에 분부하여 주과포를 차리게 하고 첩을 위해 곡을 하는 지경에 이른다. 이를 보다 못한 방자는 '부모 죽은데 아고아고 하지, 첩 죽은데 아고아고 하냐'며 골생원의 도리에 어긋나는 행태를 비판하고 나선다. 이러한 골생원의 매화에 대한 집착은 가족을 저버리는 행위로 확대되고 있다.

> 경포ᄃᆡ 풍악을 ᄒᆞᆫ충ᄒᆞᆯ 져 잇ᄯᆡ ᄆᆡ화 골생원 훨젹 벽겨 동아줄노 허이자마여 글으고 경포ᄃᆡ로 올나간다 使道 분무ᄒᆞ되 소방상여 쟁이ㅅ옥매고 서ᄒᆞ고 우듸군 열두 롬이 골나 메고 가며 어하던 ᄉᆞ엄 차차 불상허다 불상허다 어아 범사 어아 범사 불상ᄒᆞ다 千里江陵 나예와다 무쥬ᄀᆡᆨ魂 오거귀나 어이야나 불샹ᄒᆞ나 너에너에 넘하 너오、、、가연ᄒᆞ다 혼백인덜 드을소야 발 마초와 가며 너호 너오 骨生員이 마、、、허다 (결락) 〃〃〃骨生員이 불썽허단 말이 웬말이야 ᄆᆡ화 여자오되 서방임 혼은

---

80) 김진영 외, 앞의 책, 218쪽.

날을 다아오고 신쳐논 셔울로 모셔 가나이다[81]

골생원은 자신의 상여가 지나가는 것을 보고도 자신의 죽음을 슬퍼할 가족들을 걱정하지 않고 나체가 되어 매화를 쫓아간다. 경포대로 향하는 골생원의 행동은 양반으로서 지켜야 할 체통도, 가족에 대한 걱정도 저버린 패륜아와 다를 바 없다. 이러한 것은 당시로서는 비판받아 마땅한 일이었고, 그래서 풍자적으로 문제를 지적하면서 시정되기를 소망한 것이라 하겠다.

요컨대 신분 비판형 작품은 양반 관료의 한계와 무능함을 비판하고 있다. 이들은 주자학의 관념론에 머물러 변화하는 현실과 마주하지 못하고 여전히 자신의 신분적 권력을 바탕으로 부정과 부패를 일삼고 있었다. 정남을 자처하다 이방인으로 전락한 배비장, 자신의 직위를 이용해 백성을 수탈해 온 정비장, 자신의 임무보다 향락을 일삼다 망신을 당한 골생원과 같은 인물들은 신분상 양반임에도 불구하고 양반으로서의 권위와 위엄에 한계를 드러내 보인다. 이들은 변화하는 현실을 인식한 강릉사또나 제주목사에 의해 자신들의 처지를 인식하기에 이른다. 강릉사또나 제주목사는 양반의 권위만 내세우는 허울뿐인 신분이 백성과 화합하는 데 필요하지 않은 것으로 보았다. 이들이 배비장이나 정비장, 골생원과 같은 양반 관료를 훼절시키고 망신시키는 데 기생을 동원하고 고을 백성과 화합할 수 있었던 이유도 여기에 있다. 신분 비판형 작품은 기득권층인 양반의 가식을 폭로하고 관료사회의 부패를 드러내어 시정하고자 했다. 이를 위해 최하층민인 기생과 공모를 주도하고 백성들과

81) 김진영 외, 앞의 책, 221-222쪽.

화합을 도모했다는 점에서 주목할 만하다. 이는 풍자의 정도를 강화한 것이면서 동시에 공동체의 화합을 지향한 것으로 이해할 수 있다.

2. 제도 비판형의 양상

제도 비판형은 생활 근거지를 잃고 떠돌아다니는 유랑민의 생활상과 조선후기 여성의 개가 문제를 제기하고 있다. 공동체에서 내몰린 하층민들은 유랑민으로 전락할 수밖에 없었고, 국가에서는 이들의 문제를 해결해주기보다는 불안한 정국을 안정시키기 위해 유교 이념을 강화시킨다. 상하의 질서를 요구하는 가운데 가부장제의 권위와 열녀의 요구는 여성의 인권과 존엄성을 무시한 것이라 할 수 있다. 이러한 제도는 여러모로 여성에게 불합리한 독소적인 제도라 할 수 있다. 이에 해당하는 작품이 바로 〈변강쇠가〉와 〈장끼전〉이다. 이들은 조선후기 유랑민의 실태와 여성의 개가 문제를 적절히 수렴한 작품이다. 이제 두 작품의 비판양상을 개괄해 보도록 하겠다.

1) 〈변강쇠가〉의 양상

〈변강쇠가〉는 성(性)과 죽음을 통해 상징과 함축적 의미를 담아 사회의 제도적인 문제를 다룬 작품이다. 성적 묘사를 통한 기물타령, 변강쇠의 죽음으로 벌어지는 다양한 사건을 통해 사회적인 문제, 그것도 경제의 제도적인 문제를 담아내고 있다. 이를 감안하여 〈변강쇠가〉에 나타난 유랑민은 농촌사회의 변화, 특히 경제제도에서 파생된 문제임을 확인하고, 나아가 가부장제에서 야기된 여성의 삶과 그것을 극복하고자 했던 여성의식은 어떠했는지 그 세부적인 양상을 살펴볼 필요가 있다.

(1) 비판의 동인

조선후기 지주제의 발전과 광작의 확대는 농촌사회의 계급을 급속히 변화시켰다. 물질에 사로잡힌 지방양반인 토호들은 각종 세금을 농민들에게 부담하였고 그것을 견디다 못한 농민들은 산속에 들어가 화전민이 되거나 고향을 떠나 유랑민이 되어 굶어 죽는 자가 속출했다. 이러한 상황은 임진왜란 이후 국가경비의 팽창과 기강 해이에 의한 관원들의 낭비, 관원과 서리들에 대한 중간수탈이 진행되면서 심화되었다.[82] 정치제도와 사회제도의 미비로 편법이 횡행하여 하층민에 대한 수탈은 날로 더해져 유랑민을 양산하는 동인이 되었다.

변강쇠는 사회공동체 안에서 소외된 조선후기 빈민층의 전형적인 인물이다. '천ᄒᆞ의 잡놈으로 삼남에서 빌어먹다 양서로 가노라'를[83] 미루어 변강쇠는 한곳에 정착하지 못하고 삼남을 두루 떠돌며 생활하는 인물이다. 그래서 그의 삶은 인생에 어떠한 목적도 계획도 없다. 제도적인 문제가 그를 그렇게 만든 것으로 볼 수 있다. 김종철이 변강쇠를 지방의 유흥가에 기생하면서 평생을 놀고먹은 불건강한 인물로[84] 보는 이유이

82) 조선후기는 세도의 쟁탈전이 되풀이 되는 가운데, 탐관오리의 횡포로 인심이 악화되었다. 세도 정치 아래서 진행된 관기(官紀)의 문란과 양반 관료 체제의 파탄(破綻)은 삼정(三政)의 문란을 수반했고, 부패한 수령·사서배(吏胥輩)가 서로 착취를 일삼았다. 이로 인해 백성들의 부담은 가중되었고 흉년까지 겹쳐 백성들은 도탄에 빠질 수밖에 없었다. (김재환, 『한국 동물우화소설 연구』, 집문당, 1994, 163쪽.)

83) 김진영 외, 〈변강쇠가〉, 12쪽.

84) 김종철, 「〈변강쇠가〉의 미적 특질」, 『판소리연구』 4, 판소리학회, 1993, 281-284쪽.

기도 하다. 반면에 옹녀는 자신의 의지와 상관없이 상부살로 남자의 씨를 말린다는 이유로 공동체에서 쫓겨난다. 〈변강쇠가〉는 삶의 희망이라고는 찾아볼 수 없는 절망적인 인물들을 통해 하층민의 삶을 적나라하게 드러내어 조선후기 사회 문제를 지적한 것이다.

변강쇠와 옹녀는 한곳에 정착하지 못하고 떠돌다 만나게 된다. 이들은 정착하여 부부의 인연으로 살아보려고 하지만 현실은 의식주를 먼저 걱정해야 하는 절박한 상황에 놓인다. 이들 부부의 절박한 현실은 성(性)의 기괴한 묘사를 통해 드러내고 있다. 성의 기괴한 묘사는 먹을 것과 살림살이와 연관되는 것으로, 거기에는 한곳에 정착하여 조상의 제사를 챙기며 정상적인 가정을 이루고 싶은 소망이 담겨 있다. 또한 이들 부부가 부르는 '사랑가'는 두 남녀의 애틋한 사랑의 감정을 담기보다는 넉넉한 재물을 소유하고 경제력으로 안정된 삶의 소망을 희구한 것이라 할 수 있다. 하지만 변강쇠가 살아가는 현실은 삶의 희망이 전혀 없는 무기력함뿐이고, 옹녀는 노름에 온갖 패악을 일삼으며 살아가는 변강쇠를 위해 집안의 경제를 책임지는 지경에 이른다. 이러한 관점에서 〈변강쇠가〉는 유랑민의 삶을 책임지지 않는 기득권층의 무책임을 비판한 것이라 하겠다. 이는 농촌의 경제제도와 정치제도가 기득권층을 옹호하고, 하층민에 대한 그들의 착취가 가능할 수 있도록 하여 빚어진 문제라 할 수 있다.

떠돌이로 살아갈 수밖에 없는 유랑민의 어려운 현실을 아래 인용문에서 확인할 수 있다.

> 금강 셕슨이라 나무 업셔 살 슈 업고 북 향슨 찬 곳이라 눈 쓰이여 살 슈 업고 서 구월 죠타 ᄒᆞ나 젹굴이라 살 슈 잇나 남 지리 토후ᄒᆞ야

> 싱리가 죠타 ᄒᆞ니 그리로 차져가싀 여간 가슨 질머지고 지리슨 즁 차져 가니 …[85)]

인용문을 통해 알 수 있듯 전국 각지에서 유랑민이 정착하여 살 만한 곳은 별로 없다. 전국의 산을 살펴보면 대부분이 돌산이고, 추워서 살 만한 곳이 못 되고, 도적이 많아 갈 곳이 못 되는 곳이다. 유랑민들은 생계를 위해 할 수 있는 일이 없었다. 공동체의 일원으로 사는 것이 불가능하여 유랑민이 양산되고 그들이 정처 없이 떠도는 모습을 〈변강쇠가〉가 포착한 것이라 하겠다.

기득권층은 제도권 밖 유랑민의 삶의 문제를 해결하기보다는 자신들의 안정된 삶을 더욱 공고히 하기에 바빴다. 기존의 제도에 대해 항거하는 경우 처절하게 응징하는 이유가 여기에 있다. 장승족이 변강쇠에게 가하는 처벌이나 죽음에 이르게 하는 것이 그를 대변하는 것으로 보아도 좋다. 하지만 변강쇠는 죽음을 통해 공동체 안에서 인간의 존엄과 평등이 같이 실현되어야 함을 보여준다. 그런 점에서 변강쇠는 새로운 제도와 인간상을 제시하는 인물이라 할 수 있다. 결국은 제도적인 문제를 제기하고 그것을 비판하면서 극복되기를 소망한 작품이 〈변강쇠가〉라 하겠다.

또한 제도의 문제는 남성이 여성을 지배·억압·착취하는 가부장제에서도 확인할 수 있다.[86)] 불안정한 정국 속에 기득권층은 성리학적 이념을 앞세워 부계 혈연과 부권 중심의 체제를 강화하며 여성의 삶을 가부

---

85) 김진영 외, 앞의 책, 15쪽.

86) 유희정, 『가부장제 이론』, 이화여자대학교 출판부, 1996. (원제: Sylvia Wallby, Theorizing Patriarchy (Oxford: Basil Blackwell, 1990.)

장제의 틀 안에 가둔다. 남성 중심의 사회임에도 월경촌에서는 여자들이 밭을 갈고 처녀가 집을 잇는다.

> 평안도 월경쵼에 계집 ᄒᆞᆫ나 잇스되 …(중략)… ᄉᆞ쥬에 청상술이 겹겹히 싸닌 고로 상부를 ᄒᆞ여도 징글징글ᄒᆞ고 씨긋씨긋ᄒᆞ게 단콩 주어 먹듯 ᄒᆞ것다 …(중략)… 한 ᄃᆞᆯ에 뭇을 넘겨 일년에 동반 한 동 일곱 뭇 윤삭 든 ᄒᆡ면 두 동 뭇슈 ᄃᆡ고 셜그질졔 엇더케 씰어쎤지 삼십니 안팟 상토 올인 사나ᄒᆡᄂᆞᆫ 고ᄉᆞᄒᆞ고 열 다셧 너문 총각도 업셔 게집이 밧을 갈고 쳐녀가 집을 이니[87)]

옹녀의 상부살이 한편으로는 흔들리고 있는 가부장제를 상징적으로 나타낸 것이라 할 수 있다. 월경촌에서 남성의 씨는 찾아볼 수 없다. 이러한 가부장제의 붕괴는 가족공동체에서 사회공동체의 붕괴로 이어지고 있다. 이러한 어수선한 사회 분위기 속에 여성에게 열녀와 수절을 요구하며 가부장의 권위를 강화시켜 나갔다. 변강쇠가 옹녀에게 수절을 요구한 이유 또한 이러한 사회적 분위기를 반영한 것이라 하겠다.

이상에서 보는 바와 같이 〈변강쇠가〉는 겉으로는 성과 죽음을 기괴하게 묘사하고 있지만, 실은 그러한 현상이 나타난 근저에는 당시의 제도적인 문제가 가로놓여 있음을 알 수 있다. 농촌사회의 피폐가 곧 소작제라는 제도에서 야기된 것이거니와 옹녀를 부정적으로 그린 것 또한 가부장제라는 뿌리 깊은 제도와 관습에서 기인한 것이다. 이러한 문제를 현실에서 극복하는 것은 불가능하기에 문학작품에서 통렬하게 비판하면서 시정되기를 소망한 것이라 하겠다.

---

87) 김진영 외, 앞의 책, 11쪽.

(2) 비판의 양상

조선후기는 시장과 화폐경제의 활성화로 신분을 막론하고 부유층이 양산되었다. 화폐유통의 확대는 봉건지배자들에게 물질적 충족을 가져다주었지만 토지를 소유하지 못한 하층민은 유랑민으로 떠돌 수밖에 없는 처지가 되었다. 사회공동체에서 이탈된 가난한 농민들은 삶의 터전을 잃어버린 것은 물론 나라에서 부과되는 각종 세금과 노역으로 고단한 삶을 이어가야 했다. 이러한 관점에서 〈변강쇠가〉에 나타난 유랑민의 삶은 한 개인의 문제가 아니라 사회적 문제로 확대해서 이해해야 한다.[88] 실제로 〈변강쇠가〉는 사회의 가장 하층민인 변강쇠와 옹녀를 통해 사회제도의 모순을 지적·비판한 것이다. 그 내용을 구체적으로 살펴보면 다음과 같다.

첫째, 모순된 사회제도에 대한 비판이다. 조선은 철저한 신분제 사회였다. 상하의 위계질서는 삼강오륜의 유교이념으로 무장되어 충과 효, 열을 강조하였다. 하지만 그 이면에는 관료의 부정부패가 만연했고, 하층민들은 각종 노역과 세금에 내몰리어 전전긍긍하며 살아가거나 유랑민으로 떠돌 수밖에 없었다. 기득권층을 중심으로 한 사회제도가 하층민을 궁지로 내몰게 된 것이다. 사회공동체에서 이탈된 유랑민들은 사회구성원이 아닌 이방인이 될 수밖에 없었다. 이들은 기득권층에서 보면 나라에 바칠 세금을 내지 않고 도망 다니는 부정적인 인물이라 할 수 있다. 변강쇠와 옹녀의 부정적 인물 묘사는 하층민에 대한 멸시와 차별을 나타낸 것으로 당시에 하층민에 대한 의식구조를 잘 보여주고 있다.

---

88) 최동원, 「변강쇠가에 나타난 기괴적 이미지의 사회적 의미」, 『판소리의 미학과 역사』, 민속원, 2005, 422쪽.

변강쇠는 삼남을 떠돌아다니며 걸식하는 건달에 가까운 인물이다. 마을에서 쫓겨나 유랑하는 옹녀를 유혹하여 부부의 연을 맺고도 성실히 살아가는 인물이 아니다. 오히려 옹녀가 벌어오는 돈을 노름과 싸움으로 탕진하며 방탕한 생활을 일삼는다. 그는 무기력하고 희망 없는 삶을 살다 결국 장승족에 의해 죽임을 당하게 된다. 그가 이렇게 살 수밖에 없었던 것은 상층민을 위주로 한 법제에 있다고 할 수 있다. 기득권층을 옹호하는 제도는 그들의 삶을 더 견고하게 만들었지만, 역으로 하층민을 정처 없이 떠돌도록 했고, 떠도는 하층민을 바라보는 기득권층에서는 그들을 부정적으로 인식한 것이다.

부정적 인물 형상은 변강쇠보다 옹녀에게 더 두드러지게 나타난다. 옹녀는 미모도 뛰어나고 생활력도 강한 여인이다. 하지만 자신의 주변 인물들로 인해 비극적인 삶을 살아간다. 그녀의 남편은 누구 하나 멀쩡한 사람이 없다. 줄지어 죽음에 이르는 옹녀의 남편들은 잠자리에서 급상한에 죽거나 당창병, 용천병에 죽고, 벼락 맞아 죽거나 도적으로 잡혀 포청에서 죽고, 비상을 먹고 죽는 등 모두 비명횡사한다. 이 청상살(靑孀煞) 때문에 옹녀는 자신이 살던 평안도 월경촌에서 쫓겨난다. 이제 옹녀가 살던 월경촌에는 옹녀로 인해 열다섯이 넘는 총각을 찾아볼 수 없게 되었고, 처녀가 집을 잇고 여자들이 밭을 가는 광경이 벌어진다. 결국 옹녀는 마을에서 남자들의 씨를 말리는 요부로 치부된다. 더욱이 마을에서 쫓겨난 옹녀가 삼남에서 빌어먹던 변강쇠를 만나 다시 혼례를 치르고 첫날밤을 지새우는 성행위는 옹녀를 또 한 번 음란한 여인으로 형상화한다. 옹녀에 대한 비정상적인 인물 형상은 개가하지 말 것을 당부한 변강쇠의 유언을 무시하고 시신을 치워주는 남자를 따라 같이 살 것을 밝히는 모습에서도 확인된다.

> 치상만 ᄒᆞ거드면 그 ᄉᆞ롬과 술 터이니 승속을 가릴테오 져 즁이 ᄃᆡ희ᄒᆞ야 그리ᄒᆞ면 쉰 일잇쇼 그 송장 ᄂᆡ 치고 늘과 살아엇더ᄒᆞ오 …(중략)… 녀인은 압플 셔고 ᄃᆡᄉᆞ는 뒤에 셔셔 강쇠집을 챠져올 제 즁놈이 죠와라고 쟉난이 비상ᄒᆞ다 녀인의 등썰이에 손도 씩 너어보고 젓도 불근 주여보고 허리 질근 안아보고 손목 쏵 쥽아보며 암만히도 못 춤썻네[89)]

옹녀는 오직 남성들의 탐욕에 대상이며 욕정의 대상이다. 상부(喪夫)한 옹녀를 찾은 인물 중 누구 하나 그녀를 위로해주거나 동정해주는 사람이 없다. 수많은 곡절로 남편을 잃은 옹녀는 한 여인으로 위로받는 인간적 존재가 아니라 음부로 낙인찍히는 존재다. 옹녀를 이렇게 형상화한 것은 당시 사회의 제도적인 문제를 지적·비판한 것이기도 하다. 삼종지도가 말하듯이 철저한 남성 중심의 사회에서 여성들은 온전한 인간으로서 존중받지 못하고 철저하게 남성에 예속되었다. 결혼한 여성은 사정이 어떻든 간에 남편을 따르는 것이 정도요 숙명이었다. 그런데 옹녀는 그러한 관습과 제도를 과감하게 일탈한 인물이다. 남편이 죽을 때마다 개가를 단행하였고, 변강쇠와도 결혼하여 지내다가 상부한 다음에는 재가를 선언한다. 이렇게 한 것은 당시의 가부장제에 대한 도전이요, 억눌린 여성의 자의식을 기괴하지만 강렬하게 표출한 것으로 해석할 수 있다. 기존의 제도와 관습의 문제를 제기하고 그것이 시정되기를 역설적으로 부각한 것이라 할 수 있다.

둘째, 불합리한 경제제도에 대한 비판이다. 조선후기는 농업 생산성이 증대되면서 부농층이 형성되고 상품·화폐 경제의 발전으로 부익부 빈익빈 현상이 심화된다. 이러한 가운데 경제력을 확보하지 못한 하층민

89) 김진영 외, 앞의 책, 29-30쪽.

은 각종 노역과 세금으로 유랑민이 되어 풀뿌리로 연명(延命)하거나 굶어 죽는 이가 속출한다. 이러한 상황에서 고을에서 부과하는 국납의 결세본세, 부가세, 잡세 이외에도 각 군현에서도 부족한 경비를 조달한다는 구실로 중앙정부의 묵인 아래 여러 명목의 과외 잡세를 거두어들였다.[90] 과외 잡세를 충당할 길이 없는 농민들은 떠돌이 유랑민으로 전락할 수밖에 없었다. 변강쇠와 옹녀가 그들에 해당된다 하겠다. 유랑민으로 떠돌던 변강쇠와 옹녀는 살아가기 위한 생존의 문제가 가장 절실했다. 그들의 이러한 욕구는 첫날밤을 치루는 과정에 잘 나타나 있다. 변강쇠와 옹녀가 서로의 성기를 보며 연상하는 것은 다름 아닌 먹을 것과 살림살이이다.

> 만경창파 죠기던지 혀를 쎄쏩 쎅여시며 임실 곡감 먹어썬지 곡감씨가 장물이오 만쳡ᄉᆞᆫ중 으름인지 졔라 졀노 벌어졋다 연계탕을 먹어던지 ᄃᆞᆰ긔 벼슬 비최엿다 파명당을 ᄒᆞ엿썬지 더운 김이 그져 난다 졔무엇이 질거워셔 반튼 우셔 두어쑤나 곡감 잇고 울음 잇고 죠기 잇고 연계 잇고 졔ᄉᆞ장은 걱정업다[91]

> ᄭᅩ박 ᄭᅩ박 졀을 ᄒᆞ늬 고쵸 씻턴 졀구썬지 검불씨ᄂᆞᆫ 무삼 일고 칠팔월 알밤인지 두 쪽 한ᄐᆡ 부터잇다 물방아 졀구ᄃᆡ며 쇠곱비 걸낭 등물 셰근사리 걱정 업ᄂᆡ …(중략)… 네 무엇을 가지랴나 조거전후십이승 야광쥬를 가져볼가 십오셩 박구랴든 화씨벽을 가져볼가 쳔지신지 아지자지 싱금쪙이 가져볼가 부도제ᄉᆞᆫ득은옹 은항아리 가져볼가 ᄇᆡᆨ금문 입자달

90) 과외 잡세인 이 읍징(邑徵)은 고을마다 명칭이 다르며 타석미(打石米)·용마조(雇馬租)·서원급조(書員給租) 등 괴이한 이름을 붙여 징세하였다. (김옥근, 『한국경제사의 이해』, 신지서원, 2001, 260-261쪽.)

91) 김진영 외, 앞의 책, 13쪽.

의 샹평통보 가져볼가 밀화불슈 ᄉᆞᆫ호비녀 금ᄑᆡᆨ지환 가져볼가[92]

하층민의 정착 욕구와[93] 생계 문제를 성의 묘사를 통해 드러내고 있다. 성기를 곶감이나 영계백숙에 비유한 것은 단순한 성적 쾌락을 넘어 하층민의 처절한 삶의 비애를 나타낸 것이다. 기물타령을 부르는 그들의 내면에는 한곳에 정착하여 조상의 제사를 챙기며 정상적인 가정을 이루고 싶은 소망을 담고 있다. 또한 '사랑가'를 통해서는 넉넉한 재물을 소유하고 경제력으로 안정된 삶을 희구하기도 한다.

문제는 이들이 그러한 소망을 가졌을지라도 당시에는 그것이 제도적으로 실현될 수 없었다는 점이다. 농촌에 대한 제도가 농민을 수탈하는 도구로 전락한 이상 그들의 생활이 호전될 수 없었다. 하층민을 위한 제도가 미비할 뿐만 아니라 실행되는 제도 또한 대부분이 그들을 착취하는 것이어서 지극히 일상적인 삶조차 꿈꿀 수 없게 되었다. 그러한 일상적인 현실 문제를 제기하고 비판한 것이 바로 〈변강쇠가〉라 하겠다.

셋째, 부정한 관료제도에 대한 비판이다. 조선사회는 유학으로 무장한 사회였다. 하지만 상층부에서는 충과 효·열을 강조하면서도 부정을 일삼곤 하였다. 백성을 위한 정치보다 관료 자신의 사익을 채우는 부정이 만연하였다. 그 실태를 〈변강쇠가〉에서도 확인할 수 있다. 사익을 채워 부유층이 된 관료가 전란의 와중에 지리산에 들어가 기와집을 짓고 피신한 사정을 확인할 수 있다. 변강쇠가 지리산에 도착했을 때 다

92) 김진영 외, 앞의 책, 13-14쪽.

93) '곡감 잇고 울음 잇고 죠ᄀᆡ 잇고 연계 잇고 제ᄉᆞ장은 걱정업다 … 숑아치 말뚝인지 털곱비를 둘너ᄊᆞᄂᆞ' (김진영 외, 앞의 책, 13쪽.)에서 알 수 있듯 변강쇠와 옹녀는 조상의 제사를 모실 수 있고, 송아지로 밭을 일구며 살 수 있는 정착된 삶의 욕구를 드러내고 있다.

섯 칸의 팔작지붕 기와집을 보고 기뻐하는 장면이 그것이다.

> 지리순 즁 차져가니 쳡쳡훈 깁픈 골에 뷘집 훈 치 셔 잇시되 임진왜란 팔년 간과 엇던 부주 피란훈자 이 집을 지엇던지 오간팔작 지와집이 다시 수름 산 일 업고 흉가로 부여 셔셔 누빅년 독갑이 동쳥이오 뫼 귀신의 사랑이라 거츤 쓸에 잇는 것이 삭과 여희 발주최오 깁픈 뒤안 우는 쇼릐 부엉이 옷밤이라 강쇠놈이 집을 보고 딕희후야 후는 말이 슌수쏘는 간 듸마다 션화당이라 후더니 닉 팔주도 방수후다 젹막훈 이 순즁에 나 올 쥴을 뉘가 알고 이리 죠흔 기와집을 지여노코 기다련노[94]

다섯 칸 팔작 기와집이 임진왜란 중에 지리산 첩첩산중에 지어진 점, 어떤 관료의 부자가 피란(避亂)하기 위해 지은 점에 주목할 필요가 있다. 이 기와집은 산중에 자리 잡은 단순한 집이라기보다 모순된 사회의 이면을 드러내는 함축적 의미를 가진다 하겠다. 다섯 칸 팔작 기와집을 지을 경제적 능력을 갖추었다면 나라의 벼슬을 했던 인물이거나 그런 가문의 사람이었음은 물론이다. 집주인은 전쟁 중에 나라를 위해 싸우거나 걱정하기보다는 피난살이를 위해 깊은 산중에 기와집을 지었다. 관료로서 부를 축적했음에도 불구하고 나라의 안위나 백성을 생각하기보다는 자신의 안녕만 궁구한 그릇된 행태를 짐작할 수 있다.

백성을 향한 상층부의 모순된 의식구조는 장승족을 통해서도 확인할 수 있다. 이 장승족도 관료에 비견되는 권력층이라 할 수 있다. 그러기에 하층민인 변강쇠를 거침없이 징치할 수 있었다. 권위를 가진 자신들에게 문제를 제기한 하층민인 변강쇠를 그냥 두고 볼 수 없어 철저하

94) 김진영 외, 앞의 책, 15쪽.

게 응징한다. 이념적으로는 백성이 나라의 근간이라고 하면서도 실제에서는 그들을 착취함으로써 자신들의 기득권을 공고하게 다진다. 혹여 자신들이 가진 것을 하층민이 탐하면 그것은 인륜강상을 해하는 것으로 인식하고 철저하게 대응한다. 기득권층은 강고한 지위를 가지고 하층민 위에 군림하여 이들을 착취한다. 변강쇠가 생활터전으로 자리잡은 지리산 자락은 '죠관을 지ᄂᆡᆫ난지 ᄉᆞ모 품ᄃᆡ 갓쵸으고 방울눈 쥬멱코에 칙슈염이 졈잔ᄒᆞ다'고[95]한 것으로 미루어 장승족이 또 다른 지배세력임을 알 수 있다.[96]

하지만 이러한 기득권층에 변강쇠는 장승을 베어 자신의 저항의식을 드러내고 있다. 변강쇠는 서로 다른 나무들이 조화를 이루며 숲을 이루고 있는 광경을 보고 자신이 살아가는 현실이 모순되고 부당하다는 것을 인식한다. 변강쇠가 본 숲의 나무들은 각기 쓰임새가 다르지만, 조화를 이루며 숲과 산을 이루며 살아가고 있다. 사람도 나무와 마찬가지로 각기 다른 신분이지만 공동체 안에서 화합하며 조화롭게 살아갈 수 있음을 보게 된 것이다. 또한 나무를 통해 만물의 귀함을 인식하고 인간이 존엄함을 깨닫는다. 이러한 까닭에 변강쇠는 나무의 덕과 쓰임새를 생각하며 나무를 함부로 벨 수 없었던 것이다. 하지만 동네

---

95) 김진영 외, 〈변강쇠가〉, 19쪽.

96) 서종문은 장승설화가 나무타령과 결합하여 〈변강쇠가〉의 작품구조 속에 한 부분으로 끼어들어왔다고 보았다. 이것은 奉恩寺 나무 채취지역 「柴場」에 장승을 만들어 禁標로 세운 사실이 『明宗實錄』에 나타난 점을 근거로 들었다. (『明宗實錄』 卷二十五 己未 二月條, 影印本, 『朝鮮王朝實錄』 卷二十, 502쪽.) 또한 지리산 배경이 되는 咸陽郡 마천에는 숯을 굽는 공인들의 거주지인 馬川所가 있었고, 천민들의 거주지인 功安部曲이 있었다는 사실(新增 東國輿地勝覽 제 27권 함양군조)을 통해 이 작품의 형성은 역사·사회적 맥락의 하나를 보여주는 좋은 본보기라 하였다. (서종문, 「변강쇠가」, 『판소리연구』, 태학사, 1988, 398-399쪽.)

어귀에 서 있는 장승은 달랐다. 장승은 기득권층의 자리에서 백성의 안위를 걱정하기보다는 위엄만 과시할 뿐이었다.

변강쇠가 장승을 베려고 하자 장승은 변강쇠에게 눈망울을 부릅뜨며 화를 낸다. 하지만 변강쇠는 오히려 화를 내는 장승에게 호통을 친다. ‘나무로 ᄶᆞᆨ근 쟝승 인형을 가져쓴들 ᄑᆡ여ᄡᆡ여 관계ᄒᆞᆫ가’에서[97] 보듯이 변강쇠에게 장승은 더 이상 쓰임새가 없는 존재로 백성을 불쌍하게 만들 따름이었다. 변강쇠가 상층부인 장승에게 호통을 칠 수 있었던 이유도 변강쇠 스스로가 자신이 존엄하고 장승과 같이 평등한 존재임을 인식한 결과라 할 수 있다.

하지만 변강쇠의 장승족에 대한 도전은 결국 참극으로 이어진다. 이것은 상하제도가 엄연하고 관료의 권위가 엄중하기에 나타난 것이라 할 수 있다. 상하가 어우러진 이념을 내세웠지만 현실은 철저하게 양반 관료를 중심으로 한 기득권의 삶에 초점이 맞추어졌다. 그러기에 변강쇠에게 베어진 함양장승은 땔감으로 이용된 자신의 억울함을 대방전을 찾아가 하소연한다. 대방장승은 변강쇠를 징치하기 위해 팔도의 장승들을 다 불러 모은다. 팔도의 여러 장승들이 대방장승에게 권유하는 처벌의 내용은 변강쇠 개인의 처벌이 아니라 관료지배계급이 하층민을 대하는 의식구조를 잘 반영하고 있다.

넷째, 모순된 가부장제에 대한 비판이다. 변강쇠가 죽음 직전에 보이는 행동은 많은 의미를 함축한다. 그것은 옹녀에게 수절을 요구하는 것에서 확인된다. 이는 역설적으로 가부장제의 모순을 비판한 것으로 해석할 수 있다. 해당 부분을 들어보면 다음과 같다.

---

97) 김진영 외, 〈변강쇠가〉, 19쪽.

> ᄂᆡ 병셰 지독ᄒᆞ여 긔여이 쥭을 터니 이 몸이 쥭거들낭 염습ᄒᆞ되 입관ᄒᆞ기 ᄌᆞᄂᆡ가 손죠ᄒᆞ고 츌송ᄒᆞᆯ졔 ᄉᆞᆼ여 ᄇᆡᆨ힝 시묘 살아 죠셕 상식 ᄉᆞᆷ년ᄉᆞᆼ을 지ᄂᆡᆫ 후에 비단 수건 목을 잘나 져승으로 ᄎᆞᄌᆞ오면 이ᄉᆡᆼ에 미진 연분 단현부속 되려니와 ᄂᆡ가 지금 쥭은 후에 ᄉᆞ나히라 명ᄉᆡᆨᄒᆞ고 십셰젼 아ᄒᆡ라도 ᄌᆞᄂᆡ 몸에 손ᄃᆡ거ᄂᆞᆫ 집 근쳬에 얼는 ᄒᆞ면 즉각 급살ᄒᆞᆯ 거시니 부ᄃᆡ부ᄃᆡ 그리ᄒᆞ쇼[98)]

변강쇠가 옹녀에게 요구하는 장례 절차는 조선사회의 상례로 옹녀의 상황에 맞지 않는다. 이것은 자신이 무기력하게 살아올 수밖에 없었던 처지와 삶의 비애를 느끼며 한 번쯤은 양반으로 살아보고 싶은 소망을 드러내는 한편으로 양반사회의 모순을 지적한 것이기도 하다. 더욱이 여러 번의 개가를 한 옹녀에게 수절을 요구하는 행위는 또 다른 사회적 모순이라 할 수 있다. 성과 죽음이라는 사회질서와 유교이념에서 금기시(禁忌視)하고 타기시(唾棄視)하는 소재를 선택하여 당시 사회에 대한 공격성을 드러낸 것이라 하겠거니와 기존 사회질서와 규범에서 일탈하여 당대 사회의 진실이나 문제점을 정확히 지적한 것이라 하겠다.[99)] 변강쇠가 옹녀에게 십 세 전의 사내라도 손을 대거나 집 근처에라도 얼씬하면 즉각 급살할 것이라는 유언을 남긴 이유도 여기에 있다.

가부장제의 권위는 상부한 옹녀를 찾아오는 하층민에게서도 확인할 수 있다. 옹녀를 찾아오는 남성들은 상부한 옹녀를 도와주거나 불쌍해서 찾아오기보다는 옹녀와 같이 살아보겠다는 의지로 접근한다. 즉 옹녀를 온전한 인간으로 대하는 것이 아니라 남성의 부속물로 인식하는 의식구조를 그대로 보여주고 있다. 먼저 수행과 자비로 선을 베풀어야

---

98) 김진영 외, 앞의 책, 26-27쪽.
99) 최동원, 앞의 책, 442쪽.

할 중은 변강쇠의 시체를 치우기도 전에 옹녀를 탐할 생각으로 가득 차 있으며, 초라니는 시체를 옆에 두고 옹녀와 같이 살 생각에 장구를 두드리며 방정을 떤다. 또한 풍각쟁이들은 서로의 재주를 자랑하기에 바쁘다. 비윤리적인 행태를 일삼는 이들을 변강쇠는 자신의 시체에 달라붙어 죽게 만든다. 변강쇠는 자신의 죽은 몸을 이용해 인간의 기본적인 예(禮)를 상실하고 옹녀를 한 인간으로 온전히 대하지 않은 이들을 징치함으로써 인간에 대한 존엄성을 일깨우고 있다. 옹녀가 천명한 것처럼 치상하고 그녀와 함께 살기 위해 찾아온 이들을 통해 강고하게 자리 잡고 있던 가부장제나 여성의 개가금지 제도를 적극적으로 반대하고 있음을 알 수 있다. 기존의 제도를 무색케 함으로써 새로운 세계에 대한 소망을 드러낸 것이라 할 수 있다.

〈변강쇠가〉는 천대와 멸시 속에 살아가는 인물들을 통해 사회의 모순을 고발한 작품이다. 실제로 이 작품에서 변강쇠와 옹녀가 어려움을 겪는 것은 당시의 제도가 그들을 보호하기는커녕 착취와 수탈의 대상으로 만들었기 때문이다. 즉 불합리한 모순된 사회제도, 불합리한 경제제도, 부정한 관료제도, 부당한 가부장제 등에서 야기된 것이다. 이러한 제도로 하층민의 삶이 도탄에 빠지고, 여성의 경우 더 처참한 질곡의 삶을 살아야 했다. 그러한 문제를 제기하고 비판한 것이 이 작품의 핵심이라 하겠다.

2) 〈장끼전〉의 양상

판소리계 소설 중 우화적 기법으로 조선후기 민감한 사회제도 문제를 다룬 작품이 〈장끼전〉이다. 우화로 민감한 사회문제를 다루어 혹시 일어날 수 있는 시비를 차단하고자 한 것이다.[100] 〈장끼전〉은 하층 유랑민의 삶과 기득권에 대한 비판, 여성의 개가 등 다양한 사회문제를 드러내며 하층 유랑민의 삶을 사실적으로 묘사했다. 여기에서는 〈장끼전〉의 비판의 동인과 양상에 대해 살펴보도록 한다.

(1) 비판의 동인

17세기에서 19세기를 걸쳐 조선사회 내부에는 봉건사회의 붕괴를 촉진하는 변화가 일어난다. 그중에서 가장 심각한 것은 봉건제도의 기초를 이루는 봉건적 토지 소유관계의 변화이다. 임진왜란 이후 양반 관료와 봉건관리에게 토지가 집중되면서 수많은 자영농민들이 소작농으로 전락하거나 농토에서 이탈하여 노동자로 영락해 갔다. 또한 봉건관료 체제의 모순이 확대되어 부정부패를 일삼는 관료들이 농민들을 수탈하여 농촌 사회는 처참한 빈곤에 빠져든다.[101] 〈장끼전〉은 이러한 봉건 해체기의 몰락하층민의 세태를 잘 반영한 작품이라 할 수 있다. 〈장끼전〉을 통해 봉건 해체기의 향촌사회에서 대량으로 발생하던 하층민, 좀 더 구체적으로는 토지로부터 유리되어 각지를 떠돌아다니던 유랑민 부부의 삶을 살필 수 있다. 그런 점에서 앞에서 살핀 〈변강쇠타령〉과 마찬가지로 농촌의 경제제도, 그것도 토지제도에 의해 유랑민이 된 하층민의 삶을 다룬 작품으로 볼 수 있다. 해당 부분을 작품에서 인용해 본다.

> 산금야수텬셩(山禽野獸天性)으로 사람을 멀니하여 울님벽계상(鬱林碧溪上)의 락락장숑(落落長松) 정자(亭子) 삼아 상하평젼(上下坪田) 들

100) 김균태 외, 『한국 고전소설의 이해』, 박이정, 2012, 31쪽.
101) 김옥근, 앞의 책, 359쪽.

> 가온대 펴진 곡식(穀食) 쥬어먹고 임자 업시 생긴 몸이 관포수(官砲手)와 산양개(犬獵)게 걸핏하면 잡혀가셔 삼태륙경(三台六卿) 수령(守令) 방백(方伯) 다방골 제갈동지 슬토록 장복(長服)하고 됴흔 깃 골나내여 사명긔(使命旗)에 살대치례와 젼방(廛房)의 먼지채며 온가즈로 두루 쓰니 공덕(功德)인들 젹을소냐[102]

위의 인용문을 통해 유랑민의 생활 모습이 어떠했는지 짐작할 수 있다. 장끼 가족은 굶어 지내는 것도 모자라 포수가 쫓고, 덫이 쳐진 위험한 환경에서 먹을 것을 찾아 헤매는 삶을 이어간다. 거기에 관의 포수나 사냥개에게 잡히면 약으로 쓰이기도 하고, 좋은 깃은 깃발의 장식용이나 먼지 채로 쓰이는 고초를 겪기도 한다. 이러한 장끼의 삶은 지방의 수령이나 방백에 의해 수탈당하는 하층민의 모습이라 할 수 있다. 각종 제도로 하층민이 수탈되는 사정을 그렇게 보인 것이라 하겠다.

다음으로 〈장끼전〉은 여성의 개가에 대한 문제를 다루고 있다. 〈장끼전〉에서 보이는 여성 개가에 대한 문제는 〈변강쇠가〉보다 좀 더 구체적이다. 중세의 수직 관계에 따른 상하 질서는 임금과 신하, 지배층과 피지배층, 남자와 여자라는 이분법적 의식구조 속에서 강화되었다.[103] 특히 가부장제의 권위는 여성에 대한 억압은 물론 인간의 존엄성을 무시하는 사회적 문제로 부각된다. 권위주의적 가부장제는 부부의 평등과 조화를 이루어내지 못하는 종속관계의 문제를 드러낼 뿐만 아니라 여성의 개가에도 막대한 영향을 미친다. 가부장제의 권위 때문에 개가에서조차 여성

---

102) 김진영 외, 앞의 책, 285쪽.

103) 조선사회의 가부장제의 구조는 남성이 경제력을 가지면서 여성이 가족 내에서 남성에게 종속적인 위치로 자리 잡게 된다. 이러한 관계 속에 여성은 그 권위를 잃어가고 복종적이며 수동적일 수밖에 없었다.

이 일방적인 희생을 당해야 한다.

> 애고애고 이내 팔자(八字) 이대지 긔박(崎薄)한가 상부(喪夫)도 자쥬 한다 쳣재 랑군 으덧다가 보라매게 재여가고 둘재 랑군(郎君) 으덧다가 산양개게 물녀가고 셋재 랑군(郎君) 으덧다가 살님도 채 못하고 포슈(砲手)의게 마져 죽고 이번 랑군(郎君) 으더셔난 금슬(琴瑟)도 조커니와 아홉아들(九子) 열 두 쌀(十二女)을 나아노코 남혼녀가(男婚女嫁) 채 못 하야 구복(口腹)이 원슈로 콩 하나 먹으려다 져 차위의 덜컥 치여스니 속졀업시 영리별(永離別) 하겟고나 도화살(桃花殺)을 가졋난가 상부살(喪夫殺)을 가졋난가 이내 팔자(八字) 험악(險惡)하다[104]

위의 인용문을 통해 알 수 있듯 까투리는 남편의 험난한 죽음으로 여러 번의 개가를 단행한다. 까투리가 아홉 아들과 열두 딸을 키우기 위해 개가를 했지만, 조선시대는 개가하는 여성을 바라보는 시선이 곱지 않았다. 더 나아가 개가를 금하는 것을 당연하게 생각하였다. 열녀지향 사회를 만들어낸 남성 중심의 세계관이 작동한 때문이다. 장끼가 까투리에게 요구하는 현실에 맞지 않는 수절은 여성의 존엄성을 무시한 세태를 잘 반영하고 있다. 장끼가 까투리에게 '내 얼골 못보아 슬워 말고 자내 몸 수절(守節)ᄒᆞ야 정렬부인(貞烈夫人) 되압소셔'라며[105] 수절을 요구하는 행위나, 변강쇠가 옹녀에게 수절을 요구하는 행위는 그릇된 가부장제의 권위에서 비롯된 것이다.

장끼의 장례식에서도 여성의 개가 문제가 지속된다. 장끼의 장례 중에 까투리를 찾아와 청혼하는 갈가마귀, 외기러기, 물오리의 행동은

104) 김진영 외, 앞의 책, 292-293쪽.

105) 김진영 외, 〈장끼전〉, 293쪽.

건강한 윤리의식을 갖추지 못한 상층부들의 의식구조를 대변하는 것이라 하겠다. 정신적으로 건강하지 못한 이들은 오히려 까투리에게 예법을 내세우며 자신들에게 유리한 쪽의 법을 들먹인다. 천시와 멸시로 까투리를 대하는 갈가마귀, 외기러기, 물오리의 말과 행동을 통해 조선후기 개가하는 여성에 대한 인식을 짐작할 수 있다.[106] 까투리는 현실의 삶에서 수절과 순절을 강요하는 유교사상의 불합리함을 몸으로 느끼며, 사회제도에 수긍(首肯)하기보다는 불합리한 제도를 지적하는 주체성을 보인다.

> 허한(許多) 호라비가 예셔 졔셔 통혼(通婚)하나 왕상만리 각실너니 녯말의 일으기를 류류상종(類類相從)이라 하엿스니 ᄶᅡ토리가 장ᄭᅴ 실랑 ᄯᅡ라감이 의당당(宜當當)한 상사로다[107]

까투리는 물질의 풍요로움이 행복을 가져다주지 못한다는 걸 잘 알고 있다. 까투리에게 현실의 삶은 오갈 데 없고 배고픈 상황이지만, 갈가마귀, 외기러기, 물오리가 제시하는 물질적 풍요보다는 자신의 처지를 잘 이해하는 홀아비 장끼의 구혼을 받아들인다. 당당히 자신의 삶을 선택하면서 운명을 개척하고 있다. 그렇게 함으로써 여성의 개가를 금하는 제도적인 문제에 정면으로 도전하고 있다.

---

106) 실제로 병자호란으로 수많은 여성들이 청군에 의해 만주 심양으로 끌려간다. 이들은 청나라 측이 몸값을 받고 석방하는 속환(贖還)을 요구함에 따라 당시 정치, 사회, 경제에 큰 영향을 미쳤다. 사회적으로 가장 큰 문제는 속환 피로부인(被擄婦人)의 실절(失節)에 관한 이혼문제였다. 속환 피로부인의 실절에 관한 이혼문제는 사대부 집안에서 발생하였으나 사족(士族) 간의 문제에 한하지 않고 일반서민에게도 깊은 영향을 주었다. (박주, 『조선시대의 여성과 유교문화』, 국학자료원, 2008, 210쪽.)

107) 김진영 외, 앞의 책, 300쪽.

〈장끼전〉은 중세 봉건기의 해체기 속에 현실에 맞지 않는 봉건사회의 제도, 특히 토지제도와 가부장제 및 여성의 개가 문제를 지적하고 있다. 그러한 것을 과감하게 개선하여 여성에 대한 존엄성과 남녀평등의 의식을 지향한 작품이 바로 〈장끼전〉이라 할 수 있다.

(2) 비판의 양상

장끼와 까투리는 조선후기 농업생산력의 발달과 상품·화폐 경제의 환경에서 농민층의 분화로 새로 등장한 몰락하층민이라 할 수 있다. 장끼의 가족은 한곳에 정착하지 못하고 유랑민이 되어 떠돌아다니거나 생계를 위해 전전긍긍하며 하루하루 어렵게 살아가는 조선후기 몰락하층민을 대표한다 하겠다.[108] 이 작품은 그들의 어려운 처지와 생활을 통해 당시의 문제를 비판한 것이라 하겠다. 그 내용을 살펴보면 다음과 같다.

첫째, 기득권층의 횡포와 약탈에 대한 비판이다. 장끼와 까투리가 살던 18·19세기는 봉건체제의 극심한 수탈 때문에 배고픔과 질병으로 죽은 사람이 부지기수였다. 죽은 사람에게 세금을 부과하는 백골징포(白骨徵布)를 비롯하여 갓난아이를 군적에 올리는 행패는 물론, 억울함을 하소연해도 오히려 매 맞고 돌아오는 것이 현실이었다.[109] 지배계급의 하층민에 대한 약탈이 심화되어 갔음을 짐작할 수 있다. 장끼와 까투리

108) 17세기 말부터 보급된 금속화폐는 18~19세기에 걸쳐 화폐유통이 확대되면서 계급분화를 촉진시켰다. 화폐유통의 확대는 조세·지대의 금납화를 촉발하였으며, 이 과정에서 기득권층은 삼정을 통해 농민을 수탈하는 데 더 혈안이 되었다. 또한 화폐경제가 농촌에 침투하면서 고리대 착취를 한층 강화하여 농민들은 더욱 궁핍해질 수밖에 없었다. 이러한 가운데 토지를 잃은 농민들은 영세소작농으로 전락하거나 토지에서 완전히 이탈하여 일용 혹은 연용의 농업노동자나 광산노동자로 전락하였다. (김옥근, 앞의 책, 359쪽.)

109) 정약용의 애절양(哀絕陽)을 통해 조선후기 하층민들의 비참한 삶을 짐작할 수 있다.

가 유랑민으로 떠돌아다닐 수밖에 없는 상황은 조선후기 경제발전이 가져온 병폐 중의 하나였다.

> 백운(白雲) 상상봉(上上峰)의 허위허위 올나가니 몸 가뷔운 보라매난 예셔 쩔넝 제셔 쩔넝 몽치 든 모리군은 예셔 위여 졔셔 위여 냄새 잘 만난 산양개난 이리 쓸쓸 져리 쓸쓸 옥새포긔 썩갈입흘 뒤적뒤적 차져 드니 사라날 길 바이 업내 사이길노 가자 하니 부지긔여수(不知幾如數) 포수(砲手)덜이 총을 메고 둘너셧네 엄동설한(嚴冬雪寒) 쥬린 몸이 어대로 가잔 말가[110]

위의 인용문은 떠돌이 유랑민의 삶을 사실적으로 나타내고 있다. 장끼 가족은 엄동설한에 주린 배를 이끌고 갈 곳도 없이 떠돌고 있다. 더구나 언제 누구에게 잡힐지 모르는 위험에 노출되어 하루하루를 생활하고 있다. 하지만 위험한 상황 속에서 장끼는 굶주린 배를 채우기 위해 넓은 들판에 콩이라도 있을지 모른다는 기대감으로 길을 나선다. 이들에게는 덫과 포수가 도사리고 있는 들판보다 당장 주린 배를 채우는 것이 급선무였다. 하지만 배고픔을 참지 못한 인내력의 한계는 한 집안의 가장을 죽음으로 내몰고 말았다.

갈가마귀가 '그 친구(親舊) 풍신(風身) 죠코 심덕(心德) 조아 장수(長壽)할 쥴 아라더니 불근 콩 하나 못 참어셔 비명횡사(非命橫死) 하단 말가 가련(可憐)하고 불상(不祥)하다'고[111] 이야기한 것처럼 장끼의 죽음은 배고픔에서 비롯되었다. 하지만 장끼 가족의 굶주림은 장끼의 죽음으로 끝나지 않는다. 지배계급의 약탈은 장끼의 배고픔을 이용하여 장끼를

110) 김진영 외, 앞의 책, 285쪽.
111) 김진영 외, 〈장끼전〉, 296쪽.

잡기 위한 또 다른 약탈로 이어지고 있다. 사회공동체에서 소외된 장끼 가족은 어떠한 저항도 없이 속수무책으로 당하는 힘없는 약자일 뿐이다. 이는 탁첨지가 장끼를 잡는 모습에서 확인할 수 있다. 탁첨지는 덫에 걸린 장끼를 빼어들고 남은 장끼들도 다 잡겠다며 춤을 춘다.

> 나를 구지 보랴거든 명일(明日)조반(朝飯) 일즉 먹고 차위 임자 ᄯᅡ라 가면 김쳔장(金泉場)의 걸녓거나 젼주장(全州場)의 걸녓거나 청쥬장(淸州場)의 걸엿거나 그러치 아니하면 감영ᄯᅩ(監令道)나 병영ᄯᅩ(兵營道)나 수령ᄯᅩ(守令道)나 관쳥고(官廳庫)의 걸니던지 봉물(封物)짐의 언쳣던지 사ᄯᅩ(道) 밥상(飯床) 오르던지 그러치 아니하면 혼인(婚姻)집 폐백 건치(乾雉) 되리로다[112]

위의 인용문에서 알 수 있듯 탁첨지에게 잡힌 장끼의 시신은 장에서 팔리거나 사또의 밥상이나 폐백으로 이용되는 등 부농이나 상층부의 희생물이 된다. 배고픔을 미끼로 아무런 저항 없이 포수에게 잡히는 장끼나, 장끼의 장례에 까투리의 새끼가 솔개에게 잡혀가는 슬픔은 굶주림과 배고픔으로 내몰린 하층민의 고단한 삶에 또 다른 수탈을 가하는 조선사회의 참혹한 모습을 보여주고 있다.

둘째, 권위주의적인 가부장제에 대한 비판이다. 조선의 주자학적 이념은 '삼종지도(三從之道)'라 하여 혼인한 후에는 남편에게 순종하는 이념이 강하게 자리 잡고 있었다. 굶주림에 지쳐 배고픔을 참지 못한 장끼는 까투리의 만류에도 불구하고 결국 콩 한 알을 두고 고집을 부리다가 죽음에 이르는 비극적 상황을 맞이한다. 가부장의 권위를 앞세우다

112) 김진영 외, 앞의 책, 293쪽.

자초한 불행의 결과이다. 장끼는 눈 속에서 콩 한 알을 발견하고 그것을 주우러 가고자 한다. 하지만 까투리는 위험한 상황에 노출되어 생활하면서 주변을 경계하는 현명함을 보인다. 사람이 콩 주위를 입으로 불고 비로 쓴 자취가 있는 현장을 본 까투리는 지난 밤 꿈이 불길하다며 콩을 주우러 가는 장끼를 만류한다.

> 난대 업난 불은 콩 한낫 덩그러케 뇌엿거날 장씨란 놈 하난 말이 어화 그 콩 소담하다 하날이 쥬신 복을 내 어이 마다하리 내 복이니 먹어보자 싸투리 하난 말이 아즉 그 콩 먹지마소 설상(雪上)의 유인젹(有人迹)하니 수상한 자최로다 다시금 살펴보니 입으로 훌훌 불고 비로 싹싹 쓴 자최 심이 고이하매 졔발 덕분 그 콩 먹지마소 장씨란 놈 허난 말이 네 말이 미련하다 잇때를 의론컨대 동지셧달(冬至臘月) 설한(雪寒)이라 쳡쳡(疊疊)이 싸인 눈이 곳곳지 덥혀시니 쳔산(千山)의 조비졀(鳥飛絕)하고 만경(萬逕)의 인족진(人足盡)이라 사람의 자최 잇슬소냐 싸투리 하난 말이 사긔(事機)난 그러할 뜻 하나 간밤에 쑴을 쑤니 대불길(大不吉)하온지라 자량쳐사(自量處事)하시오[113)]

까투리가 자신이 꾼 꿈을 이야기하며 장끼를 만류하듯이 까투리는 주변을 경계하는 조심스러운 성격이다. 꿈이 불길하여 혹시라도 콩 한 알이 장끼 가족을 잡기 위한 미끼일지 모른다는 생각에 장끼를 걱정하지만 장끼는 오히려 까투리의 꿈을 자신에게 좋은 쪽으로만 해몽하고[114)] 심지어 까투리를 부정한 여인으로 취급하며 화를 낸다.

까투리의 말을 듣지 않고 고집을 부리다가 죽어가는 장끼의 모습은

113) 김진영 외, 앞의 책, 286쪽.

114) 참고로 까투리의 꿈과 장끼의 해몽을 도표로 정리하면 다음과 같다.

흔히 가장의 권위에 기댄 오만과 난폭성을 풍자한 것이라 하겠거니와 장끼의 오만과 고집, 그리고 폭력적인 성격과 부정적인 면모는 장끼가 처한 경제적 궁핍에서 비롯된 것으로 해석할 수 있다.[115] 실제로 장끼는 이성적인 생각보다는 굶주린 배를 채우기 위한 본능을 이기지 못하고 콩 한 알로 인해 죽음에 이른다.

장끼의 가부장으로서의 권위는 까투리가 새벽녘에 꾼 꿈을 이야기하는 데서 알 수 있다. 가부장제 안에서 장끼는 까투리의 조언 자체를 자신을 무시하는 처사로 느꼈을 것이다. 까투리가 삼대가 자기 몸에 감기는 꿈을 꾸었다고 하자,[116] 장끼는 까투리에게 폭력까지 휘두르며 외간 남자와 즐기다가 결박되어 조리질 당하여 맞아 죽을 꿈이라며 자신의 권위만을 내세우고 있다. 장끼가 까투리를 대하는 말과 행동은 권위주의

까투리의 꿈	장끼의 해몽
이경-북망산 음지작의 궂은비 흩뿌리며 청천의 쌍무지개가 홀지의 칼이 되어 장끼의 목을 베는 꿈	춘당대 알성과에 장원급제하여 어사화 두 가지를 머리 위에 꽂고 장안대도상에 왕래할 꿈
삼경-장끼가 무쇠 가마솥을 머리에 쓰고 만경창파 깊은 물에 빠져 까투리가 대성통곡 하는 꿈	장끼가 대장이 되어 머리에 투구 쓰고 압록강 건너 중원을 평정하고 승전대장이 될 꿈
사경-노인이 당상(堂上)하고 소년이 잔치할 때 차일(遮日)을 바쳤던 장대가 부러져 장끼와 까투리가 차일을 덮어 쓰는 꿈	차일을 덮어 쓰는 꿈은 장끼와 까투리가 동침할 꿈
오경-落落長松이 뜰에 가득하고 三台星 太乙星이 은하수를 둘렀는데 그 중 一点星이 장끼 앞에 떨어지는 꿈	별이 떨어지는 꿈은 까투리가 귀한 아들을 낳을 태몽
새벽녘-굵은 삼대가 까투리의 몸에 감기는 꿈은 과부되어 상복을 입을 꿈	다른 남자와 즐기다가 결박되어 치도곤으로 난장(亂杖) 맞을 꿈

115) 김균태 외, 앞의 책, 349-350쪽.

116) 삼베는 수의를 만드는 좋은 재료이다. 따라서 죽음을 암시하는 것으로 볼 수 있다.

를 앞세운 가부장제의 사회상을 표현한 것이라 하겠다.

셋째, 개가 여성에 대한 부정적 인식의 비판이다. 조선후기는 사회제도의 모순이 심화되고, 하층민들은 생존을 위해 싸우는 과정에서 자기 존재의 가치를 발견하게 된다.[117] 이러한 과정에서 하층 여성들은 모순된 사회제도에 대해 회의를 느끼고 현실에 맞는 삶을 선택하는 주체성을 갖게 되는데, 까투리가 대표적인 인물이라 할 수 있다. 까투리의 개가 문제는 열녀를 지향하는 조선사회에서 부정적인 것으로 인식되었다.[118] 수절을 강요하는 조선사회의 이념 속에 개가한 여성의 사회적 지위는 장끼의 장례식에 찾아오는 조문객들을 통해서도 그 실상을 엿볼 수 있다. 예와 도를 중시하며 장례를 치르는 까투리의 슬픔은 아랑곳하지 않고 갈가마귀와 물오리가 까투리의 의사와는 상관없이 청혼하는 모습에서 이와 같은 상황을 확인할 수 있다. 까투리에게 청혼하는 갈가마귀와 물오리의 모습은 조선후기 하층여성에 대한 인식은 물론, 퇴폐적 봉건주의에 빠진 남성들의 안일한 의식을 보여주고 있다.

> 그 셩세(聲勢)와 가문(家門) 내 알고 내 형세(形勢)와 가문 그대 알터이니 우리 두리 자수셩가(自手成家) 할 심 잡고 백년동락(百年同樂) 웃더한가 하니 까토리 한심(寒心)지고 하난 말이 아모리 미물(微物)인들 삼년상(三年喪)도 못 맛치고 개가(改嫁)하야 가난 법(法)은 뉘 례문(禮文)의 보앗난가 고담(古談)의 이른 말이 운죵용(雲從龍)하고 풍죵호(風從虎)라 하며 녀필죵부(女必從夫)라 하엿스니 님마다 싸라갈가 가마귀

117) 윤종배, 「조선후기 서사한시에 나타난 체제모순과 삶의 갈등」, 『동양고전연구』 10, 동양고전학회, 1998, 63쪽.

118) 조선시대의 법제는 혼약만으로도 정절을 지켜야 했다. 따라서 남편의 죽음을 따르지 못한 미망인이 재가하는 일은 있을 수 없었다. (김진영, 『고전서사의 향유와 전승』, 월인, 2017, 143쪽.)

> 대로(大怒)하여 왈(曰) …(중략)… 너갓튼 미물(微物)이 수졀(守節)이 당(當)하고 자고(自古)로 까토리 렬녀졍문(烈女旌門)못보앗네[119)]

인용문을 통해 알 수 있듯, 장끼의 장례식을 찾은 이들은 권위주의와 자신의 이기심으로 까투리를 대하고 있다. 그들이 보이는 권위주의와 이기심에는 예(禮)가 상실되어 있다. 먼저 갈가마귀는 북악을 구경하는 도중에 배가 고파 요기차(療飢次) 까투리를 찾아간다. 그러면서 콩 하나 잘못 먹고 비명횡사한 장끼가 가련하고 불쌍하다며 자기와 혼인할 것을 요구한다. 갈가마귀는 죽은 장끼를 조롱하고, 상을 마치지도 않은 까투리에게 청혼하고 있다. 까투리가 이를 거절하자 '미물이 수절한다'며 오히려 까투리를 질책(叱責)한다. 물오리 또한 까투리가 상부(喪夫)한 소식을 듣고 장끼의 장례를 치르는 곳에 함진아비까지 삼아 까투리와 혼인할 만반의 준비를 하고 찾아온다.

> 물오리란 놈 일곱번 상쳐(喪妻)하고 남녀간(男女間) 혈륙(血肉)업셔 후쳐(後妻)를 구(求)하더니 까토리 상쳐(喪妻)한 소식(消息)을 알고 통혼(通婚)인 아니하고 …(중략)… 까토리 신부(新婦) 게신가 우리 신량 드러가네 까토리 울다 하난 말이 아모리 과부(寡婦)가 만만한들 궁합(宮合)도 아니보고 억혼인(臆婚姻) 하랴 하오[120)]

물오리의 일방적인 행동에서 까투리에 대한 배려는 전혀 찾아볼 수 없다. 여기에 장끼의 장례식에 찾아온 부엉이는 갈가마귀에게 어른이 오면 몸을 벌떡 일으켜서 인사를 해야지 그대로 앉아 있다고 훈계를 하며

---

119) 김진영 외, 앞의 책, 296-297쪽.

120) 김진영 외, 앞의 책, 298쪽.

시비를 건다. 서로가 어른 대접을 받으려는 자기중심적인 행동은 외기러기에게서도 나타난다. 외기러기는 서로 어른 대접을 받으려는 주변을 꾸짖고 자기가 어른임을 내세운다. 이처럼 까투리를 찾은 이들은 겉으로는 예(禮)를 내세우지만 정작 이들의 언행은 예와 상반되는 행동으로, 까투리를 인격적으로 대하기보다는 자신들의 부속물로 대하고 있다. 이러한 여성에 대한 부정적 인식을 뒤바꾼 인물이 홀아비 장끼이다.

> 쟝끼란 놈 썩 나셔셔 하는 말이 이내 몸 환거(鰥居)한지 삼년(三年)이 되엿스되 맛당한 혼쳐(婚處) 업더니 오날 그대 과부(寡婦) 되자 나 조상(弔喪) 오자 텬졍배필(天定配匹)을 텬위신조(天爲神造)하엿스니 우리 둘이 짝을 지여 유자생녀(有子生女)하고 남혼녁가(男婚女嫁) 시기여 백년해로(百年偕老) 하리로다[121]

조문객 중 홀아비 장끼만이 까투리에게 예의를 갖추고 있다. 죽은 까투리 남편이 가부장의 권위를 내세운 인물이라면, 이 홀아비 장끼는 까투리의 재가를 긍정적으로 받아들이는 현실적인 인물로 가부장제의 모순을 극복하는 데 앞장선다. 홀아비 장끼의 근대지향적인 가치관이 까투리가 그를 선택하는 결정적인 이유이기도 하다.[122]

---

121) 김진영 외, 앞의 책, 299-300쪽.

122) 싸토리 한심(寒心)지고 하난 말이 아모리 미물(微物)인들 삼년상(三年喪)도 못 맛차고 개가(改嫁)하야 가난 법(法)은 뉘 례문(禮文)의 보앗난가 고담(古談)의 이른 말이 운종용(雲從龍)하고 풍종호(風從虎)하며 녀필종부(女必從夫)라 하엿스니 님마다 싸라갈가 (김진영 외, 앞의 책, 296-297쪽.)

까투리는 갈가마귀의 청혼에 기존의 유교이념을 내세웠지만, 홀아비 장끼가 자신을 남성의 부속물이 아닌 평등한 인격체로 대하자, 죽은 장끼의 삼년상을 포기한다. 까투리의 행동은 남편의 상례(喪禮)에 어긋나는 처사로 보일 수 있으나, 다르게 보면 조선시대 상례에 대한 비판의식도 내포되어 있다. 조선시대는 부모가 죽으면 삼년상에 시묘살

요컨대 제도 비판형의 작품은 조선후기 하층민의 입장에서 사회제도의 모순을 함축적이면서도 역설적으로 비판하고 있다. 조선후기 사회제도는 겉으로는 사회질서 유지를 위해 유교이념을 강화시키지만, 그 내면은 기득권층의 횡포와 백성들의 고단한 삶을 책임지지 않는 이중적인 면모를 드러낸다. 공동체에서 소외되고 천대와 멸시를 받는 하층민, 특히 여성은 가부장제라는 굴레에서 벗어나 자신의 삶을 찾아가는 주체성을 발휘한다. 제도 비판형의 작품은 경제적인 측면에서 하층민의 삶의 문제를 해결해 보려는 시도는 없었지만, 가부장제의 틀을 벗어나지 못한 남성 주인공들을 죽음으로 내몰고간 상황은 가부장제의 모순을 극복하려는 의지로 해석할 수 있다. 더욱이 하층 여성들이 수절이 아닌 개가를 단행하려고 했던 점이나 자신의 남편을 자신의 의지대로 선택하려 했던 것은 제도의 모순에 항거한 여성의식의 발현이라는 점에서 역사적으로도 큰 의의를 가진다 할 수 있다.

3. 계급 비판형의 양상

계급 비판형은 부를 축적한 중인 이하 상민계급에서 경제적인 우위를 내세워 인간의 도리를 저버리고 패악을 일삼는 행위를 비판하고 있다. 조선후기는 신분제가 붕괴되면서 예(禮)로 중시하던 도덕과 윤리의

이를 해야만 도리를 다한다고 보았다. 하지만 삼년상을 치루는 것도 소위 양반층의 전유물이었다. 일반 평민이나 천민이 삼년상이나 시묘살이를 한다는 것은 먹고 사는 문제와 연결되어 현실적으로 맞지 않았다. 까투리가 홀아비 장끼를 선택해 따라나선 것도 현실에 기반을 둔 선택이었다고 볼 수 있다.

의식도 변화한다. 양반과 상민의 관계 및 위치가 경제적 능력에 의해 허물어지면서 양반층에서 중시해오던 성리학적 이념 또한 유명무실해진다. 이러한 가운데 도덕적 관념보다 물질을 우선시하는 풍조는 불효는 물론 가족을 저버리는 사태에까지 이르게 된다. 〈옹고집전〉과 〈무숙이타령〉은 조선후기 유산계급이 일삼는 부도덕한 행태를 고발한 작품이다. 이제 두 작품의 비판양상을 개괄해 보도록 하겠다.

1) 〈옹고집전〉의 양상

조선후기는 신분제가 붕괴되는 가운데 다양한 계급에서 부를 축적할 수 있었다. 유교이념으로 무장되지 않은 중인 이하 상민의 일부 계급에서는 인간의 윤리와 도덕보다는 물질을 우선시하는 풍조가 자리 잡게 된다. 〈옹고집전〉은 조선후기 화폐 경제의 발달로 부를 축적한 계급의 윤리의식의 부재를 고발한 작품이라 할 수 있다. 이를 감안하여 〈옹고집전〉을 통해 부를 축적한 계급에서 보이는 윤리의식 부재의 양상을 개괄해 보도록 하겠다.

(1) 비판의 동인

조선후기는 사족지배체제(士族支配體制)가 상당 기간 지속되었다. 재지(在地) 사족(士族)들은 사족세(士族勢)를 이루면서 양반 신분을 새롭게 획득한 사람들과 자신을 엄격히 구별하고자 했다. 제사 상속권의 강화, 동성촌락인 반촌(班村)의 출현과 촌락사회에서의 종가형(宗家型) 지주(地主)는 재지 사족들의 유지 기반이었다. 하지만 18세기 중반을 경과하면서 농업과 상업을 통해 부를 축적한 하층신분은 신향층(新鄕層)으로 성장해 갔다. 이들은 수령과 결탁하여 수령-이향 수탈구조를 이루며 부세 행정의 말단 기구에 참여해서 영향력을 키워나갔다. 사족세가 약한 지역에서는 구향층과 대립하여 향권을 장악하거나 이를 분점하기도 하였다. 이처럼 신향을 형성하게 된 상층 상한들 이외에도 서민지주를 비롯하여 적지 않은 사람들이 경제력의 향상을 기반으로 하여 향촌에서 자신의 사회적 지위를 높여가고 있었다.[123] 옹고집이 그러한 부류의 대표적인 인물이라 하겠다. 옹고집처럼 부를 축적한 계급에서는 인간의 도리와 윤리보다는 소비와 향락에 빠져 사회문제를 야기하기에 이른다.

실제로 옹고집은 기존의 윤리의식이나 도덕관념을 백안시한 채 오로지 경제적인 이익만을 중시한다. 그래서 가정에서는 가족구성원 간에 불목(不睦)이 빈발(頻發)하였고, 더 나아가 만행의 근본이라고 하는 효행을 실천하지도 않았다.

> 성벽(性癖)이 고약하여 풍년(豐年)을 좋아 아니하고, 심술이 맹랑하여 매사를 고집으로 하더라. 가사(家事)를 볼작시면, 석숭(石崇)의 부자와 도주공(陶朱公)의 성세(聲勢)를 불워 아니하더라. …(중략)… 며늘아기 명주(明紬) 낳고 딸아기 수(繡)를 놓으며, 곰배팔이 삿 꾀이고 앉은방이 방아 찧고, 팔십당년(八十當年) 늙은 모친 병들어 누웠는데, 닭 한 마리 약 한 첩도 봉양(奉養)은 아니하고 조반 석죽(朝飯夕粥) 대접하니, 냉돌방(冷突房)에 홀로 누워[124]

조선의 유교사상은 충(忠)과 효(孝)를 중요시한다. 부모에게 효도하는 것이 모든 도덕의 근본이며 행동 중에 으뜸이라고 보았기 때문이다.

---

123) 조광, 『조선후기 사회의 이해』, 경인문화사, 2010, 63-65쪽.

124) 정병욱 교주, 94-96쪽.

따라서 효를 다하면 가정이 잘 다스려지고 천하가 태평해진다고 보고[125] 부모에게 효를 다할 것을 강조하였다. 그런데 도덕의 근본인 효를 실천하지 못하는 옹고집으로 인해 문제가 야기된다. 물질만 좇고 인간의 도리를 저버림으로써 상하의 공동체 이념이 무너져 상층민이 하층민을 수탈하거나 핍박하는 일이 빈발한다. 특히 경제적인 우위에 선 계급에서 그렇지 못한 계급이나 인물을 폄시하는 일이 잦아졌다. 옹고집이 그러한 성격을 가진 부류의 대표라 할 만하다.

실제로 옹고집을 통해 윤리보다는 자본이 중시되던 당시의 사정을 짐작할 수 있다. 돈으로 모든 것을 해결하는 자본주의적인 특성이 이미 이때에 나타났음을 알 수 있다. 인본을 무시하고 경제적 이익만 좇는 문제를 시정할 필요가 생겨 〈옹고집전〉과 같은 작품이 형상화된 것이라 할 수 있다.[126] 기존의 윤리의식과는 달리 옹고집처럼 물질이 정신을 지배하는 의식구조를 지닌 사람들은 부모에 대한 불효는 물론 사회적으로 해악을 일삼으며 하층민을 탄압하기까지 한다. 〈옹고집전〉에서도 옹고집은 늙은 모친이 병들어 누웠음에도 닭 한 마리, 약 한 첩 봉양하지 않고 구박만 일삼는다. 효를 백행의 근간으로 중시했지만 현실에서는 그것이 준용되지 않아 시정할 필요가 생겼다. 잘못된 것을 바로 잡겠다는 의식을 가지고 창작한 작품이 바로 〈옹고집전〉이라 할 수 있다.

---

125) 유학주임교수실 편저, 『유학사상』, 성균관대학교출판부, 2001, 128쪽.

126) 옹고십과 같은 성격을 〈흥부전〉의 놀부에게서도 찾아볼 수 있다.

"놀부 심ᄉᆞ를 볼작시면, 초상난 ᄃᆡ 춤츄기, 불붓는 ᄃᆡ 부치질ᄒᆞ기, 히산ᄒᆞᆫ 듸 ᄀᆡ닭 잡기, 장의 가면 억ᄆᆡ 흥졍ᄒᆞ기, 집의셔 못쓸 노릇 ᄒᆞ기, 우는 ᄋᆞᄒᆡ 볼기 치기, 갓난 ᄋᆡᄒᆡ ᄯᅩᆼ 먹이기, 무죄ᄒᆞᆫ 놈 ᄲᅣᆷ 치기, 우물 밋틔 ᄯᅩᆼ 누기, 오려 논늬 물 터 놋키, 잣친 밥의 돌 퍼 붓기, 픠는 곡식 삭 ᄌᆞ르기, 논두렁의 구멍 ᄯᅮᆯ기, 호박의 말뚝 밧기, 곱장이 업허 놋코 발꿈치로 탕탕 치기, 심ᄉᆞ가 모과나모의 ᄋᆞ들이라. 이놈의 심술은 이러ᄒᆞ되 집은 부ᄌᆞ라" (김태준 역주, 『흥부전·변강쇠가』, 고려대학교 민족문화연구원, 2015, 16쪽.)

(2) 비판의 양상

〈옹고집전〉은 다양한 문제를 제기하고 풍자·비판하고 있다. 그런데 이 작품에 나타난 문제는 옹고집 개인에 한정되는 것이 아니라 당시 사회 전체의 문제로 보아야 한다. 사회 전반에 벌어지는 가정의 문제가 확대되어 사회 문제로 대두되었기 때문이다. 옹고집은 부와 명예를 가졌지만, 그것을 도덕적으로 올바르게 쓰지 못하고 천륜을 거스르며 패악을 일삼는다. 따라서 불효를 범하고 불승을 학대하는 등 하층민을 탄압하는 옹고집의 행동은 비판 받기에 충분하다. 〈옹고집전〉에 나타난 문제와 비판양상을 보면 다음과 같다.

첫째, 효의 부재에 대한 비판이다. 삼천 가지 죄 중에서 불효보다 큰 죄가 없다고 하듯이[127] 유교적인 관점에서는 불효가 강상죄의 핵심이라 하겠다. 가장 작은 공동체인 가정에서의 인간관계가 확대되어 사회와 국가에 영향을 미칠 수 있기에 가정에서의 효행을 무엇보다 강조한 것이다.

> 성벽(性癖)이 고약하여 풍년(豐年)을 좋아 아니하고, 심술이 맹랑하여 매사를 고집으로 하더라. …(중략)… 팔십당년(八十當年) 늙은 모친 병들어 누웠는데, 닭 한 마리 약 한 첩도 봉양(奉養)은 아니하고 조반석죽(朝飯夕粥) 대접하니, 냉돌방(冷突房)에 홀로 누워 …(중략)… 팔십당년 우리 모친 오래 살아 쓸데없네. 수즉다욕(壽則多辱) 우리 모친 뉘라서 단명(短命)하리. 도척(盜跖)이 같은 몹쓸 놈도 천추(千秋)에 유명ㅎ거든, 무슨 시비 말할손가.[128]

---

127) 『孝經』: 五刑之屬三千 而罪莫大於不孝. (최영갑, 『공자와 맹자의 도덕철학』, 한국학술정보, 2006, 25쪽.)

128) 정병욱 교주, 94-98쪽.

옹고집은 한 집안의 가장이지만 부모에게 불효를 서슴지 않는다.[129] 호화로운 집에서 부유한 삶을 살면서도 병든 팔순 모친을 위해 약 한 첩 쓰지 않고 냉골 방에 방치하여 죽기만 바란다. 늙은 모친은 옹고집을 금이야 옥이야 하며 온갖 사랑으로 키웠지만 극진한 효도는 고사하고 아들에게 구박만 받고 있다. 옹고집은 늙은 모친이 오래 사는 것도 못마땅하게 여겨 사람이 칠십 세를 살기가 어려운데 팔십 넘어서까지 살고 있다며 온갖 막말로 불효의 극치를 보여준다. 이에 병든 팔순 모친은 사람이 욕을 많이 먹으면 오래 산다고 하는데 어떻게 단명할 수 있겠냐며 자식의 불효에 가슴 아파한다.

부모와 자식의 관계는 인위적인 계약이 아니라 천륜으로 맺어진다. 부모가 자식을 사랑하고 자식이 부모에게 효도하는 것은 전통윤리의 뿌리이다. 그럼에도 불구하고 옹고집은 전통적인 효행을 철저히 무시하고 있다. 경제적인 이익을 극대화하기 위하여 전통적으로 중시되었던 효행을 포기한 것은 전통질서가 무너지는 당시의 사정을 비판한 것이라 할 수 있다.

둘째, 사회적 약자의 학대에 대한 비판이다. 옹고집의 불승 학대는 가정에서 사회문제로 확대되었다. 옹고집이 좌수라는 사회적 위치에서 하층민을 학대하고 있기 때문이다.

---

129) 유교에서의 효(孝)는 인(仁)을 행하는 근본이며 애친(愛親)의 실현을 그 으뜸으로 한다. 가정이나 사회를 막론하고 윤리 질서의 기반이 애친하는 효제(孝悌)에 있다고 보고 있기 때문이다. 전통사회에서 군신·부부·붕우·장유의 질서는 이 효제에 의해서 유지되어 왔다. 이 효가 오륜으로 확장된 것이며 가족윤리에서 출발한 효제가 의리 중심의 사회윤리로 확대되어 나타나는 것이다.

> 이놈 심사 이러한 중에, 또한 불도(佛道)를 능멸(凌蔑)하여 무죄한 중곧 보면 결박하여 귀 뚫기와 어깨타고 뜸질하기 유명하더라. 이놈 욕심 이러하니, 옹가집 근처에는 동냥중이 갈 수 없다.[130)]

하층민의 사상적 기반이 불교라는 관점에서 보면 불승은 하층민의 대변인이라 할 수 있다. 실제로 승려는 조선조 내내 천민의 신분을 유지하였다. 이런 점에서 옹고집과 학대사 간의 대립은 상층부와 하층부의 갈등으로 해석할 수 있다. 조선의 양반층은 건국 초부터 숭유억불을 유지해 왔다. 유학을 통치 이념으로 채택한 조선 왕조는 유학의 실천적이고 현실적인 요소를 강조하였다. 그것은 불교의 비현실성과 대조를 이루는 것이기도 했다. 불교이론의 비윤리성과 비현실성에 대한 비판은 지식인 계급으로 확대되어 갔다.[131)]

옹고집은 철저한 배불론자로 무죄한 중을 결박하거나 귀를 틀며 어깨를 타고 뜸질하는 행위를 서슴지 않는다.[132)] 옹고집이 불교를 불신하는 이유는 시주하러 온 학대사에게 불교의 폐단에 대해 이야기하는 내용을 통해 확인할 수 있다.[133)]

---

130) 정병욱 교주, 97-98쪽.

131) 유학주임교수실 편저, 앞의 책, 239쪽.

132) 불교는 부모와 자식의 관계를 맹목적인 헌신이 아닌 수평적 윤리를 제시한다. 옹고집의 모친은 옹고집을 금이야 옥이야 하며 부모의 도리를 다했지만, 옹고집은 불교에서 자식이 부모를 위해 행해야 할 다섯 가지 ① 살림살이 할 생각 ② 일찍 일어나 하인들을 지시하여 제 때에 식사를 하게 하는 것 ③ 부모에게 걱정을 끼쳐 드리지 않는 것 ④ 언제나 부모의 큰 은혜를 잊지 않는 것 ⑤ 부모가 병환이 나면 곧 염려하여 의사를 불러다 치료해 드리는 것을 실천하지 않고 있다.

133) 신규탁은 유교가 불교를 비난하는 내용과 근거를 다음과 같이 다섯 가지로 정리하였다. 첫째, 불교는 오랑캐의 가르침이다. 둘째, 머리를 깎는 것은 불효이다. 셋째, 후사를 끊는 것은 불효이다. 넷째, 부모를 버리고 봉양하지 않는 것은 불효이다. 다섯째, 임금에게 절하지 않는 것은 불효이다. (신규탁, 「중국불교의 효사상 형성」, 『동양고전연구』 8,

> 가소롭다, 네 말이여. 천생만민(天生萬民) 마련할 제 부귀빈천(富貴貧賤), 유무자손(有無子孫), 복불복(福不福)을 분별하여 내었거늘, 네 말대로 하려기면 가난할 이 뉘 있으며, 무자(無子)할 이 뉘 있으리. 진속에 일렀으되 『인중말(人中末)은 중이라』 너의 마음 고이하여 부모 은혜 배반하고 삭발위승(削髮爲僧) 부처의 제자 되어 아미타불(阿彌陀佛) 거짓 공부, 어른 보면 동냥 달라, 아이 보면 가자 하고, 불충 불효(不忠不孝) 너의 행실 내 이미 알았으니, 동냥 주어 무엇 하리.[134)]

실제로 조선 초는 불교를 정비하는 데 주력하여 정책이 제대로 시행되지 못하는 가운데 승려들의 폐단은 계속되어 갔다. 사원에서 일반인의 땅을 옛날 사찰 땅이라고 속여 강탈하기도 하고, 승려들이 걸식하면서 동네를 돌아다니다가 아이들을 보면 공부를 시킨다거나 아이에게 재액이 있다며 멋대로 삭발시켜 노비처럼 부리기도 하였다. 유교윤리를 문제 삼는 가운데 한편으로는 서민들의 사상적 기반인 불교의 타락을 고발하기도 한 것이다.

학대사의 입장에서 보면 구도를 위해 불교를 택한 승려들의 삶은 무척 힘들었을 것이다. 옹고집의 불교 비난에 학대사는 다음과 같이 억울함을 호소하고 있다. 승려들의 고초가 어떠한 것인지 짐작할 수 있다. 이것은 하층민의 어려움을 헤아린 것과 큰 차이가 없다.

> 청룡사(靑龍寺)에 축원하여 만고영웅(萬古英雄) 소대성(蘇大成)을 낳아 갈충보국(竭忠輔國)하여 있고, 천수(千手) 공부(工夫) 고집하여 주상전하(主上殿下) 수만세(壽萬歲)를 조석으로 발원(發願)하니 갈충보국

동양고전학회, 1997, 338-343쪽.)

134) 정병욱 교주, 100-101쪽.

아니오며, 부모보은(父母報恩) 아니리까? 그런 말씀 마옵소서.[135)]

조선의 숭유억불정책으로 승려들은 각종 노역에 동원되어야만 했고, 도첩이 없는 중은 군대에 가야 했다. 임진왜란 중에는 의병활동에 나서지만 전란이 끝나자 다시 각종 노역에 동원되었다. 또한 일반인보다 더 큰 군역을 져야 했으며, 사찰은 각종 물품을 만들어 바쳐야 하는 수공업의 생산지였다. 영조대에는 승려의 도성 출입이 금지되었고, 국가의 안정을 해치는 좀과 같은 처지가 되어 천민과 다를 바가 없었다.[136)] 승려가 팔천 중의 하나였기에 이들에게 가해지는 어려움은 동류의 하층민의 그것과 같은 것이라 하겠다.

〈옹고집전〉은 상층부를 대변하는 옹고집과 하층부를 대변하는 학대사의 사상적 대립을 통해 유교윤리의 타락과 불교의 폐단을 드러내고 있다. 이는 서로의 문제점을 지적하고 시정해 나감으로써 상하층간의 조화를 모색하기 위한 과정으로 해석할 수 있다. 한편으로는 유교든 불교든 모두 관념론에 빠져 현실을 올바로 직시하지 못하는 문제를 전격적으로 고발한 것이기도 하다.

셋째, 부도덕한 유산계급에 대한 비판이다. 조선후기 급격한 경제발전은 물질이 정신을 지배하는 사회로 변해가고 있었다. 자연스럽게 전통적인 윤리의식은 공동체의 안위보다 자신만의 안위를 걱정하는 쪽으로 변해갔다. 옹고집 또한 늙은 모친이 자신을 정성껏 키운 은덕은 모두 잊고 재산을 축적하면서 자신의 이익만 도모하고 있다.

---

135) 정병욱 교주, 101쪽.

136) 신병주·노대환, 『고전소설 속 역사여행』, 돌베개, 2002, 187-190쪽.

> 가사(家事)를 볼작시면, 석숭(石崇)의 부자와 도주공(陶朱公)의 성세(聲勢)를 불워 아니하더라. 앞뜰에 노적(露積)이요 뒤뜰에 장옥(墻屋)이라.[137]

인용문을 통해 볼 수 있듯이 옹고집은 많은 재산을 축적했음에도 불구하고 병들고 늙은 모친으로 인해 재산이 축나는 것을 걱정하는 인물이다. 하지만 옹고집의 윤리의식의 부재는 옹고집만의 문제가 아니었다. 사회 전반적으로 보았을 때 관료들 또한 백성의 안위보다는 물질에 사로잡혀 있었기 때문이다. 이러한 상황은 사또가 가짜 옹고집이 진술한 재산 내역을 듣고 가옹을 진옹으로 판결해 버리는 데서도 알 수 있다.

> 민의 세간을 아뢰리라. 곡식·두태(穀食豆太) 합하여 이천 백석(石)이요, 마구에 기마(騎馬)가 여섯 필이요, 암톹·수톹 합 이십 이 수(首)요, 암탉·장탉 합 육십 수요, 기명(器皿) 등 안성(安城) 방자 유기 열 벌이요, 앞닫이·반닫이며 이층장·화류문갑(樺榴文匣) …(중략)… 은지환(銀指環)이 이십 커리로 금지환이 한 죽이요, 비단 청홍자색(靑紅紫色) 합하여 열 세필이요, 모시가 서른 통이요, 명주가 마흔 통 … [138]

가짜 옹고집을 통해 진술된 재산 내역에 따르면 옹고집은 대지주이자 부농에 해당된다. 즉 옹고집은 부를 기반으로 하여 신분상승을 이룬 부민(富民)의 일원이다. 그가 비윤리적인 인물로 설정된 것은 윤리와 도덕을 무시하고 인색하게 굴었기 때문이다. 옹고집의 가문 내력과 옳고 그름의 판단 기준을 물질에 두고 판결하는 사또를 통해 유산계급을

137) 정병욱 교주, 94쪽.

138) 정병욱 교주, 114-115쪽.

풍자하는 한편 치자의 그릇된 사회인식도 드러내고자 했다. 가정사로 시작하지만 실은 양반과 관료의 문제를 다루었기에 사회문제로 확대된 것이라 할 수 있다.

> 자아골 김등네 좌정시(坐定時)에 민의 아비가 좌수로 거행(擧行)하올 때에, 백성을 애휼(愛恤)한 공으로 하여금 연호잡역(煙戶雜役)을 삭감하였기로 경내(境內) 유명하오니, 옹돌면 제일호 유학(幼學)의 옹고집이라. 고집의 연(年)이 삼십 칠이요, 부 학생(父學生)이 옹송이오니 절충장군(折衝將軍)이옵고, 조는 상이오나 오위장(五衛將)하옵고 … [139]

위의 인용문을 통해 옹고집의 집안은 지방의 실세 가문임을 알 수 있다. 하지만 조상이 쌓아놓은 공덕은 옹고집 대에 와서는 온데간데없다. 가옹이 관가에서 집안의 부력(富力)에 대해 과시한 것만 보더라도 옹고집은 재물에 집착이 많은 인물임을 알 수 있다.

고을 수령 또한 백성의 억울함을 잘 살피지 않고 재물에 집착하는 관리로 부정부패를 일삼았다. 진실을 밝히기 위해 찾아 온 진옹의 진술은 들으려 하지도 않고 가옹의 부력만을 믿고 가옹을 진옹이라 판결한다. 더욱이 가옹을 당상에 올려놓고 기생을 불러 술판을 벌이기까지 한다. 고을 수령을 통해 관료들의 부정부패와 물질만 우선시하는 세태를 잘 부각하고 있다. 양반 관료들이 가난한 하층민을 대변해야 함에도 불구하고 경제적인 부유층과 결탁하여 안일하게 송사를 다루고 있다. 말 그대로 유전무죄 무전유죄의 판결을 단행한 셈이다. 양반 관료가 부도덕한 유산계급과 결탁하여 사회문제를 증폭시키고 있음을 알 수 있다.

---

139) 정병욱 교주, 113-114쪽.

2) 〈무숙이타령〉의 양상

조선후기는 화폐경제가 발달하면서 봉건경제의 토대를 이룬 자연경제가 차츰 붕괴된다. 이러한 가운데 교환경제·시장경제가 발달하면서 농민과 수공업자를 주축으로 하는 소생산자들은 상품 생산을 늘려나가 부를 축적한다. 상품 생산의 증대는 시장의 확대와 교환을 촉진하여 상업자본의 축적을 가능케 하였다. 〈무숙이타령〉은 조선후기 화폐경제의 발달로 부를 축적한 계급의 소비와 향락 문화를 고발한 작품이라 할 수 있다. 즉 부를 축적한 계급에서 보이는 비윤리적인 행위와 물질 우선주의가 불러온 사회의 부도덕한 이면을 고발하고자 한 것이다. 이제 그 비판양상을 상세하게 살펴보도록 하겠다.

(1) 비판의 동인

조선후기 화폐경제의 발달은 조선사회를 지탱해오던 봉건적 신분제도를 붕괴하는 촉진제 작용을 했다. 화폐유통이 일반화됨에 따라 부를 상징하는 지표가 화폐가 되었다. 신분과 벼슬이 화폐에 의해 매매되는 현상이 급속히 진행된 이유이기도 하다. 돈 때문에 양반은 신분을 팔고, 부유한 양인은 양반으로 신분을 상승시켜 군역을 면하곤 하였다. 돈이 모든 사회문제와 결탁되면서 기존의 질서가 흐트러지고 돈을 중심으로 한 새로운 질서가 마련되기 시작하였다. 결국은 신분제나 유교에 의한 질서가 느슨해지고, 돈을 내세운 새로운 계급사회가 대두되기 시작한 것이다. 〈무숙이타령〉은 그러한 변화 속에서 유산계급을 구축한 계층의 그릇된 행태를 적절히 포착한 작품이다. 즉 신분제도가 흔들리는 가운데 중인이나 상민 계층에서 부를 축적한 후 윤리적으로나 도덕적으로 문제를 야기하는 사정을 다룬 것이다. 그 핵심이 물질을 우선시하는 풍조로 사회의 건전한 기풍을 해치는 것이라 하겠다. 먼저 무숙의 신분과 성격을 다룬 부분을 들어보면 다음과 같다.

> 김무슉이 지체로 논지ᄒᆞ면 …(숭략)… 게집의게 다졍ᄒᆞᆷ과 살 악기고 돈 모로고 노름판의 쇼담 만코 ᄌᆞᆸ기 쇽도 알만ᄒᆞ되 ᄎᆞᆫ타ᄒᆞ야 본체 안코 인긔가 니러ᄒᆞ니 부죡ᄒᆞᆫ 게 지식니요 허랑ᄒᆞᆫ 게 마음니라 …(중략)… 쥭마교우 어진 친구 붕우칙션 슬ᄐᆞᆨᄒᆞ고 오른말의 쑹ᄂᆡ기와 그른 말은 고지 듯고 은군ᄌᆞ 오입ᄒᆞᆫ 연 노구 노와 청ᄒᆞ기와 아릐 우ᄃᆡ ᄉᆡᆨ쥬가을 밤낫읍시 일을 숨어 청누고각은 ᄉᆞ랑니요 기ᄉᆡᆼ의 집은 본ᄃᆡᆨ니라 부형니 읍셔진니 가젼진학니 읍셔지고 힝셰가 니러ᄒᆞ니 가쇽인들 도라볼가 호호탕탕 밋친 마음 위아침 죠아ᄒᆞ고 쳐ᄌᆞ식을 몰ᄂᆞ보며 …(중략)… 무슉의 어진 안ᄋᆡ 여즁의는 군ᄌᆞ 갓고 규즁의는 승현니라 …(중략)… 니러ᄒᆞᆫ 어진 안ᄋᆡ 무슉의 ᄒᆞ린 마음 ᄌᆞᆼ위가 뒤틀니고 능쳥부가 눈의 가며 집의 들면 셩화 갓고 집의 일시 익기 시려 남의 밥 남의 금침 졔 거스로 지ᄂᆞ간니 니런 ᄌᆞᆸ놈 ᄯᅩ 잇슬가[140)]

무숙은 물질만 추구하는 사람들의 그릇된 행태를 보여주는 유산계급의 대표적인 인물이다. 서울을 중심으로 한 경강상인들은 지방의 여러 곳에 화려한 가옥과 전지를 가질 정도로 상업을 통해 부를 축적하였다.[141)] 이들은 도덕적 신념보다는 장사를 통해 이익을 축적하는 것이 무엇보다 중요하였다. 물질을 우선시하는 의식이 사회 전반에 걸쳐 만연해 있었다. 그것이 신분에서 오는 질곡이나 이념에서 오는 문제를 일거

---

140) 김진영 외, 앞의 책, 313-314쪽.

141) 최원오, 「〈무숙이타령〉의 형성에 대한 고찰」, 『판소리연구』 5, 판소리학회, 1994, 313쪽.

에 해소할 수 있었기 때문이다. 무숙의 의식세계는 도덕적으로 무장되지 않았고 인격적으로 뒤틀려 있음을 볼 수 있다. 무숙은 기생에게 다정하지만 자기와 비교당하는 어진 아내에게는 심사가 뒤틀린다. 또한 어진 친구를 멀리하며 옳은 말은 듣지도 않는 성격의 소유자이다. 무숙을 통해 조선후기 물질을 중요시하는 풍조가 가족구성원의 해체를 불러오고, 인간관계가 신의보다는 물질에 비중을 두고 있음을 확인할 수 있다.

무숙은 방탕한 생활과 무분별한 소비로 결국 빈털터리가 되어 거지와 다를 바 없는 처지로 내몰리게 된다. 그러한 상황에서 돈이 없는 사람들이 어떻게 살아가는지 처절하게 경험한다. 이처럼 〈무숙이타령〉은 갑부였던 무숙의 방탕한 생활과 무일푼으로 살아가는 무숙의 양극단의 삶의 대조를 통해 조선후기 사회의 경제적 불평등을 폭로한 것이기도 하다. 조선후기로 올수록 경제적 불평등은 양반의 신분을 유지해온 이들에게 더욱 심각한 문제였다. 중인 이하의 신분에서는 경제력을 바탕으로 모칭유학(冒稱幼學), 위보(僞譜), 매향을 통하여 양반층으로의 신분상승을 꾀하는 반면에, 빈한한 양반계급에서는 사회경제적인 추세에 밀려 어쩔 수 없이 농공상에 참여하는 일이 빈발했다.[142] 무엇보다도 생계의 문제가 중요하게 된 것이다. 이 생계의 문제를 해결하고 부를 축적한 하층민은 신분을 상승시키는 데 열의를 올렸고,[143] 신분만 믿고 있다가 경제적으로

---

142) 德山 童蒙 元仁福의 原情에 이르기를 그의 아비 宅文은 본래 鄕曲儒民으로 생활을 위해 商賈에 투신하여 지난 癸卯년 10월 公山의 維鳩場市에 가서 木 8疋을 사가지고(貿木八疋) 돌아오다 長川 산중에서 도둑에게 살해되었다는 것입니다.(『日省錄』 198, 正祖 10년 丙午 2월 26일 庚子 該曹以擊錚人等原情回啓. 又啓言 德山童蒙元仁福 原情 以爲其父宅文本以鄕曲儒民 爲其生活 投身商賈 法癸卯十月 往于山維鳩場市 貿木八疋而歸 到長川山中爲賊漢所狀殺. (정석종, 『조선후기 사회변동 연구』, 일조각, 1983, 269쪽.)

143) 이 시기의 중인은 중세의 신분적 질서의 규정력을 약화시키면서 새로운 계급을 형성하게 되고, 도시를 중심으로 새로운 사회의식을 창출하게 된다. 따라서 서울에서는 신분

어렵게 된 계층에서는 생계를 위해 생업에 종사해야만 했다. 그러는 중에 신분질서는 느슨해지고 경제적인 계급문제는 확대될 수밖에 없었다. 경제력을 상실한 일부 양반들은 생계를 위하여 양인의 밑에서 고용살이를 하거나 고군(雇軍)으로 채용되기도 하였다.[144] 신분이 역전되어 나타나게 된 동인이 바로 경제력에 있었던 셈이다. 이러한 사정은 〈무숙이타령〉에서도 여실히 확인할 수 있다. 김무숙이 경제적으로 몰락한 것으로 알고 의양의 몸종이 되어 굴욕을 겪는 것이 그것이다.

〈무숙이타령〉은 경제력을 확보한 무숙의 방탕한 생활을 통해 부유한 계급의 문제를 지적한 작품이라 할 수 있다. 물질이 모든 것을 해결해주는 상황에 이르자 이들은 인간의 도덕적 윤리보다는 물질을 우선시하는 물질만능주의에 사로잡히게 된다. 부를 축적한 무숙과 주변의 왈자들은 돈을 주체할 수 없어 기생을 들이고 풍류와 음악을 즐기며 흥청망청 지내지만,[145] 가지지 못한 계급에서는 굶어 죽는 일이 허다하였다.

이 갖는 사회적 규정력이 줄면서 경제력이 인간의 삶을 규정하는 추세가 강해지고 있었다. 서울은 시골과 달라서 돈만 있으면 안 되는 일이 없었다. 심지어 모든 일이 재물에 의해 결정되기 때문에 돈만 있으면 과거에 응시하여 벼슬하는 일도 어렵지 않았다.

144) 경제적인 몰락으로 인하여 양반의 신분적인 우월은 이미 허명무실해지면서 빈한 양반층은 상민들로부터도 여러 가지 침학을 당하는 현상이 만연하였다. 또한 부유(富裕) 상민층은 빈한(貧寒) 양반층에게, 빈한 양반층은 부유 상민층에게 통혼(通婚)하려는 경향도 일반화되면서 사회신분제의 붕괴가 극명하게 나타났다. (정석종, 앞의 책, 264-275쪽.)

145) 18세기 서울은 노동력뿐만 아니라 주점, 기방과 더불어 여자들의 性을 상품화하는 색주가도 번성하였다. 李鈺의 「柳光億傳」에는 당시 서울의 노동력 상품화 양상을 다음과 같이 묘사하고 있다. 서울의 온갖 匠人들과 장사치들이 모여드는 곳인 만큼 대체로 물건을 살 수 있는 수많은 전방이 줄줄이 벌여있고 바둑처럼 깔려있다. 어떤 사람은 손으로 품팔이하여 생계를 유지하는 자도 있으며, 어깨와 등을 파는 자도 있거니와 뒷간을 치는 자, 칼을 갈아 소를 잡는 자, 자신의 얼굴을 예쁘게 꾸며서 몸을 파는 자도 없지 않으니 천하의 사고 팔음이 극도에 이르렀다 하겠다. (실시학사 고전문학연구회 역주, 「柳光億傳」, 『李鈺全集』 2, 소명출판, 2001, 249쪽; 고동환, 「조선후기 서울 도시공간의 변동 – 상업발달과 관련하여」, 『서울학연구』 52, 서울시립대학교 서울학연구소, 2013, 161쪽, 재인용.)

무숙의 방탕한 생활은 기생 의양에 의해 개과천선된다. 의양은 무숙을 무일푼으로 만들어 쫓아내는가 하면 자신의 종노비로 부리며 온갖 고생을 시킨다. 민중은 무숙이 무일푼이 되어 거지꼴로 온갖 고생을 하는 모습을 통해 대리만족을 느낄 수 있다. 그렇게 함으로써 물질적 가치보다 인간적 가치를 중시한 것이라 하겠다. 의양이 무숙의 친구인 김 선달과의 공모를 통해 무숙을 개과천선 시켜 가족공동체의 일원으로 받아들이는 것 또한 인간적 가치가 물질적 가치보다 위에 있음을 보여주는 바라 하겠다.

(2) 비판의 양상

조선후기 화폐경제의 발달에 따라 부를 축적한 계급이 늘어나면서 인간의 도덕적 윤리보다는 사치와 쾌락을 일삼는 계급이 양산된다. 조선의 사대부들이 유교윤리의 이념을 바탕으로 사회 질서를 유지해 왔다면, 도덕적으로 무장되지 않은 채 부를 축적한 일부 계급에서는 향락과 퇴폐를 일삼으며 사회 질서를 흔들고 있었다.[146] 상업의 중심지로 변모해가는 대도시는 더 이상 양반의 도시, 군자의 도시가 아니었다. 〈무숙이타령〉에서는 이처럼 급격한 경제발전이 가져온 병폐라 할 수 있는 향락문화와 소비문화를 비판하고 있다. 소비와 향락을 일삼는 가운데 인간이 지켜야 할 도덕적 관념 또한 무너지고 말았다. 따라서 정신적으로 건강하지 못한 무숙을 통해 조선사회의 물질적 풍요 속에 빚어진 정신적 병폐를 다루고 있다. 그 비판의 양상을 구체적으로 살펴보

146) 고동환, 「조선후기 서울 도시공간의 변동 - 상업발달과 관련하여」, 『서울학연구』 52, 서울시립대학교 서울학연구소, 2013, 156쪽.

면 다음과 같다.

첫째, 무분별한 경제관념에 대한 비판이다. 무숙은 장안 제일의 갑부이지만 자신이 가진 재산을 계획적으로 쓰거나 관리하는 인물이 아니다. 주색과 풍류를 위해 아낌없이 돈을 쓰는 인물이기 때문이다.[147] 무숙은 가사의 명창이자, 거문고·생황·단소 등 풍류 음악에 달통한 인물이기도 하다. 18세기 이래의 여항 부호들의 향락적 예술 향유의 추태 속에서 배태된 소비형 인물이 김무숙이라 할 수 있다.[148] 돈이면 무엇이든 가능한 세상에서 김무숙은 재산을 가족을 돌보는 데 쓰지 않고 풍류와 향락을 일삼는 데에만 쏟아부었다. 아래의 인용문을 통해 무숙의 방탕한 생활과 무분별한 경제관념을 살필 수 있다.

> 죠쇽을 올게 ᄒᆞ야 본ᄃᆡᆨ 안ᄋᆡ 집일넌지 쳡의 집 살임일넌지 피ᄎᆞ가 습지 안케 지나가면 ᄒᆞᆫ평ᄉᆡᆼ니 넉넉ᄒᆞ련만은 무슉의 미친 마음 ᄂᆡ두ᄉᆞ 경영 읍시 뒤ᄭᅳᆺ슬 ᄉᆡᆼ각ᄌᆞᆫ코 돈 쓰기만 위쥬ᄒᆞ고 남만 죠케 ᄒᆞᄌᆞᄒᆞ니 숀톱 밋틔 ᄇᆡ졉만 알고 ᄇᆡ쇽 ᄂᆡ죵은 몰ᄂᆞ신니 무슉의 ᄌᆞᆸ놈 지식 금홀 ᄉᆞ람 뉘 잇스랴 ᄆᆡ일 일용 쓰넌 거시 ᄉᆞᆷᄉᆞᄇᆡᆨ을 너머 쓰고 가진 율속 풍유랑과 명기명ᄎᆞᆼ 션쇼리며 쇼ᄎᆞᆼ범ᄇᆡᆨ 각기 쳐ᄒᆞ 하로 ᄌᆞᆷ간 놀고 ᄂᆞ도 근천금식 탕탕 쓰고 일가 죡쇽 노쇽 간의는 푼젼 일니 ᄯᆞᆷ니 ᄂᆞ고 담ᄇᆡ씨

---

147) 서울은 시골과 달라서 돈만 있으면 안 되는 일이 없다.("京中異於鄕, 有錢則無事不成") 『右捕廳謄錄』 第二冊 壬寅(1842) 3월 29일. 매양 재물이 없다면 이루어지는 일이 없고, 돈만 있으면 과거에 응시하는 것도 어려운 일이 아니다. ("每事無物不成, 有錢則非難應科") 『右捕廳謄錄』 第二冊 壬寅(1842) 2월 5일. (나종면, 『18세기 조선시대의 예술론』, 한국학술정보, 2009, 23쪽, 재인용.)

148) 김종철은 무숙이가 외심촌에게 돈을 빌리기 위해 꾸며내는 거짓말을 통해 무숙을 공인과 같은 중간 청부업 또는 상업으로 부를 축적한 豪富之類로 보았다. (국어국문학회 편, 〈무숙이타령〉, 〈왈자타령〉과 19세기 서울 시정」, 『판소리연구』, 태학사, 1988, 572-573쪽.)

> 로 간거리을 판니 ᄉᆞ론 공고 버셔진 놈 무뢰ᄌᆞᆸ탄 허랑ᄀᆡᆨ즁의 무슉니가 으른니라 돈은 쎠도 슈가 익고 안니 쎠도 슈가 잇넌듸 열 양 쓸 듸 쳔 양 쓰고 쳔양 쓸 듸 ᄒᆞᆫ 양 쓴니 젹실인심 무슉니요 불의심ᄉᆞ 무슉니라[149)]

〈무숙이타령〉은 무숙의 무분별한 소비행태를 내세워 돈의 가치를 소중하게 생각하지 못하는 계급을 비판하고 있다. 무숙은 궁핍한 처자식을 돌보지 않고 자신의 풍류를 즐기는 데에만 돈을 쓰고 있기 때문에 지탄의 대상이 되고 만다. 무숙의 우매한 행동은 의양을 소실로 삼는 상황에서도 확인된다.

> 우션 즉시 급ᄒᆞᆫ 거시 구실ᄯᅦ기 ᄉᆞᆼ칙이라 구실을 ᄲᅧ여도 긴ᄒᆞᆫ 곳슬 ᄉᆡᆼ각ᄒᆞ야 ᄒᆞᆫ 군ᄃᆡ만 쳥을 ᄒᆡ도 ᄯᅦᆯ 일리연만은 이 ᄌᆞᆸ놈이 협협ᄒᆞ고 일 모로고 제 형세만 ᄉᆡᆼ각ᄒᆞ야 상의원 침션비게 ᄉᆞᆷᄇᆡᆨ여양 쳥을 ᄒᆞ고 공쥬 ᄒᆡᆼ슈 부ᄒᆡᆼ슈게 ᄉᆞᄇᆡᆨ여양 쳥을 ᄒᆞ고 약방 ᄌᆞᆼ무셔원의게 오ᄇᆡᆨ여양 쳥을 ᄒᆞ고 부졔주 ᄃᆡ감의게 ᄒᆞᆫ 번 고집 안 드른니 쳔여양을 드려노코 그렁져렁 쳥젼니 ᄉᆞ오쳔양 드려노코[150)]

무숙은 의양을 기적에서 빼내기 위해 돈을 낭비하고 있다. 결국 자신의 분별력 없는 경제관념으로 인해 그동안 축적한 재물을 관리하지 못하고 탕진하기에 이른다. 이것은 물질의 소중함과 가치를 모르는 유산계급의 경제관념의 한계를 드러낸 것이기도 하다.

둘째, 인간의 가치 상실에 대한 비판이다. 물질만능주의는 경제적·물질적 가치를 중시하여, 인간이 가져야 할 본연의 가치를 상실하고,

---

149) 김진영 외, 앞의 책, 326-327쪽.

150) 김진영 외, 앞의 책, 325쪽.

인간을 경시하는 풍조가 만연한 것을 말한다. 이러한 풍조는 삶의 가치를 물질에 두기 때문에 가치관의 혼란을 가져온다. 인간의 바른 도리가 무엇인지 자각하지 못하는 데서 문제가 발생한 것이다. 실제로 상공업이 발달하고 상품화폐경제가 확대되면서 종래에 큰 중요성을 갖지 못했던 상인·수공업자들이 자본을 축적하여 새로운 계급을 형성한다. 부상(富商)이 된 이들은 사회적 지위보다는 경제적 관계, 재산의 유무 등 경제적 힘을 우위로 두어 전통사회의 규범 질서나 예(禮)를 경시한다. 그로 인해 윤리 부재라는 새로운 문제가 발생한다.[151] 전통적으로 윤리와 도덕은 가정이나 사회공동체에서 가장 중시하는 것이었다. 하지만 중세의 관념적인 가치관이 퇴색되면서 윤리와 도덕에 대한 인식도 바뀌었다. 실질적인 효용을 중심으로 가치관이 변화하다 보니 물질에 대한 관심이 고조되었다.

무숙이 왈자들의 우두머리라는 점에서 보면 무숙의 부(富)는 상업에 의해 축적되었을 가능성이 크다. 상대적으로 손쉬운 방법으로 부를 축적하여 그것을 소비하는 데도 거칠 것이 없었다. 일탈적인 향락과 축첩에 재산을 탕진하는 이유도 여기에 있다.

> 방방곡곡 빅셩더른 격양가 풍유소리 쳐쳐의 낭즈ᄒᆞ니 국세가 이러커든 오입탕긱 읍실숀냐 쳥누쥬가 곳곳마도 빅반이 낭즈ᄒᆞ고 시쥬가ᄉᆞ

151) 실제로 18세기 서울은 경제범죄가 전체의 31%로 매우 높게 나타난다. 위조 등 경제범죄가 많이 발생한 지역은 신흥 상공업 중심 도시로 떠오르고 있던 성 밖 경강일대를 포함하고 있다. 이는 당시의 새로운 도시 인구의 유입과 유통경제의 발달 등으로 서울의 도시 환경이 상공업 지역으로 점차 변모하고 있었음을 방증해주는 지표이기도 하다. (심재우, 「『審理錄』을 통해 본 18세기 후반 서울의 범죄 양상」, 『서울학연구』 17, 서울시립대학교 서울학연구소, 2001, 57-94쪽.)

> 호걸 남ᄌᆞ 금ᄒᆞᆯ 기리 읍셔는듸 이 ᄊᆡ은 어늬 ᄊᆡᆫ고 젼쳔화류 만발ᄒᆞᆫ듸 쳥누고각 노픈 집의 호탕ᄒᆞᆫ 왈ᄌᆞ더리 허다히 못넌 즁의 남북촌 뒷더려 셔 ᄃᆡ방왈ᄌᆞ 김뮤슉이 지체로 논지ᄒᆞ면 …(중략)… 노ᄅᆡ 가ᄉᆞ 명ᄎᆞᆼ니요 거문고 ᄉᆡᆼ황 단쇼 오음 육율 쇽을 알고 션쇼리 쇽멋슬 알고 게집의게 다졍함과 살 악기고 돈 모로고 노름판의 쇼담 만코 ᄌᆞᆸ기 쇽도 알만ᄒᆞ되 …(중략)… 무쥬 무풍 젹ᄉᆞᆼ순셩 부암 변ᄉᆞᆫ 영암월 광양 ᄇᆡᆨ운봉 문경 흘쥬 ᄉᆞᆫ 낫낫치 귀경ᄒᆞ고 안니 본 곳 읍셔신니 셰ᄉᆞᆼ의 ᄉᆡᆼ각니 바니 읍고 명기 명ᄎᆞᆼ 풍뉴랑니 ᄂᆡ 슈단의 우러ᄂᆞ고 ᄉᆞᆷᄌᆡ팔난 고락풍진 모도 ᄃᆞ 젹거ᄂᆞ고 의복호ᄉᆞ ᄌᆞ봉범졀 긔거동지와 ᄑᆞᄉᆞ보ᄉᆞ 드문 보ᄇᆡ 죠흔 노리ᄀᆡ 금옥ᄑᆡ 물 쳔금 쥰마 보라ᄆᆡ 일등미ᄉᆡᆨ 원니 읍시 다 노라보고 가ᄃᆡ 셰간 방안 긔물 그립즌케 노냐신니 무슨 ᄒᆞᆫ니 잇슬숀냐[152]

무숙의 이러한 무분별한 소비는 유산계급의 일부 군상들을 형상화한 것이라고 할 수 있다.[153] 물론 이러한 삶은 건전한 것이 못됨은 물론이다. 이 작품에서 무숙을 비판·풍자하는 것도 물질을 앞세우면서 방탕하게 생활하는 가운데 인간 본연의 가치를 망각했기 때문이다.

무숙은 교육을 제대로 받지 못해 부족한 것이 지식이고, 어진 친구는 멀리하며 오히려 옳은 말에는 성을 내며 그른 말은 곧이듣고 오입에만 몰두하는 등 정신적으로도 건강하지 못하다. 무숙의 옆에는 항상 왈자들이 함께하며 그가 방탕하게 생활하는 데 일조한다. 또한 가족의 안위보다는 오직 자신의 재물에 집착하여 인간의 도리를 저버린다. 경제발전 속에 이룩한 부의 이면에 물질만능주의가 팽배하였고, 그것이 도덕적 가치관의 붕괴를 초래한 것이라 할 수 있다. 이처럼 무숙은 인

152) 김진영 외, 앞의 책, 313-317쪽.

153) 김헌선, 「〈무숙이타령〉(왈자타령)과 19세기 서울 시정」, 『판소리연구』, 태학사, 1998, 575쪽.

간의 윤리보다 물질을 우선시하는 대표적인 인물로 이와 같은 인물형은 당시의 판소리계 소설에서 일반적이었다.[154] 그만큼 신분제에서 계급제로 급격하게 재편되는 과정에서 인간의 본연적 가치보다는 물질의 실질적 가치에 비중을 두는 일이 많아졌다. 가치의 기준이 인간에서 물질로 변화하는 사정을 다루되, 지나치게 물질에 경도되어 방탕하면서도 안일한 삶의 문제를 지적한 것이라 할 수 있다.

셋째, 물질우선주의가 가져온 가족공동체의 와해이다. 조선사회는 남성의 경제력으로 식구들이 생계를 유지해 갔다. 그럼에도 불구하고 무숙은 본처와 아이들이 나무와 양식이 다 떨어져 굶어 죽을 지경에 이르러도 가족을 돌보지 않는 무책임한 가장이다. 또한 많은 재물을 들여 의양을 첩으로 삼고도 방탕한 생활을 이어간다. 무숙의 가장으로서의 무책임함이 가족공동체의 몰락을 초래하였다.

> ᄉᆡᆨ쥬가을 밤낫 읍시 일을 숨어 청누고각은 ᄉᆞ랑니요 기ᄉᆡᆼ의 집은 본ᄃᆡᆨ니라 부형니 읍셔진니 가젼진학니 읍셔지고 힝세가 니러ᄒᆞ니 가쇽인들 도라볼가 호호탕탕 밋친 마음 위아침 죠아ᄒᆞ고 쳐ᄌᆞ식을 몰ᄂᆞ보며[155]

---

154) 무숙과 같은 비윤리적인 유형의 인물은 판소리계 소설에서 쉽게 찾아볼 수 있다. 먼저 〈흥부전〉의 놀부는 물질을 우선시하는 인물로 부모의 재산을 독차지하기 위해 동생 흥부를 쫓아낸다.

"경상 젼나 냥도 지경의셔 ᄉᆞ는 ᄉᆞ름이 이스니, 놀부는 형이오 흥부는 아이라. 놀부 심ᄉᆡ 무거ᄒᆞ여 부모 ᄉᆡᆼ젼 분ᄌᆡ 젼답을 홀노 ᄎᆞ지ᄒᆞ고, 흥부 갓튼 어진 동ᄉᆡᆼ을 구박ᄒᆞ여 건넌산 언덕 밋히 ᄂᆡ써리고 나가며 조롱ᄒᆞ고, 드러가며 비양ᄒᆞ니, 엇지 아니 무지ᄒᆞ리." (김태준 역주, 『흥부전·변강쇠가』, 고려대학교 민족문화연구원, 2015, 16쪽.)

〈옹고집전〉의 옹고집을 통해 물질에 사로잡혀 불효를 범하는 상황을 확인할 수 있다. "팔십당년(八十當年) 늙은 모친 병들어 누웠는데, 닭 한 마리 약 한 첩도 봉양(奉養)은 아니하고 조반석죽(朝飯夕粥) 대접하니, 냉돌방(冷突房에) 홀로 누워 …(중략)… 팔십 당년 우리 모친 오래 살아 쓸데없네." (정병욱 교주, 앞의 책, 94-98쪽.)

> 어린 ᄌᆞ식 ᄉᆞ오형제 말마도 쇽니 탄다 어먼니 밥 좀 쥬오 아버지은 어듸 간나 …(중략)… 무슉 아ᄂᆡ 긔가 막켜 ᄋᆡ고 목을 안고 얼골을 ᄃᆡ고 이 모양니 웬 니리요 이리 될 쥴 몰ᄂᆞ던가 남ᄌᆞ의 호협ᄀᆡᆨ니 오입ᄒᆞ기 혹시 ᄉᆞᆼᄉᆞ 픠가망신 불시 예ᄉᆞ 빌어먹기 쳑경니ᄂᆞ 팔ᄌᆞ로 알연니와 유ᄒᆞᆫ ᄒᆞᆫ 부모 유체 더벙머리 되단 마리 웬 일니요[156]

조선후기는 가부장적 권위가 강화된 반면, 여성의 지위는 급격히 하락하였다. 남성들의 전통적이고 일상화된 폭력이 이어지면서 사회적 약탈과 약자에 대한 억압이 여전히 위력을 발휘하였다.[157] 가부장으로서의 무숙의 행위도 이와 다르지 않다. 무숙의 가족공동체가 와해되는 것도 그가 가부장이라는 이유 하나로 방탕하게 생활해서 촉발된다. 무숙처럼 개인적으로 방탕하게 생활하면서 가족구성원에 무관심하면 자연스럽게 가족공동체가 와해될 수 있다. 그러한 사정을 무숙의 행동을 통해 우의적으로 보이고 있다. 비록 속이기의 방편에서 나타난 것이기는 하지만 경제관념 없이 재물을 탕진하면 그 피해는 가족에게 돌아올 수밖에 없음을 보인 것이다. 더욱이 가부장이 모든 경제력을 행사하는 당시의 사회구조를 감안할 때 일탈된 가장 때문에 가족공동체가 허망하게 와해될 수 있음을 전격적으로 보인 것이 이 작품이라 할 수 있다.

---

155) 김진영 외, 앞의 책, 314쪽.

156) 김진영 외, 앞의 책, 341-342쪽.

157) 『審理錄』은 1776년부터 1800년까지 정조 재위 25년간에 正祖가 심리한 사형죄수들에 대한 판결 내용을 모은 책이다. 이시기에 가장 등 남성에 의한 가족구성원에 대한 살인 사건이 적지 않음을 사실을 살필 수 있다. 사건을 살펴보면, 대부분이 처·첩·형수 등 여성이 피해자로 조사되었으며, 살옥 99건 가운데 10.1%에 달하는 10건이 가족 구성원들 간의 살인사건으로 확인되었다. 이 가운데 1건을 제외한 나머지 9건은 처·첩·형수 등 여성이 피해자였으며, 9건 모두 간통이나 추문, 투기 등을 이유로 남편이 처·첩을, 시동생이 형수를 살해한 사건들이었다. (심재우, 앞의 논문, 57-94쪽.)

한편으로 가족공동체를 이루는 과정에서도 물질이 중시된다. 이것은 사회의 기초단위를 구축할 때도 물질이 우선함을 말하는 것이다. 그래서 물질의 결핍이 곧 가족공동체의 와해를 촉발할 수 있다. 가족공동체는 가족애로 뭉쳐야 하지만 현실에서는 상당한 차이가 있다. 특히 혼사나 축첩을 통한 가족의 구성에서 그러한 일이 빈발했다. 그러기에 의양이 남편을 고르는 과정에서도 애정보다는 물질을 우선시한다. 의양은 기생의 신분에서 벗어나 새로운 삶을 살기를 꿈꾼다. 사람들은 무숙이 가족은 돌보지 않고 기생집을 제 집 드나들 듯하며 천하다고 말하지만, 의양은 무숙의 비천함을 알고도 그의 첩이 된다. 결국 의양은 무숙의 인간됨보다는 장안 갑부인 무숙의 경제력을 선택한 것이다. 하지만 의양은 무숙이 가진 재산을 다 차지하고 무숙을 내쫓을 수 있는 여건임에도 불구하고 무숙의 재산을 지키는 한편으로 무숙을 개과천선시켜 다시 남편으로 맞이한다. 이는 하층 여성의 올바른 가치관을 바탕으로 가족공동체를 존속시킴은 물론 건전한 경제관념의 기준을 제시한 것이라 할 수 있다.

요컨대 계급 비판형의 작품은 조선후기 사회적으로 혼란스러운 과도기적 상황을 잘 보여주고 있다. 경제적 부를 축적한 중인 이하 상민계급이 신분상승으로 새로운 세력으로 자리 잡자, 권력을 유지해 오던 기득권층은 이들의 눈치를 보지 않을 수 없게 되었다. 억울한 일을 당해 관아에 고해도 부력을 기준으로 판결하는 사또나, 장안의 갑부임에도 향락과 소비에 빠져 처자식이 굶어 죽을 위기에 있어도 가족을 돌보지 않는 가장의 모습은 물질우선주의의 민낯을 그대로 보여준다. 물질로 인해 빚어지는 윤리의 부재는 불효는 물론 가족공동체의 와해를 불러와 사회적인 문제로 부각된다. 인간의 도리를 저버리고 물질만 좇는 계급을 사회적으로 멸시받는 중이나 기생인 첩이 나서서 이들이 가진 것을 모두 빼앗고 무일푼으로 만들어 버림으로써 물질이 갖는 허망함을 일깨우기도 한다. 계급 비판형의 작품은 자본주의의 시대로 접어든 사회에서 빚어지는 부패와 부작용, 더 나아가 여성이 경제력을 확보해 가는 시대상을 보여준다는 점에서 의의가 있다고 할 수 있다.

판소리계 소설의 유형별 지향의식과 상관성

실창 판소리계 소설은 창을 유지하고 있는 작품과 달리 지향의식이 더 명료할 수 있다. 현전 판소리 창본의 경우 연행의 현장성 때문에, 그리고 상하 향유층을 거느린 공연을 전제했기 때문에 지향의식이 다소 양가적인 특성이 없지 않다. 그래서 당시의 문제를 표면적으로 드러내어 비판·풍자하기보다는 이면에 배치할 수밖에 없었던 것이라 하겠다. 반면 실창 판소리계 소설은 그러한 외부 조건에서 상대적으로 자유로워 민중문학적 특성이 강화되고, 그러면서 하층민의 의식을 작품에 직접적으로 담아 놓을 수 있었다. 그만큼 지향의식이 상대적으로 분명할 수 있다. 이것은 당시 소설문학의 특성을 반영한 것으로 문학사적인 측면에서도 주목되는 바가 크다. 특히 근대적인 소시민의 의식과 상부하는 것을 주요하게 다루어 중세와 근대적인 속성을 겸비하고 있다. 전환기 문학의 특성을 이들 작품이 함유한 이유이기도 하다. 전반적인 지향의식이 이러한 사정을 반영했음은 물론이다. 여기에서는 그러한 사정을 집중적으로 살펴보도록 한다.

1. 유형별 지향의식

판소리가 연행되거나 창본이 소설로 유통되던 조선후기에는 아주 다양한 사상과 의식이 대립과 갈등을 유발하며 조화를 모색해 나갔다. 특히 주자학적인 이념으로 무장한 기득권층에서는 수구(守舊)·보수적(保守的)인 성향이 명확하였다. 물론 일부의 선각적 지식층에서 실용노선을 천명했을지라도 분명한 한계가 있었다. 여기에 중인 이하 민중층에서 경제력을 바탕으로 자신들의 생각을 강력하게 주장하고 나서기도 하였다. 그래서 국내적으로나 국제적인 격변에 탄력적으로 대응하면서 자신들의 이념과 노선을 천명하여 갈등과 대립이 격화될 수밖에 없었다. 하지만 갈등을 극복하는 방법이 중세적인 질서에 머물러 일정한 한계가 있었던 것도 사실이다. 그래서 중세와 근대의 혼효된 문화현상이 당시의 판소리계 소설, 특히 실창 판소리계 소설에 복합적으로 나타난 것이다. 그러한 문화현상 중 주목되는 것이 상하의 충돌이라 하겠는데, 지금까지 살핀 신분, 제도, 계급의 갈등이 그를 실증하고 있다. 실창 판소리계 소설은 이와 같은 문제를 비판적인 시각에서 다루면서 해결 방안이나 지향의식을 여러 관점에서 담아놓았다. 이제 그러한 사정을 구체적으로 살펴보도록 한다.

1) 신분 비판형의 지향의식

조선을 지탱해온 성리학은 조선후기 산업의 발달과 유산계급의 대두로 그 근본부터 흔들린다. 봉건사회를 유지하는 근간이었던 신분제가 붕괴되면서 돈 있는 사람은 관리와 결탁해 신분상승을 꾀하는가 하면,

위보(僞譜)를 통해 양반층으로 상승하기도 했다. 이러한 가운데 양반층에서도 농공상업에 종사하는 사람이 늘어났다. 주자학이 더 이상 현실에 부합되지 않자 주자학적인 삶만 추구하다가 도태되는 일이 벌어졌다. 이에 반해 실용노선을 선택한 중하층민 중에서 부를 축적하여 새로운 지주로 성장하는 부류가 생겨났다. 그러면서 상하 간의 신분 와해와 극복이 가능할 수 있었다. 이것이 근대를 지향하는 원동력이었음은 물론이다. 이처럼 신분제의 와해에서 파생되는 문제를 적절히 수렴한 작품이 바로 〈배비장전〉과 〈강릉매화타령〉이다. 다음에 이 두 작품의 지향의식을 면밀히 살펴보도록 하겠다.

(1) 〈배비장전〉의 지향의식

〈배비장전〉은 속이기라는 독특한 서사기법을 통해 양반 관료의 향락적 생활 및 경직된 중세윤리를 풍자한 작품이다.[158] 그러는 과정에 신분제의 와해, 나아가 신분제의 극복을 지향하여 근대의식이 적절히 반영된 작품이라 할 만하다. 따라서 이 작품은 양반 관료의 존재를 부정하기도 하고, 그들의 위선이나 가식을 폭로하기도 하면서 시정을 촉구하고 있다. 〈배비장전〉에서 문제를 극복하고 지향하고자 했던 지향의식을 몇 가지로 나누어 살펴보도록 한다.

첫째, 공모(共謀)를 통한 상하 조화의 구현이다. 〈배비장전〉은 양반의 가식적인 위엄과 체통을 벗겨내고 그들을 소시민의 의식과 동일하게 만들어 수직적인 사회에서 수평적인 사회로 나아가기를 소망한 작

158) 송주희, 「고전소설에 나타난 속이기의 서사기법적 연구」, 충남대학교 석사학위논문, 2008, 25-31쪽.

품이라 할 수 있다. 즉 근대사회로 나가기 위해 상층의 권위를 끌어내리고 하층의 능력을 제고하여 상하층이 조화로운 삶을 지향한 것이라 하겠다. 이를 위해 이 작품에서는 상하를 막론하고 구습의 권위에 얽매여 자신의 정체성을 찾지 못하는 인물에 대하여 각성을 촉구하며 문제 해결에 동참하고 있다.

이 작품에서는 상하의 조화를 이루는 방법으로 상층부의 가식을 폭로하되, 그것을 천시받던 최하층이 단행하도록 하였다. 즉 속이기를 통해 상층부가 내밀하게 감추고 있던 인간 본성이 드러나도록 했다. 그것은 현상적인 것이요, 현실적인 문제이며, 진정성과 관련된 것이다. 주자학적인 도덕률로 가린다고 덮일 수 없는 것을 과감히 펼쳐 보인 것이다. 내면을 있는 그대로 보여주고 행동하는 것이 진정한 삶을 견지하는 것으로 보았다. 속이기를 통해 배비장의 그릇된 세계관을 시정하려고 한 것도 바로 그 때문이다. 그것도 상하계급이 모두 동원되어 전격적으로 단행함으로써 시정의 효과를 극대화한 것이다.

> 사또 분부하시되, 너희 중에 배비장을 흠(欽)하게 하여 웃게 하는 자 있으면 중상(重賞)을 줄 것이니, 그리할 기생이 있느냐? 그중에 애랑이 여쭈오되, 소녀가 불민(不敏) 하오나 사또 분부대로 거행할까 하나이다. 사또 이른 말이, 네 능히 배비장을 훼절(毁節)시킬 재주가 있으면 제주 기생 중에 인재가 있다 하리라. 애랑이 여쭈오되, 시빙춘풍(時方春風) 좋은 때오니, 사또 명일 한라산 화유(花遊)를 하옵시면 배비장을 안차흉계(按此凶計)하오리라. 사또 각방 비장과 의논하고 평명(平明)에 발령(發令)하여 한라산 화유갈 제[159)]

159) 정병욱 교주, 『배비장전·옹고집전』, 신구문화사, 1974, 47쪽.

이 작품에서는 정체성에 혼란을 겪는 배비장을 시정하기 위하여 상하가 동원되었는데 특히 주목되는 인물이 제주목사이다. 그가 사족층으로서 배비장을 속이는 것이 곧 자신과 관련될 수 있기 때문이다. 하지만 시선을 조금만 달리하면 배비장은 변화하는 세태를 따르지 못하는 인물이고, 제주목사는 시류에 민감하게 반응한 인물이라 할 수 있다. 그래서 제주목사는 상하가 하나 되는 것을 올바르게 인식한 반면,[160) 배비장은 전통적인 관념론만 내세우며 변화를 철저히 외면하다가 궁지에 몰린 것으로 볼 수 있다. 사실 제주목사의 경우 자신들이 속한 사족층의 문제를 이미 제주도로 도해(渡海)할 때 인지한다. 제주도로 오는 배 안에서 태풍을 만나 위기에 처했을 때 양반의 위엄과 체통이 얼마나 하찮은 것인지 깨닫는다. 현실적인 문제를 적극적으로 해결할 수 있는 능력이 관념에서 오는 것이 아니라 현상에서 오는 것임을 인지한 것이다. 그래서 자신이 속해 있는 지배층의 가식을 벗겨야 할 필요성을 알고 그것을 실행하게 된다. 그렇게 할 때 인간애에 바탕을 둔 조화로운 사회가 가능하기 때문이다.

제주목사는 배비장의 훼절을 직접 지시하고, 그 실행 과정에서 애랑·방자의 모의를 전면적으로 후원한다. 제주목사의 지원으로 배비장에 대한 애랑의 조롱과 농락이 공식적으로 허용된다. 여기에 제주목사는 물론 제주의 관속 모두가 공모함으로써 가식에 대해 전 사회계급에서 문제 삼았음을 알 수 있다. 하나의 조화로운 세계를 지향하면서 대동단결한 모습을 보인 것이다. 상하 민중이 모두 모여 조선후기까지 지속되었던

---

160) 비록 그것이 그릇된 방법일지언정 제주목사는 변화하는 세태에 합류한 인물이라 하겠다. 그가 보이는 비열한 인간성이나 난봉꾼으로서의 기질은 당시의 시정 세태를 따르는 것으로 보아야 하겠다.

양반의 권위, 가식적인 도덕률을 시정해야 할 필요성에 대해 공감한 것이다. 그렇게 하는 데에서 상하의 신분이 조화를 이룬 근대적인 모습을 읽을 수 있다. 즉 신분의 속박을 넘어 사회의 구성원으로 동질성을 담보하는 담론이 가능하도록 한 것이다.

둘째, 천인들의 자의식과 평등의식의 발현이다. 이 작품은 사대부와 기녀가 공모하여 문제를 가진 기득권층을 훼절하고 있다. 그것도 최하층에서 최상층을 공격하여 극적효과를 강화하는 한편으로 상하 조화의 필요성이 부각되도록 했다. 특히 천민 출신이 풍자의 주동자로 등장하는 것은 양천제가 일반화되면서 신분적인 속박을 강하게 받던 계급에서 문제를 제기한 것으로 볼 수 있다. 신분제가 느슨해졌을지라도 그것이 제도적으로 붕괴된 것은 아니다. 양반 관료의 권위는 여전히 변함이 없었기 때문이다. 문제는 양반일지라도 경제나 권력의 측면에서 기득권을 형성하지 못한 계급에서는 사정이 달랐다는 점이다. 이들은 더 이상 하층민 위에 군림할 수 없었다. 이는 평등의식이 고양되면서 나타난 자연스러운 현상이기도 하다. 〈배비장전〉의 배비장이 더 이상 신분만을 내세울 수 없는 처지가 된 이유도 여기에 있었다. 그럼에도 가식적으로, 위선적으로 처신하다가 망신을 당하고 만다. 이것은 변화하는 시류에 부응하지 못하고 기존의 상하질서만을 의식하다가 빚어진 참상이기도 하다. 천롱(賤弄)은 천민이 유자나 관리를 희롱하는 것을 말한다. 잘 아는 것처럼 〈배비장전〉에서는 애랑을 중심으로 한 하층민이 중요한 인물로 활동한다. 그것은 기층민중을 내세워 상층의 문제를 지적하기 위해서이다. 그래서 이때의 애랑은 민중을 대변하는 인물로 이해할 수 있다.[161] 그를 내세워 그간 기득권층이 견지한 제도와 관습이 잘못되었음을 전격적으로 부각하기 때문이다. 그런 점에서 애랑은 이 작품에서 상하 대립과 갈등의 최전선에 놓인 인물이라 할 만하다.

애랑의 뛰어난 활약을 그리기 위하여 작품의 서두에서 복선을 깔고 있다.

> 산명수려(山明水麗)한 지방에는 사람의 성질이 순후 공근(恭謹)하여 악한 기운이 별로 없고, 산천이 험준한 지방에는 그대로 사람의 성질이 우준 간활(愚蠢奸猾)하게 나는 법이라. 호남 좌도(湖南左道) 제주군 한라산은 옛적 탐라국(耽羅國) 주산(主山)이요 남방도(南方島) 중 제일 명산이라. 험준하고 수려한 정기가 어리어서 기생 애랑(愛娘)이가 생겨났나 보더라.
>
> 애랑이가 비록 천기(賤妓)로 났을망정 색태(色態)는 월서시(越西施), 양태진(楊太眞)을 압도하고, 지혜는 남자로 말하면 진유자(陳留子)에 내리지 아니하고 간교(奸巧)는 구미호(九尾狐)가 환생하였던지, 호색 남자가 얽혀들면 상투 끝까지 빠져 허덕허덕하는 터일러라.[162]

애랑은 험준하고 수려한 정기를 받고 태어나 남다른 능력을 갖추었다. 즉 출생의 환경을 들어 그녀의 재능이 남다름을 예견하고 있다. 그녀는 지혜도 뛰어날 뿐만 아니라 성격도 영악하다. 거기에 색태까지 갖추어 뭇 남성들이 그녀에게 매료된다. 이러한 기질은 조선후기 민중을 대변했던 인물과 크게 다를 것이 없다. 즉 판소리·탈춤·인형극 등에서 민중을 대변하는 인물과 다름이 없다.[163] 그래서 그녀가 정비장이나 배비

---

161) 이와 같은 사정은 한문 단편에서도 나타난다. 실질적인 노선을 주창한 실학파의 문인이 창작한 한문단편에서 확인할 수 있다. 이들은 하층민을 동원하여 그들의 올바른 삶을 강조하고 그에 대비하여 상층이 그렇지 못함을 역설하면서 개선을 촉구하고 있다.

162) 정병욱 교주, 앞의 책, 8-9쪽.

163) 조선조의 민중문학에서는 민중을 대변하는 인물을 내세워 기득권층에 대응하고 있다. 탈춤의 취발이, 말뚝이, 포도대장, 인형극의 홍동지, 고전소설의 방자 등이 이에 해

장을 풍자·기롱하는 것은 하층민이 상층민에 대한 반감을 드러내다가 합일의 세계를 지향한 것과 유사하다.

실제로 애랑은 풍자의 주체자로 적극적으로 활약한다. 정비장이 백성을 수탈하는 탐관오리였기 때문에 그가 가진 모든 것을 빼앗음으로써 민중적인 징치를 가하고 있다. 무력으로 빼앗는 것이 아니라 지혜와 계교로써 모든 것을 되찾는다는 점에서 민중적인 반발의 흔적을 확인할 수 있다. 애랑은 정비장이 관직에서 수탈한 물품을 하나도 빼놓지 않고 되찾는다. 거기에다 정비장이 입고 있던 옷도 모조리 벗겨 알몸으로 만들기도 한다. 이것은 하층민이 당했던 억울함을 문학작품에서나마 통쾌하게 설욕하는 것이라 할 수 있다. 그러는 과정에서 갈등을 넘어 조화의 세계로 나아갈 수 있다고 본 것이다.

〈배비장전〉에서 주목해야 할 또 다른 하층인물은 방자이다. 방자는 양반의 몸종으로 때로는 문사들의 어리석음을 폭로·비판하는 기능을 맡곤 한다. 이 작품에서도 그러한 기능을 충실히 담당하고 있다. 배비장을 훼절시키는 인물은 결국 애랑이지만, 그 일을 함께 도모하는 핵심 인물이 바로 방자이기 때문이다. 방자가 있었기에 배비장이 피괘신이 되었는가 하면, 알몸으로 동헌에 내동댕이쳐지기까지 한다. 그래서 방자 또한 애랑과 같이 민중적인 저항의식을 공유한 인물이라 하겠다. 애랑이 배비장의 비속한 실체를 드러내기 위한 필요조건적인 인물이라면, 방자는 그 비속함을 풍자하고 조롱하는 수위를 결정하는 인물이라 할 수 있다.[164] 이처럼 애랑과 방자는 배비장의 훼절이라는 공통적인

당된다.

164) 박일용, 『조선시대의 애정소설』, 집문당, 1993, 398쪽.

목표를 갖고 공모하면서도, 애랑의 경우 정비장이나 배비장과의 관계 속에서 자신의 이익을 추구하는 현실적인 모습을 보인다. 이것은 조선 후기 민중적인 생활력과 무관하지 않다. 상품경제가 일반화되자 통속 문학에서는 어느 작품을 막론하고 그러한 경향을 반영하지 않을 수 없었다. 그래서 애랑은 풍자의 주체이면서도 그 풍자의 대상이 되는 태생적 한계를 갖기도 한다. 이에 반해 방자는 배비장으로 대변되는 아전이나 양반계급을 자기 마음대로 조종하고 희화화시키기 때문에 온전한 민중적인 인물이라 할 수 있다. 애랑이나 방자와 같이 민중을 대변하는 인물은 민속극이나 탈춤에서 얼마든지 찾을 수 있다.[165] 이것은 조선후기 문학 장르 간의 횡적 영향과 무관하지 않아 보인다.

애랑과 방자는 가장 천한 신분의 위치에서 상층부의 가식을 폭로하고 관념론적인 세계관의 허상을 지적한 인물이다. 이것은 신분제에서 오는 문제를 타파하고 새로운 질서를 소망했던 민중의 의식이 반영된 결과이기도 하다. 그런 점에서 애랑과 방자는 민중의 진정을 담아 항변했던 인물이라 하겠다. 그들의 항변은 양반계급의 허위와 위선을 폭로·비판하는 데서 그치는 것이 아니라 이를 통해 전환기 사회와 결부되어 새로운 사회를 지향하고자 한 것이다.[166] 이러한 항변의 결과가 상하의 신분을 넘어 수평의 인간관계를 형성하고 근대로 한 걸음 나아가는 밑거름이 될 수 있었다. 지금까지의 논의를 표로 나타내면 다음과 같다.

---

165) 탈춤의 말뚝이와 홍동지도 적극적인 풍자를 일삼는 인물이다. 양반의 하인으로 등장하여 자신의 상전인 양반을 신랄한 독설로 조롱하기 때문이다. 그는 중세 신분사회의 어두운 단면을 폭로하고, 양반계급의 무능과 부패, 허세 등에 야유를 보낸다. 이것은 기존질서를 거부하고 새로운 가치관을 요구하는 민중의식을 대변하는 것이라 하겠다.

166) 김종철, 『판소리의 정서와 미학』, 역사비평사, 1996, 148쪽.

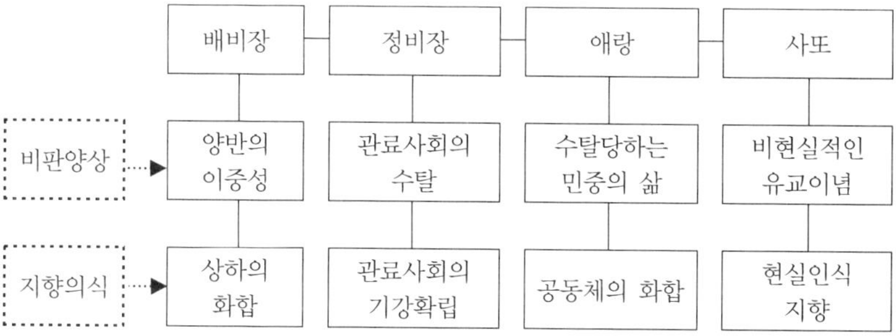

이상에서 보는 바와 같이 〈배비장전〉은 현실을 반영하지 못한 유교이념의 한계와 관료의 이중적 면모를 비판하고 있다. 최하층인 기생을 내세워 정비장이 백성에게 빼앗은 물품을 되찾고 양반으로서의 체통을 무너뜨리는 과정은 민중의 승리처럼 여겨진다. 또한 가식적인 양반을 훼절시킴으로써 그들이 일반백성과 별반 다르지 않음을 보여준다. 이를 통해 〈배비장전〉은 상하의 수직적인 신분을 넘어 수평의 인간관계를 지향한 것으로 볼 수 있다.

(2) 〈강릉매화타령〉의 지향의식

〈강릉매화타령〉은 양반 관료의 그릇된 행태를 고발하고 건전한 삶을 촉구한 작품이다. 지방행정이 제대로 이루어지기 위해서는 수령을 중심으로 상하의 위계질서가 확립되고 수령의 행정능력은 물론 확고한 감시체제와 조직관리가 이루어져야 한다. 하지만 조선후기는 수령의 역할과 지방의 권력을 장악한 이서집단의 부패로[167] 많은 문제가 야기

167) 법제상으로 수령의 임기는 1,800일이나 900일로 규정되어 있었지만, 실제로 사직과 파직 등의 이유로 길어야 3~4년이고 1년을 못 미치는 경우도 많았다. 수령의 빈번한 교체는 지방행정에 많은 폐단을 낳았음은 물론이다. (이상엽, 「조선후기 지방행정에 있어

되었다. 이 작품은 골생원을 내세워 관료사회 전반을 빗대어 문제점을 드러내고 있다. 골생원이 행한 문제를 바탕으로 이 작품이 지향한 의식에 대해 살펴보겠다.

첫째, 상층과 하층의 화합과 단결이다. 조선사회는 관리의 부정부패에 있어 매우 엄격했다.[168] 당상관을 지낸 경력이 있는 사람을 제외하고는 임명되는 각 도의 모든 도사(都事) 및 수령들은 서경(署經)을 거쳐야 했다.[169] 서경은 본인은 물론 친가, 처가, 외가의 4대(代)에 걸쳐 문제가 있는지 여부를 조사하는 것이다.[170] 이러한 조치는 지방행정관들의 신원조회에 완벽을 기하기 위해서이다.

하지만 지방의 행정구조는 다양한 이유로 부정과 부패로 얼룩졌다. 골생원이 자신의 임무보다 주색에 빠져 지내는 행위는 관료사회의 기강이 무너짐은 물론, 곳곳에서 부정부패가 만연했음을 보여주는 예증이라 할 수 있다. 골생원은 과거를 통해 관리가 된 인물이 아니다. 강릉사또가 그의 문필적 재능을 아껴 책방의 임무를 맡긴 것이다. 그럼에도 불구하고 그는 자신의 처지를 헤아리지 않고 오로지 기생 매화에게 침혹되어 지낼 뿐이다. 상층부로서 지켜야 할 권위나 윤리도덕의 관념 등을 그에게서 찾아볼 수 없다. 그러한 문제가 자심해지자 시정을 촉구하기에 이른다. 공모의 서사기법을 통해 골생원의 향락적 생활과 관료의

서 이서(吏胥)의 역할과 부패 유발요인」, 『한국행정학보』 36, 한국행정학회, 2002, 27쪽.)

168) 권력의 집중과 전횡을 막기 위해 가까운 친인척 관계에 있는 사람들이 연관성 있는 관직에 임명되는 것을 금하는 상피제도를 실시하였다.

169) 서경제도란 임금이 관원을 임명한 뒤에 그 성명, 문벌, 이력 등을 써서 대간에게 서명으로써 그 가부를 구하는 일이다.

170) 오동규, 「조선후기 지방행정에 있어서 수령의 역할과 부패 유발구조에 관한연구」, 한서대학교 석사학위논문, 2003, 83-84쪽.

무책임을 세상에 폭로한 것이다. 향민을 위해 마땅히 봉사해야 할 골생원이 공무를 저버리고 안일하게 나날을 보내는, 그것도 기생과 더불어 허송세월하여 양반 관료의 부정적인 면모가 여실히 드러나도록 했다. 문제는 그러한 사정을 전격적으로 시정하여 공동체 일원으로 복귀시킬 필요가 생겼다는 점이다. 충격적인 방법을 동원하여 일탈된 생활을 고발한 것도 바로 이 때문이라 하겠다.

강릉사또는 관료사회의 기강을 흔들고 양반사회의 위엄과 권위를 무너뜨리는 골생원을 징벌해서 위계질서를 바로잡아야만 했다. 골생원의 그릇된 행동은 사또를 보좌해야 할 관리로서, 한 가문을 지켜나갈 인물로서 책임을 다하기보다는 기생에게 빠져 본분을 망각한 데 있다. 더욱이 문제가 되는 것은 골생원의 행위가 관료사회와 양반사회의 질서를 어지럽힐 뿐만 아니라 도덕적 윤리적인 규범을 어기면서도 부끄러움을 모르는 데 있다. 강릉사또는 한 나라의 관료이자 강릉지역의 책임자로서 관료사회의 기강은 물론 전통 질서를 바로 잡아야만 했다.[171] 강릉사또는 기생에게 푹 빠져 지내는 골생원에게 관리의 잘못된 책임을 물어 자리를 박탈하거나 질책을 가하기보다는 오히려 강릉의 백성들에게 명령하여 결속을 다지는 방법을 선택한 것이다.

> 이덧 江陵使道 骨生員을 소기야고 산 믹花을 감초오고 五里程의 虛葬ᄒᆞ여 주근덧시 무덤 뭇고 무덤 아프 목비 ᄒᆞ여 세윗고 木碑ᄒᆞ여 싯되

171) 조선시대 천거제도는 우수한 인재를 등용하는 방법으로 활용되었는데, 모든 품계의 사람들에게 적용되었다. 주로 불가피하게 재야에 지낸 자들로 덕망이 높은 인물들을 관직에 임명하였다. 한편으로는 천거를 남발하지 못하게 하기 위해 천거로 임명된 자가 서경(署經)에 문제가 있거나 직무수행 중 부정을 자행했을 경우 천거한 사람도 함께 처벌받도록 하였다. (오동규, 앞의 논문, 84-85쪽.)

> 江陵 名妓梅花之墓라 ᄒᆞ여 셨워더 骨生員 송별 후의 限不見之愁心닷가 사후 원혼 水思碑라 솨여시 셰워 노코 ○外村의 傳令ᄒᆞ되 너의 ᄇᆡᆨ성덜이 毋論男女ᄒᆞ고 骨書房任 보거덜낭 梅花 주거다오 ᄃᆡ답ᄒᆞ되 만일 사야다고 ᄒᆞᆫ 놈이 니다가ᄂᆞᆫ 한사 엄곤ᄒᆞ이야 밀밀 단솟ᄒᆞ야더라[172)]

강릉사또는 골생원이 과거에 낙방하여 강릉으로 돌아오고 있다는 소식을 듣고 강릉백성들에게 매화가 죽었다고 거짓 소문을 내게 한다. 강릉백성 누구라도 매화가 살았다는 소문을 낼 때에는 엄벌하겠다는 명령까지 내린다. 이를 통해 강릉사또의 골생원에 대한 개과천선의 의지를 엿볼 수 있다.

강릉사또는 자신의 본분을 망각하고 퇴폐적 향락에 빠진 관리의 행태를 바로 잡기 위해 매화를 비롯하여 강릉백성들과 서로 화합을 이루고 있다. 상층부와 하층부의 화합은 관료사회의 문제를 지적하고 상층과 하층의 조화와 협력을 제시한 것이라 할 수 있다. 이것을 통해 관료사회의 부정과 부패가 청산되고 관리가 자신이 맡은 임무를 다할 때 백성이 편안하고 나라의 기강이 바로 서게 됨을 일깨우고 있는 것이다. 또한 강릉사또가 강릉백성을 총동원하여 공모에 가담시켰던 이유이기도 하다. 공모를 통해 골생원은 자신의 잘못을 깨닫고 강릉사또는 수령으로서의 권위를 되찾아 상하가 화합을 이루어냈다는 점에서 의의가 크다.

둘째, 상하 민중의 각성이다. 골생원은 주색에 빠져 자신의 본분을 다하지 못하면서도 자신의 문제점을 인식하지 못해 비판의 대상이 되고 있다. 골생원의 그릇된 행태를 바로 잡기 위해 사또와 매화, 강릉백성들이 나서서 골생원을 알몸으로 만들어 희롱(戱弄)하는 이유도 여기

---

172) 김진영 외, 『실창판소리계사설』, 박이정, 2004, 214쪽.

에 있다. 강릉사또는 한 고을의 수령이라는 막대한 책임감에서 골생원의 그릇된 행태를 더 이상 두고 볼 수 없었다. 강릉사또의 입장에서 골생원은 사또를 보좌해야 할 관리로서 책임을 방기한 채 주색만 일삼는 관리였다. 이러한 행위를 일삼는 관리를 그대로 두면 강릉백성을 다스리고 통제하는 일이 어려울 것으로 판단하였다. 강릉사또의 입장에서는 자기 정체성도 없이 오로지 기생에게 침혹되어 안일하게 지내는 인물을 경계하고 문제를 적극적으로 시정할 필요가 생겼다.[173] 강릉사또가 매화와 강릉백성들을 동원해 골생원을 알몸으로 만들어 주색을 경계하고자 한 것이다.

골생원은 귀신이 되어 나타난 매화의 육체를 탐하기 위해 혈안이다. 그래서 죽은 매화를 따라 저승으로 가는 길도 마다하지 않는다. 매화와 육체적 쾌락을 위해서라면 동아줄로 허리를 매고 알몸으로 나서는 것도 망설이지 않는다. 골생원의 이런 모습을 보며 매화 또한 마음이 편하지 않았을 것으로 짐작된다. 매화는 골생원을 망신주기 위해 사또의 명령으로 공모의 주동자가 되지만, 사실 골생원에 대한 매화의 사랑도 확인할 수 있다.

> 우리 ᄆᆡ화가 정셩도 닛던이라 ᄂᆡ가 책방의셔 식음을 젼폐하고 제 집의 나가면 화당 셜단 민강사탕 홍산 ᄇᆡᆨ산 젹드려 션반 우의 연져싸가 좌우로 나려노코 져도 먹고 나도 먹고 두리 안져 먹다가 그것도 안이 먹고 제 정셩 보랴 하고 사랑의 졔워 헛병 탈하고 안이 먹고 ᄋᆡ고 멀리야 ᄋᆡ고 ᄇᆡ야 이럿타시 알으면 종도 하고 만컨만는 졔가 감작 노ᄂᆡ여 졔 손조 나가 쌀 한되 쎠다가 쓸코 쏘 슬코 열 번이나 슬려ᄂᆡ여 조출하게

173) 김진영, 『고전서사의 향유와 전승』, 월인, 2017, 141쪽.

> 쥭을 쓰고 환소쥬의 술 타고 양ᄉᆞ듸졉 ᄂᆡ여노코 문어 졈복 ᄲᅧ어 노코 ᄂᆡ 졋탠 와셔 셥픈 안져 ᄋᆡ근하게 권한다 셔방임 이러 나오 시장한ᄃᆡ 무음 잡시잡시요 긔운 업ᄂᆞᆫᄃᆡ 고음 잡수시오 소쥬을 족곰 잡수오 ᄒᆡ온 공부로 하여도 조금 머거나 볼건나 엇자거나 엇작거나 하던 마리 보던 ᄇᆡ 쳠 보것던이 니것 ᄂᆡ가거나 엇ᄌᆞ거나 하라 이렷탓 할 졔 ᄂᆡ가 누엇다가 허허쳐 ᄂᆡ쳐우시면 져도 조와라고 방긋방긋 웃던니라[174]
>
> 등쪽골 글그라 함면 졔 손이 차면 졔픔의 여허 닷닷 하게 노겨 황하도 봉산 참ᄇᆡ 먹ᄂᆞᆫ 소ᄅᆡ쳐도 삭그락삭그락삭그락 극다가 손톱으로 혼솔을 다 글근이 한 말리 이을 집부면 졔 옷ᄉᆡ 이을 자바 한쌍 지여 손의 노코 즁아 즁아 즁아 쌈하여라 상ᄌᆡ야 말여라 요년이야 요년이야 요년이야 쳘궁의 왜젼을 먹여 쑥쑥 쏘아 쥬기이라 용쳔검 드은 칼노 덩글엉케 쥬기이라[175]

매화의 골생원에 대한 마음은 위의 인용문에 잘 나타나 있다. 골생원의 몸에 달라붙어 골생원의 피를 빨아먹는 이에게도 시기를 느낄 만큼 매화의 골생원에 대한 사랑은 남다르다. 강릉사또는 골생원의 그릇된 행태를 바로 잡는 것뿐만 아니라 매화의 행실도 바로 잡을 필요가 있었다. 그래서 강릉사또는 골생원이 망신당하는 과정을 지켜보면서 매화가 은연중에 색에 대한 집착이 가져오는 병폐가 무엇인지 깨닫도록 의도하였다. 즉 사또는 매화가 알몸으로 데리고 온 골생원과 매화를 동시에 망신을 줌으로써 지방관으로서의 권위를 내세우고, 퇴폐관료인 골생원이 부끄러움이 무엇인지 깨닫도록 한 것이다. 당연히 이러한 과정을 통해 골생원과 놀아난 매화에게 반성의 기회를 제공함은 물론, 상층부와 하층부가 각기 각성하여 건전한 공동체의 구성원이 되길 바

---

174) 김진영 외, 앞의 책, 232-233쪽.
175) 김진영 외, 앞의 책, 233-234쪽.

란 것이라 하겠다. 잘 아는 것처럼 골생원은 여러 방면에서 문제가 있었다. 본분을 망각한 채 기생과 향락적인 생활을 영위했는가 하면, 관리를 사사로이 부리기도 하였다. 공과 사를 구분하지 못할 정도로 정체성을 잃고 방황할 따름이었다. 이러한 골생원의 행동에 부화뇌동한 인물이 기생 매화이다. 매화는 골생원을 흠모하여 그와 함께 유락적인 생활을 일삼았던 것이다. 그러기에 사또가 일거양득의 효과를 생각하고 속이기를 단행하여 두 사람의 부정적인 이미지를 일신한 것이라 하겠다. 지금까지 논의한 내용을 간단히 요약하여 나타내면 다음과 같다.

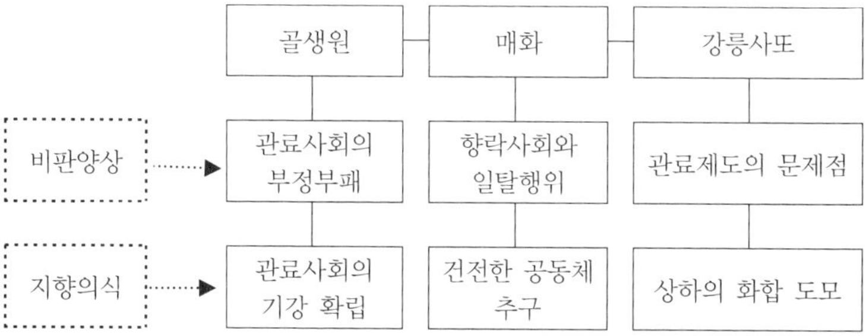

이상에서 보는 바와 같이 〈강릉매화타령〉은 관료사회의 부패를 비판하고 있다. 골생원이 매화와 벌이는 향락적 퇴폐 행각이나 양반이 시전 아이에게 매 맞고 다니는 상황을 통해 사회질서가 무너진 시대상을 드러내고 있다. 그래서 이 작품은 상층의 그릇된 행태를 바로 잡아 건전한 사회의 일원으로 탈바꿈시키는 한편으로, 상층의 권위를 끌어내리고 하층의 의식을 고양함으로써 상하평등을 지향한 것으로 볼 수 있다.

신분 비판형 판소리계 소설은 이처럼 상층신분의 비정상적인 행태를 만천하에 폭로하고, 그들이 건전한 방향으로 선회하기를 소망하고 있다. 이는 신분제가 붕괴되는 상황에서 여전히 상층민으로 군림하려는 문제를 풍자한 것이기도 하다. 한편으로는 위선적인 상층민을 해학적으로 그려 그들의 권위를 급전직하로 끌어내림으로써 하층민과 그들이 다름이 없음을 천명한 것이라 하겠다. 그래서 최하층의 신분에서 상층의 문제를 전격적으로 지적하고 시정을 촉구한 것이라 할 수 있다. 이는 하층민의 의식이 상층민의 그것에 다르지 않음을 보인 것이기도 하다. 이렇게 함으로써 자연스럽게 상하가 하나임을 보인 것이다. 즉 신분에 대한 문제를 전면에 내세우면서 평등의식을 보인 것이 이 유형의 핵심이라 할 수 있다.

2) 제도 비판형의 지향의식

조선후기 경제발전은 부익부빈익빈의 결과를 낳으면서 사회적으로 많은 변화를 가져온다. 경제력을 상실한 몰락양반은 먹고 사는 문제를 해결하기 위해 양반 신분을 매매하는가 하면, 토지를 상실한 농민은 각종 노역에 시달리거나 감당하지 못할 세금에 유랑민으로 전락하기도 하였다. 국가에서는 이러한 문제를 해결하는 방안으로 유교적인 이념과 제도를 강화하기에 이른다. 강화된 제도와 이념이 혼란스럽거나 느슨해진 기강을 바로 잡을 것으로 보았다. 그러면서 하층민이나 여성에 대한 차별이 심화되어 나타나기도 했다. 그러한 문제를 지적하면서 작품으로 형상화된 것이 〈변강쇠가〉와 〈장끼전〉이다. 다음에서는 두 작품의 지향의식을 좀 더 면밀히 살펴보도록 하겠다.

(1) 〈변강쇠가〉의 지향의식

〈변강쇠가〉는 성(性)과 죽음을 담론화하면서 하층민의 어려운 삶과 여성의 개가 문제를 다룬 작품이다. 한곳에 정착하지 못하고 떠돌이 생활을 하는 변강쇠나 상부살로 마을에서 쫓겨나는 옹녀의 삶을 통해 이 작품은 우회적인 방법으로 당시 사회문제를 심각하게 드러내고 있다. 변강쇠가 보여주는 소극적이고 무기력한 삶은 유랑민의 처지를 대변한 것으로 그의 삶에는 희망이 없었다. 각기 쓰임새가 다른 나무가 조화로운 숲을 이룬 광경을 보고 장승족에게 도전해 보지만 장승의 철저한 보복으로 무산되고 만다. 삶을 위한 항거가 죽음이라는 결과로 나타난 것이다. 〈변강쇠가〉는 인간의 가장 원초적인 욕구인 생존의 문제를 성과 죽음이라는 함축적이고 역설적인 방법을 통해 지향의식을 드러내고 있다. 그 내용을 살펴보면 다음과 같다.

첫째, 성과 죽음을 통해 인간의 존엄성을 드러내었다. 〈변강쇠가〉는 신분의 차별을 갖지 않는 성과 죽음의 기괴적 묘사를 통해 인간이 존엄함을 드러내고 있다. 인간은 신분의 고하를 막론하고 태어나면서 주어진 대로 남자나 여자로 살아가야 하며, 누구나 죽음을 맞이한다. 성과 죽음은 하늘이 양반이건 천민이건 인간에게 동등하게 부여한 것이다. 다만 남자나 여자라는 다른 모습으로 태어날 뿐 신분의 차이로 인해 성별이 구별되거나 죽음을 피해갈 수는 없다. 이러한 점에서 〈변강쇠가〉의 성과 죽음의 기괴적 묘사는 인간의 존엄을 지향한다 하겠다.

성의 기괴한 묘사는 제도권에서 제외된 유랑민에게는 생존을 위한 먹을 것과 살림살이를 연상케 한다. 인간이 살아가기 위해 필요한 의식주의 욕구를 충족하지 못하면 누구나 비참한 삶을 살 수밖에 없음을 드러낸 것이다. 기물치레는 유랑민의 생존의 욕구를 반영하고 있는 것으로 변강쇠와 옹녀 또한 의식주를 해결하며 한곳에 정착하여 조상의 제사를 챙기는 등 정상적인 가정을 꾸리고 싶은 소망을 담고 있다. 이 작품에서 역설적이지만 옹녀가 벌어 온 돈을 탕진하며 싸움과 노름을 일삼는 변강쇠는 누구보다 살기 좋은 세상을 갈구하는 인물이다. 이는 그가 부르는 나무 예찬을 통해 알 수 있다.

> 오동나무 벼ᄌᆞᄒᆞ니 슌임군의 오현금 살구나무 벼자ᄒᆞ니 공부ᄌᆞ의 강단 솔나무 죠타마ᄂᆞᆫ 진시황의 오ᄃᆡ부 잣나무 죠타마ᄂᆞᆫ 한고죠 더픈 그늘 어쥬축슈ᄋᆡ손츈 홍도 나무 사랑옵고 위셩죠우읍경진 버들나무 죠흘씨고 밤ᄂᆞ무 신쥬가음 젼나무 돗ᄃᆡ ᄌᆡ목 가ᄉᆞ목 단단ᄒᆞ니 각 영문 곤쟝가음 ᄎᆞᆷ나무 곳곳ᄒᆞ나 ᄇᆡ짓ᄂᆞᆫ ᄃᆡ 못가음 중나무 오시목과 ᄉᆞᆫ유자 용목 검핑 목물방 긴ᄒᆞᆫ 문목 화목되기 앗갑도다 이리져리 ᄉᆡᆼ각ᄒᆞ니 버힐 나무 젼혀 업다[176)]

변강쇠가 부르는 나무의 종류는 다양하다. 나무마다 각자의 쓰임새가 있다고 했다. 그것은 하층민이지만 사람 또한 다르지 않음을 말하려는 것이다. 변강쇠 자신이 사회의 구성원으로 소속되지 못하고 천대와 멸시를 받아가며 살아가는 존재이지만 산의 나무들조차 그 나름대로 쓰임새가 있음을 인식한 것이다. 나무들이 모여 하나의 숲과 산을 이루는 것처럼 인간 또한 다양성을 인정하고 그들의 복합체인 사회가 조화를 이루어야 한다고 본 것이다. 변강쇠가 원하는 세상은 쓰임새가 있는 나무와 같이 인간의 가치를 인정받고 조화를 추구하는 세상이다.

또한 이 작품은 죽음을 통해서도 상하귀천을 막론하고 인간의 존엄

---

176) 김진영 외, 앞의 책, 18쪽.

성을 천명하고 있다. 그러한 사정을 다음의 인용문을 통해 알 수 있다.

> 지하에 믿 듸 업고 인간에 주인 업셔 원통이 쥭은 혼이 신쳬 직겨 잇ᄂᆞᆫ 거슬 무지ᄒᆞᆫ 인싱들이 경ᄃᆡᄒᆞᆯ 쥴 모르고셔 손으로 만져보고 걸터 안씨 괘심ᄉᆞ나 어라 만슈 져라 만슈 옹좌슈 자닐낭은 일읍의 아관이오 움싱원 자닐낭은 양반의 도리로셔 경이원지 귀신 ᄃᆡ졉 어이 그리 모로던가 어라 만슈 져라[177]

이것은 변강쇠를 치상할 때 시체에 사람이 달라붙어 죽는 변고를 말하는 대목이다. 여기에서 해결책은 죽은 사람을 홀대하지 말고 공경할 것을 말하고 있다. 이것은 비록 변강쇠가 미천한 신분이지만 그를 존엄하게 대하지 않음으로써 달라붙어 죽은 것으로 본 것이다. 그래서 신분의 귀천을 가리지 않고 존엄하게 대할 때 모든 문제가 순리적으로 해결될 수 있음을 천명한 것이다. 인간의 존엄성을 작품의 시말을 통해 보이고 있음을 알 수 있다.

둘째, 비판과 저항을 통해 평등의식을 제시하였다. 앞에서 살핀 사회제도, 경제제도, 관료제도, 가부장제 모두가 상층의 기득권을 비판하면서 하층민의 삶에 대한 의식을 담고 있다. 그래서 상하평등과 남녀평등을 제시한 것으로 볼 수 있다. 특히 이 작품에서는 사회제도의 모순 중 가부장제에 큰 비중을 두었다. 조선후기 가부장제도에서 가족의 생계를 책임지는 것은 주로 남성이었다. 하지만 가부장인 변강쇠는 노름과 싸움만 일삼아 자신의 본분을 망각하고, 그 역할을 옹녀가 대신할 따름이다. 변강쇠가 옹녀를 대하는 태도는 '남존여비'를 전제한 것이다. 변강

177) 김진영 외, 앞의 책, 45-46쪽.

쇠가 보여주는 가장으로서의 무책임함과 옹녀를 대상으로 밤낮없이 성적 욕망을 채우는 것은 당시의 일그러진 가족관계를 보이는 바라 하겠다. 변강쇠는 옹녀와의 첫날밤에 여필종부를 내세웠지만 옹녀가 그것을 따르면 두 사람 모두 굶어 죽을 처지에 놓인다. 옹녀가 떡 장사, 바느질품을 팔며 생계를 이어가는 것도 이 때문이다.

변강쇠의 모순된 삶의 태도는 그가 죽음 앞에서 옹녀에게 수절을 강요한 곳에서도 나타난다. 변강쇠가 옹녀에게 요구하는 것은 옹녀 자신에게 현실적으로 용납 할 수 없는 것이다. 잦은 개가를 한 옹녀의 모습을 통해 알 수 있듯 옹녀는 유교사회에서 요구하는 열녀와는 동떨어진 인물이다.

> 혼ᄌᆞ말노 ᄌᆞ탄ᄒᆞ여 무인지경 이 ᄉᆞᆫ즁에 나 혼자 울어셔ᄂᆞᆫ 낭군 치샹 ᄒᆞᆯ 슈 업셔 시충출호 될 터이니 ᄃᆡ로변에 안져 울어 오입남ᄌᆞ 맛나시면 치상을 ᄒᆞᆯ 듯ᄒᆞ니 그 슈가 올타 ᄒᆞ고 …(중략)… 치상만 ᄒᆞ거드면 그 ᄉᆞ람과 ᄉᆞᆯ 터이니 승속을 가릴테오 져 즁이 ᄃᆡ희ᄒᆞ야 그리ᄒᆞ면 쉰 일잇쇼 그 송장 ᄂᆡ 치고 ᄂᆞᆯ과 살아 엇더ᄒᆞ오[178]

오히려 옹녀는 변강쇠의 시체를 치우기 위해 자신의 성을 삶의 수단으로 이용할 정도로 지극히 현실적인 인물이다. 그래서 옹녀의 성은 삶의 도구이자 그녀가 살아가는 방식이다.[179] 이러한 상황에서도 사회제도가 엄격하여 과부가 된 옹녀는 합법적으로 재가를 단행할 수 없다. 궁지에 몰린 상황에서도 유교적인 이념에 따라, 실정법인 제도에 따라

---

178) 김진영 외, 앞의 책, 27-30쪽.

179) 최동원, 『판소리의 미학과 역사』, 민속원, 2005, 447-448쪽.

개가할 수 없어 안정적인 삶을 도모하기가 쉽지 않다. 실제로 변강쇠는 죽어가면서도 기존의 관념과 제도에 따라 옹녀가 수절해주기를 바란다. 즉 변강쇠가 죽음을 앞두고 상례(喪禮)와 수절을 요구하여 조선사회의 가부장제에 따른 권위와 여성의 개가 문제를 전면에 부각해 놓았다. 하지만 옹녀는 그러한 변강쇠의 요청을 따르지 않는다. 변강쇠의 장례를 치르고 다시 재가를 단행하기로 결심한다. 이것은 옹녀 나름대로 기존의 제도와 관념에 대한 저항이라 할 수 있다. 제도적인 모순으로 고통 받는 하층민, 특히 여성의 해방을 중시한 것이라 하겠다.

변강쇠가 옹녀에게 수절을 요구한 것은 역설적이게도 유교적인 이념의 부당성을 드러내는 것이라 하겠다. 그러기에 옹녀가 변강쇠의 치상을 돕는 사람과 함께 살기로 약속할 수 있었던 것이다. 이것은 여성을 남성의 소유물로 인식했던 당시의 가치관을 뒤엎는 파격이라 하겠다. 여성의 성을 통해 오히려 여성의 주체적인 자각을 드러낸 것으로 볼 수 있다. 다양한 제도의 모순을 통해 상하가 평등하기를 소망했던 것처럼 가부장제와 성을 통해서 남녀의 평등을 제시한 것으로 볼 수 있다.

셋째, 탐욕을 지적하고 바람직한 삶의 자세를 제시하였다. 〈변강쇠가〉의 인물들은 대부분 부정적이다. 변강쇠와 옹녀를 유랑하게 만든 기득권층은 말할 것도 없거니와 변강쇠와 옹녀도 부정적으로 그려진다. 특히 변강쇠는 삶의 의욕도 없이 옹녀의 육체만 탐하며 살아가는 인물로 형상화하였다. 변강쇠는 죽음을 앞두고도 옹녀에게 격식 있는 장례와 시묘살이, 삼년상을 지낼 것을 요구한다. 변강쇠는 옹녀가 살아온 인생의 여정은 물론 그녀가 누구인지 잘 알고 있다. 이러한 점에서 변강쇠의 유언은 크나큰 모순이 아닐 수 없다. 이것은 기득권층의 상장례의 폐단을 지적한 것으로, 바람직하고 건전한 삶의 자세를 역설적으로 드러내기 위한 수단이라 하겠다.

반면 탐욕의 연속은 옹녀를 중심으로 확대되고 있다. 옹녀는 빼어난 미모로 여러 번의 개가를 단행하고 변강쇠가 죽었을 때에도 여전히 여러 명의 남자들이 옹녀를 탐하며 나선다. 그래서 이 작품은 지나친 탐욕, 즉 물욕과 색욕 등의 문제를 지적하면서 바람직한 인간상의 정립을 목표로 하고 있음을 알 수 있다. 표면상으로는 변강쇠의 시신을 치우고 옹녀와 살아보겠다고 덤비는 하층민에 대한 탐욕을 비판한 것이지만, 실질적으로는 격식 있는 장례와 시묘살이, 삼년상을 지낼 것을 요구하는 상층부의 허례적인 탐욕을 비판한 것이기도 하다. 그래서 죽음을 앞둔 변강쇠가 옹녀에게 개가하지 말 것을 당부한 이면에는 옹녀를 통해 변강쇠의 사회에 대한 또 다른 저항의식을 표출한 것이라 할 수 있다. 특히 이 작품은 옹녀의 삶과 죽은 변강쇠의 치상 과정을 통해 인간의 탐욕을 적나라하게 지적하고 있다. 변강쇠의 시체를 치우려고 옹녀에게 접근하는 이들은 변강쇠의 장례를 치르는 일보다 옹녀와 같이 살 것에 혈안이 되어 있다. 하지만 이들의 소망과는 달리 변강쇠의 유언대로 죽음을 당하거나 강쇠의 시신에 달라붙는 변고를 당한다. 변강쇠의 치상 과정은 인간의 탐욕을 지적하면서 동시에 인간적인 윤리를 요구하고 있다. 변강쇠는 한 인간의 죽음에 대한 애도와 장례를 걱정하기보다는 탐욕에 인간미가 상실된 이들을 징치하면서 바람직한 삶의 자세의 필요성을 드러내고 있다. 욕망을 버리고 건전한 삶을 지향해야 한다고 본 것이다. 다음의 인용문을 보자.

> 한늘 한시 뭇틔 송장 여들 송ᄌᆞᆼ 각긔 셔름 다 원통ᄒᆞᆫ 송ᄌᆞᆼ이라 사라쓸제 집이 업고 죽은 후에 ᄌᆞ식 업셔 놉푼 뫼 집푼 구렁 이리져리 구ᄂᆞᆫ

> 썌를 무더주리 뉘 잇스며 실푼 바름 지난 달에 ᄋᆡ고ᄋᆡ고 우난 혼을 죠상 ᄒᆞ리 뉘 잇슬리 ᄉᆡᆼ각ᄒᆞ면 허ᄉᆞ로다 심ᄉᆞ 부려 슬 ᄃᆡ 잇나 이ᄉᆡᆼ 원통다 바리고 지부명왕 차져가셔 절절이 원정ᄒᆞ여 후ᄉᆡᆼ의 복을 타셔 부귀가에 다시 ᄉᆡᆼ겨 평ᄉᆡᆼ 힝낙ᄒᆞ게 ᄒᆞ면 당신네 신체들은 청ᄉᆞᆫ에 터를 잡아 각각 후장ᄒᆞᆫ 연후에 연연기일 도라오면 ᄂᆡ가 봉사ᄒᆞᆯ 것시니 졔발 덕분 ᄯᅥ러지오 ᄋᆡ긍이 빈 연후에 네 놈 ᄲᅮᆯ근 일어셔니 모도다 ᄯᅥ러졋다[180)]

변강쇠에게 달라붙은 이들의 저주는 자신의 탐욕을 버렸을 때 해결된다. 변강쇠의 시체에 달라붙은 이들은 진실한 마음을 담아 넋두리를 통해 빌게 된다. 뎁득이와 각설이패 넷만 남겨 놓고 나머지 사람들을 시체에서 떨어지게 한 것도 죽은 변강쇠의 넋을 진심으로 위로하고 난 후의 일이다. 변강쇠의 시신에 붙어 있던 뎁득이는 다시 한 번 변강쇠가 복을 타고 부유한 가문에 태어나 평생 한을 풀 것을 지성으로 빌어 본다. 그러자 뎁득이와 각설이패 모두 변강쇠의 시신에서 떨어지게 된다. 자신을 위해서가 아니라 남이 잘되기를 바라는 이타적인 생각이 그들을 자유롭게 만들었다. 인용문을 더 보자.

> 가리질 네 번치 죽은 목심 근신이 사라시니 조흘시고 공셰상에 오입 참고 ᄉᆞ름 되식 어기여라 가리질 훨신 가라 바린 후에 여인에게 하직ᄒᆞ야 풍유남ᄌᆞ 가리여셔 ᄇᆡᆨ년히로 ᄒᆞ게 ᄒᆞ오 나ᄂᆞᆫ 고향 도라가셔 동아부ᄌᆞ 지ᄂᆡᆯ테오 쎨쎨이고 도라가셔 ᄀᆡ과천션 이 아닌가 월나라 망ᄒᆞᆫ 후에 셔시가 쇼식 업고 동탁이 죽은 후에 초션이 간 ᄃᆡ 업다 이 셰상 오입객이 미혼진을 모로고셔 야용히음 분ᄃᆡ굴에 기인도 차오평ᄉᆡᆼ고 이 사셜 드러시면 징계가 될 ᄯᅳᆺᄒᆞ니[181)]

---

180) 김진영 외, 앞의 책, 47쪽.

181) 김진영 외, 앞의 책, 47-48쪽.

뎁득이는 변강쇠의 시체에 달라붙은 이들을 구제하고 변강쇠가 요구했던 올바른 삶의 방향을 제시한 인물로 볼 수 있다. 뎁득이가 갈이질로 떼어내는 시체는 모순된 제도의 청산으로 볼 수 있다. 즉 변강쇠의 시체에 달라붙은 이들이 중세의 모순된 이념을 추구했던 인물이라면, 뎁득이는 중세의 이념을 청산하고 새로운 제도를 제시한 인물이라 할 수 있겠다.

〈변강쇠가〉는 사회·경제제도의 모순과 가족공동체의 해체 등 다양한 사회문제를 제시함과 동시에 상하와 남녀가 조화를 이루는 공동체 지향과 인간성 회복을 제시한 작품이라 할 수 있다. 〈변강쇠가〉는 실창판소리계 소설 가운데 가장 많은 함축성으로 사회의 제도적인 문제를 지적·비판한 작품으로 그 의의가 크다. 사회의 제도적인 모순을 역설적으로 표출하면서도 유랑민의 삶을 통해 건전한 삶의 방향을 제시하고 있다. 비관보다는 삶에 대한 의지를 긍정적으로 제시했다는 점에서 주목할 만하다. 또한 인간의 존엄과 평등을 제시했다는 점에서 지향점이 근대의식에 근접해 있음을 알 수 있다. 지금까지의 논의를 요약하여 간략하게 나타내면 다음과 같다.

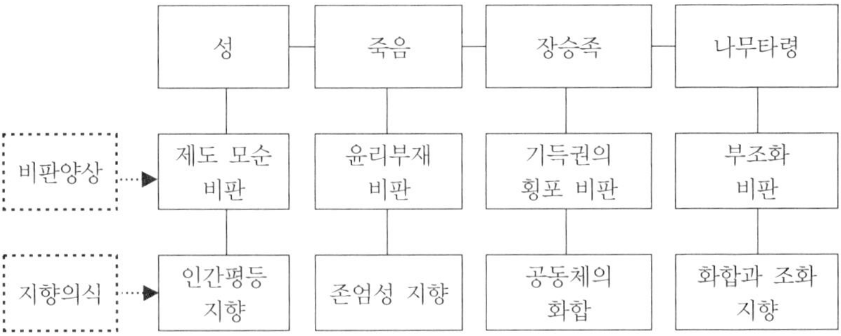

이상에서 보는 바와 같이 〈변강쇠가〉는 상징과 함축으로 제도의 모순과 기득권층의 문제를 비판하고 있다. 인간이 평등하고 존엄함을 성과 죽음의 상징을 통해 보이는 한편으로, 제도의 모순에서 벌어지는 차별에도 주목하고 있다. 기득권을 상징하는 장승족과 나무마다 가지는 덕의 대비를 통해 화합과 조화를 꿈꾼 것도 그 때문이다. 이러한 점에서 〈변강쇠가〉는 중세에서 근대로의 변화기의 시대적 상황을 적절히 포착한 것으로 볼 수 있다.

(2) 〈장끼전〉의 지향의식

〈장끼전〉은 동물우화의 수법을 통해 유랑민이 양산되는 제도적인 문제와 여성의 재가문제를 다룬 작품이다. 조선후기의 사회제도나 농업제도 그리고 여성에 대한 차별적 제도에서 빚어진 문제를 전면에 내세우고 있다. 수탈만 당하는 하층민의 사정, 그중에서도 더 철저하게 핍박 받았던 여성의 문제를 〈장끼전〉이 담아낸 것이라 하겠다. 〈장끼전〉은 조선후기 사회문제를 다양한 각도에서 바라보고 있다. 유랑민의 삶의 문제, 관리의 수탈, 부농의 윤리의식 부재, 여성의 개가 문제 등 사회 전반의 문제를 까투리라는 여성 하층민의 시각에서 비판하고 있다. 〈장끼전〉에서 사회 모순의 문제를 극복하고 지향하고자 했던 바를 살펴보면 다음과 같다.

첫째, 가부장제의 권위주의에 대한 여성의식의 발현이다. 조선의 가부장제는 유교적 이념을 충실히 따르는 것이다. 이와 같은 유교적 가부장제는 국가조직 원리에까지 적용되었다. 국왕은 충의 규범에 입각한 가부장적 존재로 군림하였고, 신분관계를 비롯한 모든 관계에도 가부장적 관계가 적용되었다. 당시 지배층이었던 위정자는 하층민의 삶을 헤아리지 못한 채 유교제도에 순종할 것을 강요하기만 하였다. 그래서 가부장제의 권위는 날로 강화되었고, 사회적으로도 상하질서와 남녀 질서를 강조하는 법제가 엄연하였다. 특히 결혼한 여성은 남편이 죽으면 3년 동안 재혼을 금지시켰으며, 재혼한 여성의 아들은 벼슬길에 제약을 가하는 등 제도적으로 여성들을 제약했다. 그런데 까투리는 이러한 제도에 충실히 순종하기보다는 그것을 과감히 어김으로써 저항의식과 남녀평등의식을 고취하고 있다.

〈장끼전〉은 가부장제의 권위를 벗겨내고 여성을 동등한 인격체로 존중하면서 남녀평등의 사회로 나아가기를 소망한 작품이라 할 수 있다. 이를 위해 이 작품에서는 까투리가 가부장제의 권위주의에 희생을 당하면서 그 틀에서 벗어나는 주체적 의식을 보이고 있다. 이 작품에서 가부장제의 권위의식은 장끼의 허황된 해몽을 통해 드러낸다. 까투리는 현실적 관점에서 장끼를 만류하지만 장끼의 완강한 고집은 폭력으로 이어진다. 까투리는 주변의 상황과 현실을 인지하지만, 장끼는 가부장의 권위만 내세우다 죽음의 지경에 이른다. 그래서 까투리는 과거의 유교적 윤리관에 묶여 순종만 강요하는 맹목적·종속적인 삶에서 벗어나 여성의 주체성을 확보한 인물이라 하겠다. 반면에 장끼는 '건곤(乾坤)이 조판(肇判)할졔 만물(萬物)이 번셩(繁盛)ᄒᆞ여 귀(貴)할 손 인생(人生)이오 쳔(賤)할손 김생(禽生)이라'고[182] 한 것에서 볼 수 있듯이 사람이 귀한 존재임을 인식하되 남성의 권위의식은 떨쳐버리지 못한 구시대의 관습에 얽매인 인물이라 할 수 있다.

까투리의 현실인식은 과거 까투리의 남편들이 보라매와 사냥개에게

182) 김진영 외, 〈장끼전〉, 285쪽.

물려 죽고 포수에게 잡혀가 죽는 일을 겪으면서 체득한 경험에서 형성된 것이다. 현실에서 무조건적인 복종은 위험하다는 것을 까투리는 누구보다 잘 알고 있다. 이러한 가운데 가부장제의 권위주의에서 요구하는 무조건인 순종과 속박의 삶보다는 자기 주도적인 삶의 자세를 취하고 개척하는 까투리를 통해 가부장제의 권위주의에 대항하는 여성의식을 엿볼 수 있다.

> 까토리 하난 말이 죽은 랑군 생각(生覺)하면 개가(改嫁)하기 절박(絕薄)하나 내 나를 쏩아보면 불노불소(不老不) 즁(中) 늙은이라 수맛 일고 살림할 나이로다 오날 그대 풍신(風身) 보니 슈절(守節) 마암 젼혀 업고 음난지심(淫亂之心) 발동(發動)하내 허한(許多) 호라비가 예셔 통혼(通婚)하나 왕상만리 각실너니 녯말의 일으기를 류류상종(類類相從)이라 하엿스니 까토리가 장씨 실랑 따라감이 의당당(宜當當)한 상사로다[183]

이처럼 여성의식이 제고되기를 소망하면서 이 작품을 창작한 것이라 하겠다. 굴종하던 여성에서 점진적으로 자의식이 형성되고, 그것이 주체적인 삶을 추구하는 방향으로 나아가기를 소망한 것이라 할 수 있다. 따라서 이 작품은 여성을 남성과 동등한 인격체로 보면서, 수직적인 가정공동체에서 벗어나 부부가 화합을 이루는 수평적인 가정공동체를 지향했다는 점에 의의가 있다 하겠다. 무엇보다 작품의 말미에 홀아비 장끼가 가부장제의 부부관계를 청산하고 부부간의 평등을 제시했다는 점에서 의의가 크다고 하겠다. 또한 홀아비 장끼인 남성을 통해 여성에 대한 새로운 인식과 부부가 화합을 이루는 가족공동체를 제시했

---

183) 김진영 외, 앞의 책, 300쪽.

다는 점에서 그 의미가 남다르다.

둘째, 주체적인 여성 인물상의 정립이다. 조선후기 여성들은 남편에 대한 선택권이 자유롭지 못했다. 더구나 남편이 누구냐에 따라 여성의 운명이 좌우되기도 했다. 까투리와 옹녀는 남편들이 줄지어 죽음으로써 여러 번의 개가를 단행한다. 옹녀와 까투리는 사회의 부정적 시선을 극복하고 자신의 주어진 삶을 살기 위해 열심히 노력한다. 그러한 가운데 까투리는 스스로 남편을 고르고 자신의 삶을 선택했다는 점에서 옹녀보다 더 주체성이 강한 인물이라 할 수 있다. 까투리가 주체성이 강한 인물임은 물오리와의 대화에서 잘 드러난다. 물오리는 자신의 호강을 자랑하며 까투리가 자신과 혼인할 것이라고 기대하고 있다. 이에 대해 까투리는 자신의 삶을 긍정적으로 옹호한다. 인용문을 본다.

> 오리란 놈 하난 말이 이내 호강(豪康) 드러보소 영쥬(瀛州) 봉내(蓬萊) 쳥강슈(淸江水)의 모든 신션(神仙) 배를 타고 완월장취(玩月長醉) 하난 냥을 역역히 구경하고 소상동셩 너른물에 홍요백빈(紅蓼白蘋) 집을 삼어 오락가락 논닐면셔 은인옥쳑(銀鱗玉尺) 조흔 생션 식양(食量)대로 장복(長服)하니 텬디간(天地間)의 조흔 생애(生涯) 물밧게 또 잇난가[184]

> 까토리 하난 말이 물 생애(生涯) 좃타한들 육디생애(陸地生涯) 갓틀소냐 우리 생애(生涯) 드러보소 평원광야(平原廣野) 너른 들의 오락가락 논일다가 층암절벽(層巖絕壁) 놉흔 봉(峯)의 허위허위 올나가셔 사해팔방(四海八方) 구경하고 츈삼월(春三月) 느진 봄 객사쳥쳥유색신(客舍靑靑柳色新)할 졔 황금(黃金) 갓흔 꾀꼬리난 양류간(楊柳間)에 왕내(往來)하고 춘풍도리화개야(春風桃李花開夜)에 초혼조(楚魂鳥) 슬피 울어 불

184) 김진영 외, 앞의 책, 299쪽.

> 여귀(不如歸) 하는 소래 초목금슈(草木禽獸)라도 심회(心懷) 산란(散亂) 하니 그도 쏘한 경(景)이로다 츄팔월(秋八月) 황국시(黃菊時) 만산실과(萬山實果) 쥬어다가 압뒤로 로젹(露積)하고 치샹군(雉將軍)의 조흔 복색(服色) 츈치자명(春雉自鳴) 우난 소래 고금(古今)에 무쌍(無雙)이라 수궁생애(水宮生涯) 조타 한들 륙지생애(陸地生涯)당할소냐 하니[185)]

까투리는 물오리가 누리는 호강을 오히려 비웃으며 자신도 그에 못지않은 좋은 세상에 살고 있음을 자랑한다. 까투리는 스스로가 물오리와 사는 세계가 다름을 인식하는 현명한 인물이다. 배고프고 위험한 환경에서 살아가는 까투리에게는 좋은 집과 음식, 그리고 의복은 유혹으로 다가왔을지도 모른다. 하지만 까투리는 자연과 더불어 즐기는 자신의 자유로운 삶을 내세우며 물오리의 청혼을 거부하는 당당함을 보인다. 그녀는 고단한 삶을 살면서도 민중에게 새로운 삶에 대한 희망을 설득력 있게 추구한 인물이다. 즉 까투리는 조선후기 빈민층 여성의 상징이자, 사회의 모순된 틀을 깨고 현실에 맞는 새로운 의식을 제시하는 인물이라 하겠다.

까투리가 보여준 개가 실현의 인물 형상화는 여성을 감금해 왔던 차별적 체계로부터 여성을 해방시킬 수 있는 가능성으로 인식된다.[186)] 까투리는 객관적인 시선에서 장끼의 성급한 판단을 지적하고, 가부장제의 권위와 이기심, 윤리의 부재, 개가에 대해 비판의 목소리를 높이고 있다. 까투리의 이러한 모습을 통해 가부장제의 속박에서 벗어나 종속관계가 아닌 남녀평등의 조화로운 세계를 추구하는 새로운 여성상을 제시했다

---

185) 김진영 외, 앞의 책, 299쪽.

186) 우혜영, 「〈장끼전〉, 〈변강쇠가〉 연구 - 인물 표현 양상을 중심으로」, 배재대학교 박사학위논문, 2013, 118쪽.

고 볼 수 있다. 그런 점에서 근대적인 여성인식을 일정 부분이나마 표출한 점이 지향의식의 핵심 중 하나라 할 수 있다.

셋째, 가부장제의 종속성 탈피와 새로운 의식의 고양이다. 조선사회는 삼강오륜인 유교이념을 내세워 나라를 통치하면 나라가 편안해지고 백성들이 잘 살 것이라고 믿었다. 하지만 유교는 현실을 반영하지 못한 사상에만 얽매여 백성들의 삶은 궁핍해져만 갔다. 〈장끼전〉은 현실과 동떨어진 유교이념의 모순을 지적하며, 현실에 맞는 새로운 의식을 추구하고 있다. 이 작품에서 가부장제를 거부하고 새로운 의식을 추구한 인물은 까투리와 홀아비 장끼이다. 죽음을 맞이한 장끼가 가부장제의 권위를 내세우고 현실을 인식하지 못하는 인물이라면,[187] 까투리와 홀아비 장끼는 부부관계를 평등한 시각에서 바라보는 인물이라 하겠다.

까투리는 가부장제를 거부하고 개가를 단행한 인물이다. 가부장제의 한계를 극복한 인물이 사회에서 가장 천대받는 하층민인 까투리이다. 까투리는 현실에 입각한 주체성이 강한 여성으로 가부장제의 종속적인 제도에서 벗어나 자신의 주체성을 확립하고자 했다. 까투리의 주체성은 자신에게 닥친 삶의 고통스런 현실을 외면하지 않고 마주하는 모습에서 확인할 수 있다. 기존의 질서에 안주하면서 자신의 삶을 포기

---

187) 콩 한 알로 죽음에 이른 장끼는 사회의 어두운 이면은 물론 사회의 불합리한 제도를 있는 그대로 드러내 보이는 인물이다. 장끼는 가부장제의 권위를 추수하는 인물이라 할 수 있다. 엄동설한에 굶주림에 지쳐 먹을 것을 구하는 처참한 상황과 포수에게 언제 잡힐 줄 모르는 위험한 환경, 관리의 수탈로 이어지는 유랑민의 삶을 생생하게 보여주기 때문이다. 삶의 의식주조차 해결하지 못하는 상황에서 까투리는 가부장의 권위만 내세워 중세의식을 떨치지 못한 인물로 그려지기도 한다. 장끼는 까투리가 간밤의 꿈을 이유로 콩을 주우러 가지 말라고 만류하자 꿈을 자기에게 이로운 쪽으로 해몽하고, 까투리에게 온갖 험악한 말로 구박한다. 모두 가부장의 권위에서 비롯된 것이다. 이때의 장끼는 현실을 인식하지 못하는 소극적 인물이자 유교이념의 모순을 드러낸 인물이라 할 수 있다. 그래서 장끼의 죽음은 중세의식에 머무르는 한계를 노정한 것이라 할 수 있다.

하기보다는 새로운 노선을 찾아 적극적으로 나선 것이다.

> 갈가마귀 북악(北嶽)을 구경(求景)하고 로즁(路中)의 허긔(虛氣) 만나 요긔차(療飢次)로 짜토리게 죠상(弔喪)하고 …(중략)… 우리 두리 자수 셩가(自手成家) 할 심 잡고 백년동락(百年同樂) 웃더한가 하니 짜토리 한심(寒心)지고 하난 말이 아모리 미물(微物)인들 삼년상(三年喪)도 못 맛치고 개가(改嫁)하야 가난 법(法)은 뉘 례문(禮文)의 보앗난가 고담(古談)의 이른 말이 운죵용(雲從龍)하고 풍종호(風從虎)라 하며 녀필죵부(女必從夫)라 하엿스니 님마다 쌰라갈가[188]

> 물오리란 놈 일곱 번 상쳐(喪妻)하고 남녀간(男女間) 혈륙(血肉)업셔 후쳐(後妻)를 구(求)하더니 짜토리 상쳐(喪妻)한 소식(消息)을 알고 …(중략)… 짜토리 신부(新婦) 게신가 우리 신량 드러가네 짜토리 울다 하난 말이 아모리 과부(寡婦)가 만만한들 궁홉(宮合)도 아니보고 억혼인(臆婚姻)하랴[189]

온전한 인격체인 여성을 남성의 부속물로 간주하는 인식과 제도는 여성들이 극복해야 할 문제였다. 장끼가 죽음을 앞두고 까투리에게 수절해서 정렬부인이 되라고 한 유언은 당시 여성의 개가 금지에 커다란 모순이 있음을 역설적으로 드러낸 것이다. 그가 요구하는 것이 실현 가능성이 없을뿐더러 까투리의 의지로 보았을 때 가망성도 없었기 때문이다. 당시의 여성은 칠거지악을 어기면 집안에서 추방되고, 남편이 죽으면 따라 죽기를 강요받았다. 하지만 까투리가 개가를 단행한 것은 악습에 대한 비판이자, 여성을 한 인간으로서 존중해야 할 인격체임을

---

188) 김진영 외, 앞의 책, 296-297쪽.

189) 김진영 외, 앞의 책, 298쪽.

천명한 것이라 할 수 있다. 여성이 더는 남성이나 가정의 부속물이 아니라는 인식을 그렇게 드러낸 것이다.

홀아비 장끼는 죽은 장끼의 장례에 조문객으로 찾아온 인물이다. 자신의 배경과 어른임을 내세우는 갈가마귀, 물오리, 외기러기와는 달리 까투리에게 진심어린 청혼을 실행한 인물이기도 하다. 자신이 홀아비라는 점을 내세워 까투리와 자기가 하늘이 정해준 짝이라며 아들 딸 낳아 결혼도 시키고 백년해로하자는 뜻을 간곡하게 전하고 있다.

> 조상(弔喪) 왓든 쟝찌란 놈 썩 나셔셔 하는 말이 이내 몸 환거(鰥居)한지 삼년(三年)이 되엿스니 맛당한 혼쳐(婚處)업더니 오날 그대 과부(寡婦) 되자 조상(弔喪) 오자 텬졍배필(天定配匹)을 텬위신조(天爲神造) 하엿스니 우리 둘이 짝을 지여 유자생녀(有子生女)하고 남혼역가(男婚女嫁) 시기여 백년해로(百年偕老) 하리로라[190]

홀아비 장끼는 죽은 장끼나 갈가마귀, 물오리, 외기러기와는 전혀 다른 새로운 근대의식을 추구하는 인물이다. 홀아비 장끼는 까투리에게 천정배필이라고 할 만큼 까투리를 남성의 소유물이 아닌 한 사람의 인격체로 자신과 동등한 위치에서 대하고 있다. 홀아비 장끼의 청혼은 까투리와 동등한 부부의 위치에서 삶의 희로애락을 같이 하자는 의미가 내포되어 있다. 홀아비 장끼가 보여주는 여성에 대한 새로운 의식은 여성의 개가에 대한 의식이 바뀌기를 소망하고 있다. 홀아비 장끼는 까투리와 처지가 비슷한 인물이지만, 중세의 종속적인 부부제도를 과감히 거부하고 새로운 부부관계를 제시하고 있다. 까투리와 홀아비 장끼는 사회의

---

190) 김진영 외, 앞의 책, 299-300쪽.

모순된 제도를 정면으로 비판하는 가운데 봉건해체기의 불안정한 삶을 살아가는 민중에게 새로운 희망과 주체의식을 심어주는 모범적인 인물상이라 할 만하다. 지금까지의 논의를 표로 나타내면 다음과 같다.

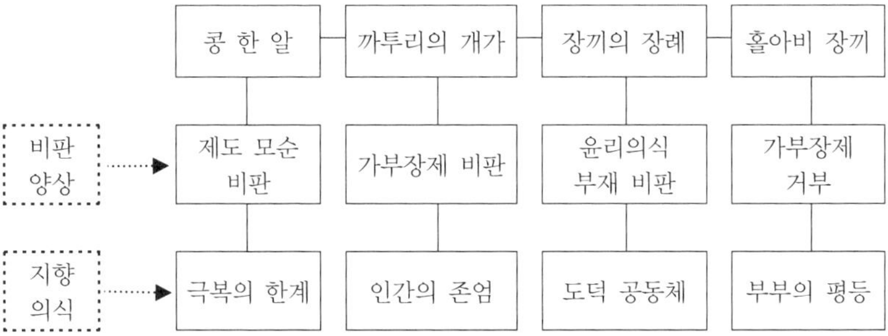

이상에서 보는 바와 같이 〈장끼전〉은 유랑민의 고달픈 삶과 가부장제에서 비롯된 남성의 권위의식 및 여성의 개가 문제 등 사회문제 전반을 비판하고 있다. 〈장끼전〉은 공동체에서 소외되고 개가를 여러 번 단행한 여성을 중심에 두고 가부장제의 모순을 비판한 작품이다. 따라서 장끼부부를 통해 조선후기 사회문제를 폭로·시정하면서 상하의 평등과 남녀의 평등을 지향한 것이라 할 수 있다. 새로운 여성상에 대한 근대적 의식은 남성의 권위적인 부부관계를 벗어나 동등한 위치에서의 부부관계를 지향한 것으로 볼 수 있다.

제도 비판형 판소리계 소설은 당대 제도의 미비가 불러온 참상을 고발하고, 그것이 합리적으로 시정되기를 소망하고 있다. 그 해결책의 노선이 바로 지향의식이라 할 수 있다. 실제로 이 유형에서는 제도의 경직성과 편향성에 대하여 문제를 제기하고, 그것이 유연하면서도 합리적으로 조정되기를 희망하고 있다. 즉 양반 중심적인 제도의 편향성을 상하가 아우를 수 있는 방향으로 조정하여 이른바 인간의 존엄성을 강조하고, 여성을 억압하는 경직성에서 벗어나 현실성에 맞는 유연성을 강조하면서 여성해방을 추구한 것이라 할 수 있다. 하층민이나 여성의 현실적이고 주체적인 모습을 강조하여 근대의식을 담고 있다 하겠다. 상하윤리나 제도를 무시하면서 항거하거나 중세 이데올로기인 열녀를 과감히 거부하고 재혼하는 것은 현실 행복을 중시하는 새로운 의식의 표출이라 할 수 있다.

3) 계급 비판형의 지향의식

조선후기의 윤리덕목은 사회 변동에 따라 가치관이 변하면서 혼란을 빚게 된다. 임병양란 이후 국가재정의 확보를 위한 공명첩의 발행과 상공업의 발달로 부를 축적한 중인 및 상민 계급의 등장으로 신분질서는 심각한 혼란에 빠지게 된다. 이러한 신분제의 문란은 사회구조의 변동은 물론이고 세계인식의 변모를 가져왔다. 이에 따라 당연하게 여겨졌던 윤리의식도 심각하게 변화한다.[191] 그래서 졸부가 된 유산계급을 윤리적으로 재무장시킬 필요가 있었다. 신분사회에서 계급사회로 급격히 이동하는 과정에서 생긴 문제를 시급히 시정할 필요가 생겼고, 그러한 내용을 전폭적으로 수렴한 작품이 바로 〈옹고집전〉과 〈무숙이타령〉이다. 이 두 작품도 다른 판소리 작품들처럼 현실주의적 시각에서 당대 문제를 논쟁적으로 형상화한 것이다. 이러한 시각에서 〈옹고집전〉과 〈무숙이타령〉의 지향의식을 좀 더 면밀히 살펴보겠다.

---

191) 김응환, 『고전소설의 윤리적 조명』, 한국학술정보, 2006, 35-36쪽.

(1) 〈옹고집전〉의 지향의식

〈옹고집전〉은 경제적으로 성장한 유산계급이 경제적 이익만을 추구한 나머지 윤리의식이 결여된 문제를 고발하고 있다. 조선후기는 경제력을 기반으로 한 하층민의 상승으로 양반층이 증가하는 한편, 시민의식의 성장으로 반상(班常) 간의 갈등이 심화되었다. 이러한 시기에 경제력을 내세운 계급에서 유교윤리를 무시한 채 오로지 물질만 추종하는 일이 벌어진다. 옹고집이 가족윤리를 저버리고 불도를 능멸하면서도 아무런 죄의식을 느끼지 못하는 이유도 바로 여기에 있다.[192] 이 작품은 부정적인 인물을 주인공으로 내세워 그 문제적 성격을 폭로하고 계도하려는 의도가 담겨 있다. 주요한 것을 보면 다음과 같다.

첫째, 징치를 통한 개과의 유도이다. 조선후기 양반의 신분은 경제력 앞에서 위세를 발휘하지 못하였다. 경제력만 있으면 양반의 신분을 사고 팔 수 있었기 때문이다. 재물을 축적한 계급에서는 더 이상 다른 사람들을 의식하지 않아도 삶에 불편함이 없었다. 오히려 자신이 가진 것을 남에게 빼앗길까 걱정하고, 풍년을 좋아하지 않는 옹고집처럼 남들이 자신처럼 여유롭게 사는 것을 못마땅하게 생각하였다. 더욱이 몰락한 양반의 경우 그들이 중시해오던 체통이나 선비로서의 위상은 먹고 사는 문제를 해결해 주지 못하였다. 이제 경제력을 바탕으로 대사회적인 영향력을 행사할 수 있는 위치에 있으면서도 제 구실을 못하는 인물에 대해 시정할 필요가 있었다. 옹고집이 승려에게 행한 그릇된 행

192) 조선후기는 무너져 가는 효를 바로 세우고 인간으로서 지켜야 할 마땅한 도리를 바로 잡아 공동체 안에서 타인과 함께 살아갈 필요가 있었다. 그러한 점을 적절히 다루면서 윤리적인 지표를 제시한 작품이 〈옹고집전〉이다. 이러한 점에서 이 작품은 문학사회학적인 측면에서 나름의 가치를 지니고 있다. (김영호, 「옹고집전의 근원설화 재고」, 『동양학』 58, 단국대학교 동양학연구소, 2015, 17쪽.)

태와 같은 것이 그를 실증한다 하겠다. 사회적인 문제를 야기하는 유산 계급은 이제 비판의 대상이 되어 징치되어야 하는 처지이다. 옹고집에게 모질게 당한 제승(諸僧)이 술법이 뛰어난 학대사를 찾아가 옹고집을 징치해줄 것을 요구하는 것이 대표적이라 할 수 있다.

> "사승의 높은 술법으로 염라왕(閻羅王)께 전갈하여 강림도령(降臨道令) 치사 노와 옹고집을 잡아다가 지옥에 엄수(嚴囚)하여 영불출세(永不出世)하게 하옵소서." "해동청(海東青)보라매 되어 청천운간(青天雲間) 높이 떠서 서산에 머물다가, 표연(飄然)히 달려들어 옹가 대가리를 두 발로 더뻑 쥐고 두 눈을 익은 한오수박 파듯 하여이다." "만첩청산(萬疊青山) 맹호(猛虎)되어 야삼경(夜三更) 깊은 밤에 담장을 넘어가서 옹가를 물어다가 산고곡심(山高谷深) 무인처(無人處)에 뼈 없이 먹사리다." "신미산 여우 되어 채의단장(彩衣丹粧) 곱게 입고 호색(好色)하는 고집의 품에 누워 단순호치(丹脣皓齒) 반개(半開)하여 좋은 말로 속일 적에, 첩은 본디 월궁 선녀(月宮仙女)로 상제(上帝)께 득죄(得罪)하여 인간에 내치시매 갈 바를 모르더니, 산신(山神)이 지시하여 좌수님과 연분(緣分)있다 하옵기로 찾아왔나이다, 하며 온갖 교태 내보이면 옹가 필경 대혹하여 등 치며 배 만지면 온갖 희롱 하다가 촉풍상한(觸風傷寒) 나서 죽게 하옵소서."[193]

제승(諸僧)이 요구하는 징벌은 학대사의 입장에서 볼 때 비윤리적이고 불교의 사상에도 어긋나는 행위이다. 학대사는 불교를 학대하고 승려를 구박한 옹고집을 시정하기 위한 방법으로 속이기 방법을 택한다. 속이기를 통해 상하가 전도된 삶을 살도록 한 것이다. 이러한 삶을 통해 옹고집과 같은 부류에게 항상 시달리기만 하던 하층민들도 상층과

---

193) 정병욱 교주, 103-104쪽.

같은 삶이 가능하기를 소망한 것이라 하겠다.

학대사는 진짜보다 더 진짜 같은 가짜 옹고집을 만들어 진옹이 가옹에게 수모를 당하도록 한다. 더욱이 자신의 집에서 추방당하여 하층민의 처절한 삶을 살도록 하여 자신의 잘못을 스스로 뉘우치도록 했다. 그러는 과정에서 죽음을 결행하려는 옹고집을 학대사가 나서서 구제한다. 처절한 반성과 각성이 가능할 수 있었던 것은 불교의 자비를 바탕으로 서로를 인정하며 화합할 수 있음을 제시한 때문이라 하겠다.

둘째, 객관적 탐색을 통한 자기반성이다. 학대사는 옹고집이 자신의 잘못을 스스로 깨달아가게 하는 방법으로 가옹을 만든다. 자신과 똑같은 행동을 일삼는 가옹을 통해 자기반성의 기회를 주기 위해서이다. 그래서 학대사는 도술로 가짜 옹고집을 만들고 가짜 옹고집이 진짜 옹고집의 삶을 살게 한다. 이러한 사실을 모르는 진옹은 가옹의 등장으로 인생역전의 순간을 맞게 되고, 그동안 자신이 저지른 부도덕한 행동이 만천하에 드러난다. 민중은 가옹의 행위를 통해 대리만족을 느끼게 된다. 두 명의 똑같은 옹고집의 등장으로 부인을 비롯해 며느리와 노복들도 진짜 옹고집이 누구인지 가리지 못한다. 옹고집의 부인은 옹고집의 부도덕한 행동이 하늘에서 죄를 주었다며 옹고집이 지은 죄를 이야기 한다.

> 애고 애고, 이게 웬 말이냐? 너의 좌수님이 중을 보면 결박하고 악한 형벌 무수(無數)하고. 불도를 능멸하며 팔십 당년 늙은 모친 박대한 죄 없을소냐? 지신(地神)이 발동(發動)하고 부처님이 도술(道術)하여 하늘이 주신 죄를 인력(人力)으로 어이하리[194]

194) 정병욱 교주, 106쪽.

진옹은 부인의 말을 통해 그동안 자신이 무슨 잘못을 저질렀는지 듣게 되지만 스스로 깨닫지 못한다. 진옹과 가옹을 가리기 위해 다양한 방법을 동원하지만 진옹은 자신이 진짜임을 믿어주지 않는 노복들이며 가족들이 원망스럽기만 하다. 또한 자신이 하고 싶은 말을 모조리 가옹이 대신하는 광경을 보고 억울함이 더해만 간다. 이것은 자신의 삶이 다른 사람의 희생을 바탕으로 했음을 보이는 것이기도 하다.

> 애고 저 놈 보소. 내가 할 말 제가 하네. 애고 애고, 이 일을 어찌하리. 새악아, 내 얼굴 자세히 보아라. 네 시아비는 내 아니냐?[195]
>
> 애고 애고, 허옹가는 제 아비 삼고, 실옹가는 구박하네. 기막혀 나 죽겠네. 내 마음 설운 원정(原情) 뉠더러 하여 볼까?[196]

진옹은 자신이 처한 상황이 그저 황당하기만 하다. 그래서 억울함이 더해 갈수록 자기 스스로가 피해자라고만 생각한다. 옹고집을 찾은 친구인 김 별감마저도 진짜 옹고집이 누구인지 구별하지 못하자 옹고집은 큰 충격에 휩싸이게 된다.

> 답답하다, 내 일이야. 꿈이냐 생시냐. 어찌하여야 옳단 말이냐? 차소위낙미지액(此所謂落眉之厄)이로다.[197]

결국 진옹과 가옹을 가리기 위한 시비는 관아에서 해결하기로 하였다. 하지만 진옹은 관아에 가서도 자신의 억울함을 해결하지 못한다.

---

195) 정병욱 교주, 108쪽.
196) 정병욱 교주, 109쪽.
197) 정병욱 교주, 118쪽.

사또 또한 자신과 별반 다를 바 없는 물질을 우선시하는 인물이자 관리로서 책임의식이 없기 때문이다. 사또의 허술한 판결과정은 두 옹의 호적조사에서 나타난다. 진옹을 가리기 위한 판결 과정에서 사또는 진옹의 호적 내용을 들으며 어수선하여 갈피를 잡을 수 없다는 식으로 옹송만송하다며 무시한다. 하지만 가옹의 집안 내력과 재산 목록을 세세히 듣고는 더 이상의 조사도 없이 가옹이 진짜 옹고집이라고 판결한다. 집안의 가문과 재산을 우선시하는 사또의 판결로 진옹은 관료사회의 일면을 객관적인 시각에서 보게 된다. 다른 것은 살피지 않고 물질의 많고 적음을 기준으로 판결하는 사또를 보며 진옹은 자신도 사또와 다를 바 없는 인물이라는 걸 인식하게 된다.

관아의 판결로 옹고집으로 인정받은 가옹은 진옹의 아내와 자식을 낳으며 진옹의 삶을 살게 된다. 미성숙한 자아의 옹고집이 가짜 옹고집을 통해 자기를 객관화할 수 있었으며, 인식의 객관화로 스스로를 성찰할 수 있었다.[198] 한편으로 상층부에게 항상 시달리던 하층민도 진옹의 삶을 살게 된 가옹을 통해 상층과 같은 삶이 가능하기를 소망하였다. 가옹이 진옹을 쫓아내고 상층의 삶을 살게 함으로써 하층부의 대리만족이 가능하도록 한 것이다.

셋째, 전통질서의 강조와 회복이다. 〈옹고집전〉은 옹고집의 불효와 삐뚤어진 윤리의식을 바로 잡기 위해 하층부에서 그를 내쫓는 징치로만 끝나지 않는다. 옹고집을 개과천선 시켜 공동체의 일원으로 다시 수용했기 때문이다. 옹고집은 관가에서 자신이 가짜 옹고집으로 판결받자 그때서야 자신의 잘못을 뉘우친다. 다음 인용문이 그러한 사정을

---

198) 박윤선, 「〈옹고집전〉에 나타난 개인의 형성과 그 의미」, 『고전문학과 교육』 26, 한국고전문학교육학회, 2013, 173-176쪽.

말하고 있다.

> 무지한 고집이놈 인제는 개과(改過)하여 애통(哀痛)하는 말이, 나는 죽어 마땅한 놈이거니와, 당상학발(堂上鶴髮) 우리 모친 다시 봉양하고 지고. 어여쁜 우리 아내 월하(月下)의 인연 맺어 일월(日月)로 본증(本證) 삼고 천지로 맹세하여 백년종사(百年從事) 하렸더니, 독숙공방 적막한데 임 없이 홀로 누워 전전반측(輾轉反側) 잠 못 들어 수심으로 지내는가? 슬하(膝下)의 어린 새끼 금옥같이 사랑하여 어를 제, 섭마둥둥 내 사랑, 후두둑 후두둑, 엄마·아빠 눈에 암암 나 죽겠네. 아마도 꿈인가 생신가? 꿈이거든 깨이거라.[199]

민중은 가진 자를 끌어내려 하층부의 삶, 더 나아가 떠돌이로 살게 하여 현실을 제대로 인식하도록 유도했다. 가족은 물론 자신과 친분이 있는 김 별감도 진짜를 알아보지 못한 것을 서러워하면서 그동안의 부유한 삶을 다 앗아간 현실을 인정하기에 이른다. 결국 오갈 데 없는 진옹은 다시 집으로 돌아갈 수 없는 처지임을 깨닫고 한탄하며 자신의 지난날을 반성하기에 이른다. 더욱이 층암절벽에 나타난 도사에게 잘못을 모두 인정하고, 늙은 모친과 어린 처자를 다시 볼 수 있게 살려달라고 애걸하는 모습은 옹고집이 가족의 소중함을 깨달은 결과라 하겠다.

옹고집이 자신의 잘못을 깨닫고 용서를 구하는 과정에서 하층부와 조화해야 할 필요성을 인식한다. 이러한 인식은 진옹을 개과시켜 그로 하여금 상하질서를 새롭게 모색할 기회를 주는 것이라 하겠다. 즉 가진 자들을 윤리적으로 재무장시킴으로써 바람직한 사회가 될 수 있다고 판단한 것이다. 옹고집이 집으로 돌아가 도승의 술법에 탄복하고 모친

199) 정병욱 교주, 118쪽.

께 효성하고 불도를 공경하여 개과천선한 것은 전통질서를 회복한 것이면서 공동체의 화평을 구현한 것이라 할 수 있다.

옹고집의 깨달음은 전통질서를 준수하는 것이라 하겠다. 그러면서 상층의 유교와 하층의 불교가 화합하도록 지혜를 모았다.[200] 이는 상층부와 하층부가 추구하는 이념이 다르지 않음을 일깨워준 것이다. 즉 옹고집의 깨달음은 유교 및 불교를 바탕으로 한 전통질서의 회복과 갈등의 해소로 볼 수 있다. 옹고집이 불교를 비판하고 많은 승려들에게 수모를 주고 핍박을 가했지만, 학대사는 옹고집을 징치하는 것으로 끝내지 않고 개과천선 시켜 공동체 일원으로 복귀시킨다. 옹고집의 공동체 복귀는 유교와 불교의 대립을 해소하고 조화와 화합을 지향하는 민중의 의식을 담은 것이라 할 수 있다.[201] 지금까지의 논의를 표로 나타

---

200) 불교에서는 '효'를 자비의 행위로 확산되는 계기로 보기 때문에 가족 간의 관계에서 효행의 윤리를 현실에서 적용, 실천하도록 하고 있다. 또한 서방정토에 태어나기 위해서 마땅히 닦아야 할 세 가지 복(福)중에서 '효'를 가장 중시하고 있다. (『佛說觀無量壽佛經』 卷1(TS12, 341c7-10). : '亦令未來世一切凡夫欲修淨業者得生西方極樂國土. 欲生彼國者. 當修三福. 一者孝養父母. 奉事師長. 慈心不殺. 修十善業.' (원영상, 「불교의 효사상에 대한 고찰」, 『한국선학』 23, 한국선학회, 2009, 567-568쪽, 재인용.)

201) 화합이 전통질서로 복귀한 것이기에 일정한 한계가 있다. 그것은 이 작품이 민중의식을 표출하면서 근대를 지향했지만 그 가치관만은 여전히 중세에 머물러 있음을 반증하는 것이다. 사회구조상 하층부에서 기득권을 징치하는 것은 결코 쉽지 않은 일이다. 그래서 가진 자의 횡포에서 벗어나고자 하는 서민들의 꿈을 학대사의 초월적인 방법을 동원하여 실현하고 있다. 약자인 민중은 진짜보다 더 진짜 같은 가옹이 진옹으로 행세할 때 통쾌함을 느끼게 된다. 그러면서도 판타지를 통한 우회적인 방법으로 그 뜻을 이루는 것은 상하질서가 엄연한 현실을 감안한 조치라 하겠다. 한편으로는 중세질서를 추수하여 옹고집을 제 자리에 돌려놓기도 하였다. 우회적인 방법으로 비판하다가 결국은 문제적 인물을 제자리에 돌려놓아, 이 작품은 개혁의지를 드러내다가 중도에 포기하고 마는 한계를 보이고 있다. 더욱이 쫓겨난 진옹이 어떠한 노력도 기울이지 않고 도사가 준 부적에 힘입어 공동체로 귀환한 것은 이 작품이 근대를 모색했음에도 결국은 중세에 머물고 만 사정을 대변한다 하겠다. 이처럼 〈옹고집전〉은 처음에는 개혁적인 의지를 드러내다가 작품의 결말에서는 중세적인 질서, 즉 유교적인 사회로 복귀하고 마는데, 이것이 근대를 지향하

내면 다음과 같다.

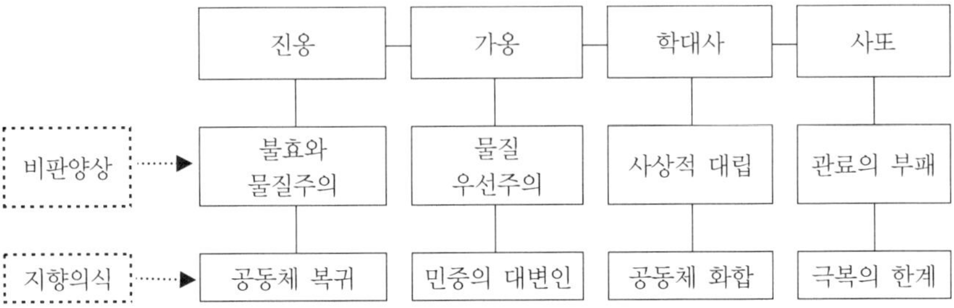

이상에서 보는 바와 같이 〈옹고집전〉은 물질에 사로잡혀 인간의 도리를 저버린 그릇된 세태를 비판하고 있다. 물질을 우선시하는 정신적 병폐는 가정에서 시작하여 결국 사회로 번지고 그것이 사상의 갈등과 관료사회의 부패로까지 확대되었다. 민중은 윤리적으로 바람직하지 못한 인물이 스스로 잘못을 깨닫고 반성하는 기회를 주어 공동체의 건전한 일원으로 복귀하기를 소망하고 있다. 이것은 공동체의 화합을 추구한다는 점에서 의의를 찾을 수 있다.

(2) 〈무숙이타령〉의 지향의식

〈무숙이타령〉은 유산계급, 즉 갑부의 아들인 김무숙의 그릇된 행태를 고발·시정하고자 한 작품이다. 조선후기는 상품 유통경제가 발전하여 사회 전반에 커다란 영향을 미쳐 전통적인 농업 위주의 정책에 안주할 수 없게 되었다. 상업발전의 현실을 인정하면서 변화를 모색할 필요

면서도 과거를 떨치지 못한 한계라 하겠다.

가 생긴 것이다.[202] 〈무숙이타령〉은 김무숙의 분별력 없는 소비행태를 폭로하고 개과천선 시키려는 의지가 담겨 있다. 이 작품은 남편의 방탕한 생활로 가산이 탕진될 위기에 처하자 여성 주인공 의양이 나서서 남편을 개과천선 시킨다. 이것은 축재(蓄財)와 그로 인한 윤리의식의 부재를 고발하면서 건전한 삶을 지향하도록 한 것이라 하겠다. 이러한 관점에 근거하여 이 작품의 지향의식을 살펴보면 다음과 같다.

첫째, 물질의 소중함과 현명한 경제관념을 지향하였다. 〈무숙이타령〉은 화폐경제의 발달로 물질이 우선시되는 사회 분위기가 반영된 작품이다. 나아가 윤리를 저버리고 향락에 빠져 소비만 일삼는 행위를 고발하면서 시정을 촉구하기도 한다. 이 작품은 불건전하고 계획 없는 소비를 일삼는 무숙을 하층여성을 통해 새로운 경제관념을 갖도록 한 것이다.

의양이 비록 기생 신분이지만 그녀가 보여주는 주체성은 근대를 지향하고 있다.[203] 의양의 주체성은 정신적으로 건강하지 못한 무숙을 개과천선 시키는 곳에서 확인된다. 의양은 장안 갑부인 무숙의 첩이 되어 무숙과 일생을 행복하게 보내고 싶어 했다. 하지만 무숙이 주색에 빠져 가산을 돌보지 않게 되자 가세가 기울기 시작하였고, 세상 사람들은 무숙의 방탕하고 흥청망청 돈만 쓰는 행태를 의양 때문이라고 수군거렸다. 무숙이 패가망신하여 온갖 누명을 쓰고 구설에 오를 것을 염려한 의양은 무숙을 개과천선 시키고자 결심한다. 의양이 무숙을 개과천선 시키는 과정이 아주 주도면밀하게 이루어진다. 방탕한 생활을 일삼는

202) 백승철, 『조선후기 상업사연구 – 상업론·상업정책』, 혜안, 2000, 13-14쪽.

203) 애랑과 매화가 윗전인 사또의 명령에 의해 공모에 가담하였다면, 의양은 자신이 스스로 나서서 방탕한 생활을 일삼은 무숙을 개과천선 시킨다. 이러한 점에서 의양은 애랑과 매화보다 주체성이 강한 인물이라 할 수 있다.

무숙의 버릇을 고치기 위해 의양은 먼저 무숙을 철저하게 빈털터리로 만든다. 그 과정 속에서 민중은 통쾌한 마음으로 대리만족을 느낄 수 있다. 의양이 무숙을 무일푼으로 만드는 과정에서 그녀의 현명함과 경제관념을 살필 수 있다.

한편 의양은 무숙이 입은 옷까지 다 팔아 빈털터리로 만들어버림으로써 물질의 가치를 알게 한다.

> 막덕니 아모리 ᄉᆡᆼ각ᄒᆞ되 할 마리 바니 읍셔 ᄌᆞᆫ 걱졍으로 일ᄉᆞᆷ넌다 ᄋᆡ고ᄋᆡ고 인제은 살슈 읍쇼 무엇 입고 ᄉᆞ러ᄂᆞ며 무엇 먹고 ᄉᆞ러나리가 파즐 것 바니 읍고 ᄌᆞᆸ필 것 젼혀 읍고 빗닐 슈도 무가ᄂᆡ요 …(중략)… 아ᄅᆡ 웃옷 모도 활활 버셔 ᄂᆡ여쥬며 안아 옛다 니것 ᄑᆞ라 나무 양식 구쳐ᄒᆞ라 …(중략)… 무슉니 그졔는 홰을 별억 ᄂᆡ여 드는 칼 뎅그렁 ᄲᅦ여 졔 ᄉᆞᆼ토ᄭᅡ지 ᄲᅧᆨ 버혀셔 안아 예다 빗질ᄒᆞ여 월ᄌᆞ젼의 갓시면 닷양은 바드리라[204]

> 무슈긔 거동보소 …(중략)… 입을 거시 읍서논니 막덕기 큰 저고리를 허리 나게 입고 의양의 ᄯᅥ러진 가ᄅᆡ바디을 입고 안저 허리가 몹시 실린즉 ᄀᆡ가족을 두루고 화리 ᄲᅮᆯ만 ᄧᅬ고 안저신이 더벙머리 눈을 각금 가리운이 ᄃᆡ강이를 ᄂᆡ두르며 손ᄭᅡ락으로 가리ᄆᆡ를 타고 밀지름으로 ᄌᆡ고 ᄃᆡ자 단임으로 ᄌᆞᆫ득 동여ᄭᅩᆺᄂᆞ ᄇᆡ가 곱파 안저신이 천ᄒᆞᄌᆞᆸ놈의 으른이라 번화한 의양의 집 히다한 무슈□□ 되야 들고 되야난이 지각 읍난 무슈기 ᄎᆞᆼ졸간의 쏠중 아비 되야 안저 답답ᄒᆞ고 민망ᄒᆞ다[205]

인용문에서 보는 바와 같이 막덕이는 자고 나면 양식을 걱정하고,

---

204) 김진영 외, 앞의 책, 337-338쪽.

205) 김진영 외, 앞의 책, 338쪽.

양식을 사기 위해 무숙은 몸에 걸치고 있던 옷들을 하나씩 벗겨주며 팔아오라 한다. 무숙은 가난이 현실로 다가오자 물질을 어떠한 곳에 써야 하는지 깨닫게 된다. 의양도 다 떨어진 옷을 입고 배고파하는 모습을 무숙에게 보이며 무숙에게 가난의 실체가 어떠한 것인지를 깨닫게 한다. 즉 의양은 무숙의 무분별한 경제관념과 방탕한 생활을 비판하는 가운데 새로운 경제관념을 제시하여 주체성이 강한 인물이라 할 수 있다. 〈무숙이타령〉은 가부장제의 남성에게 예속되었던 여성이 현명한 재산관리를 통해 새로운 경제관념을 제시하고 있다.[206] 여성이 주체적인 관점으로 변화하는 세태에 적응할 수 있음을 의양이 실질적으로 보인 것이라 하겠다. 그것도 올바른 경제관념을 앞세워 근대시민의 일면을 확인할 수 있도록 하였다.

둘째, 물질의 가치와 가족애의 중요성을 일깨운다. 사회신분제가 붕괴되면서 예를 중시하던 도덕과 윤리의식도 변화가 생긴다. 양반과 상민의 관계 및 위치가 경제적 부력에 의해 허물어지면서 양반층에서 중시해오던 성리학적 이념 또한 유명무실해진다. 무숙의 정신적 가치관은 그가 향락과 소비를 일삼는 행동을 통해서도 잘 나타나지만, 상투를 잘라 돈을 마련하는 데서 극명하게 드러난다. 신체는 부모에게 받았기 때문에 훼손하지 않는 것이 효의 시작이다. 또한 이 효는 덕의 근본이

206) 실제로 조선후기에 나온 각종 글들을 보면 사족을 중심으로 생계유지와 가정경제 운영의 수단으로 여성의 가내 노동을 가장 중시하였음을 알 수 있다. 일부에서는 재산증식의 수단으로 고리대와 상업 활동이 활발하게 이루어지고 그러한 행동에 노비의 역할이 긴요하였다. 노비가 주인을 대신해 집세를 거두고, 곡식과 돈을 빌려주고 이자를 받고, 시장에 물건을 내다팔아 이익을 취하는 등의 일을 수행했다. 이런 노비의 일들을 뒤에서 관리하고 감독하는 역할을 사족 여성이 담당했다. (강혜선, 「조선후기 사족 여성의 경제 활동과 문학적 형상화 양상」, 『한국고전여성문학연구』 24, 한국고전여성문학회, 2012, 200-204쪽.)

기도 하다. 무숙은 돈이 떨어지자 자신의 아래옷과 상투까지 팔아 돈을 마련한다. 물질을 우선시했던 무숙은 부모에게 받은 신체의 일부나 다름없는 상투를 거침없이 자른다. 가족에 대한 사랑이 없었기 때문에 가족이 굶어 죽을 지경에 처해도 돌보지 않는다. 방탕한 생활에 무분별하게 돈을 쓰면서도 죄책감을 느끼지 않음은 물론이다. 의양은 이처럼 도덕적으로 무장되어 있지 않은 무숙을 쫓아냄으로써 무숙으로 하여금 가난이 무엇인지 직접 경험하도록 만든다.

> 쫄ᄌᆞᆼ니 아희더른 팔ᄆᆡ 툭 쳐 져져면셔 낫 독ᄀᆡ비 져긔 간다 더벙머리 느더 펄펄펄 가ᄅᆡ바지 다리 ᄉᆡ의 승슝니는 드렝드렝 니리져리 부드치며 허리 도막 ᄀᆡ가쥭은 춘바람의 너울 보션 읍시 ᄇᆡᆫ 발바당 발고락을 오구리고 덩검덩검 모ᄇᆡᆨ니로 일모황혼 져문 날의 쳐ᄌᆞ의 집을 ᄎᆞ져간니 남의 협실 잇는 쳐ᄌᆞ 쎡 드러가 볼 길 읍셔 굴뚝의다 미셜 ᄃᆡ고 동지 슷달 불ᄀᆡ 쓸듯 ᄉᆞ지을 ᄒᆞᆫ틔 모고 오동고려 안져신니 쳔ᄒᆞ 즙놈 ᄂᆡ 안인가 어린 ᄌᆞ식 ᄉᆞ오형제 말마도 쇽니 탄다 어먼니 밥 좀 쥬오 아버지은 어ᄃᆡ 간나 돈 두 푼만 잇거드면 폿쥭이ᄂᆞ ᄉᆞ다 먹고 그렁져렁 밤을 ᄉᆡ씌 오늘도 ᄒᆡ가 진니 벽 써러진 ᄂᆡᆼ돌방의 북덕니 위 드러누워 츔아 치워 웃지 즐고 무슉 안ᄋᆡ 니른 마리 ᄂᆡᆫ들 무슨 죄 잇스며 너의더리 무슨 죈고 몹쓸 ᄉᆞ람 느 아버지 우리 모ᄌᆞ 니리된쥴 발셔 응당 아러실ᄂᆞ 졍 각각 슝 각각은 옛ᄉᆞ람 언젼니라 보고지고 보고지고 그러ᄒᆞᆫ덜 어니ᄒᆞ며 져러ᄒᆞᆫ덜 어니ᄒᆞ리 쇽으로 늘켜가며 긔가 막켜 우는 쇼리 무슉니 또 긔가 막켜 살ᄃᆡ 갓튼 더운 피가 시각의 쏼쏼 쏘다진다[207]

무숙은 의양에게 쫓겨난 후 가난한 삶을 이어가는 과정에서 자신이 처한 현실을 깨닫는다. 가래바지에 더벅머리의 무숙은 지나가던 아이들

207) 김진영 외, 앞의 책, 341쪽.

에게도 팔매질을 당하는 처지이다. 무숙이 아이들에게 받는 멸시는 효의 근본도 모르는 무숙의 비윤리적인 행동에 대한 징치이다. 무숙은 아이들에게 놀림을 당하는 일을 통해 인간적인 염치가 무엇인지 깨닫게 된다. 무숙은 자신의 처자 집을 찾아가면서도 불쑥 들어가지 못하고 집의 굴뚝에 쪼그리고 앉아 망설이기도 한다. 무숙이 염치가 무엇인지 깨닫는 심리적 변화는 죄책감이라는 감정으로 연결된다. 마침내 무숙은 그동안 돌보지 않았던 아이들이 배고파 밥 달라고 아우성쳐도 돈이 없어 팥죽조차 사 먹이지 못하는 상황에서 반성하는 마음을 갖는다. 이는 자신의 방탕한 생활을 후회하면서 반성하는 것이라 할 수 있다. 물질보다 따뜻한 가족애가 더 소중함을 뒤늦게나마 각성하는 것이라 하겠다.

무숙은 결국 빈털터리가 된 후 주변의 멸시와 가족이 굶는 비참함을 보면서 가족에 대한 책임감을 갖고 새로운 인간으로 변해간다. 또한 무숙은 그동안 자신이 무분별하게 쓴 돈이 얼마나 힘들게 벌어야 하는 것인지도 알게 된다. 직접 돈을 벌어봄으로써 돈의 가치와 소중함을 인식하게 된 것이다.

> 쥬글 마음 간절ᄒᆞ되 불ᄉᆞᆼ한 쳐자식을 심방쥬선 못ᄒᆞ고셔 ᄂᆡ가 쥭거드면 구쳔의 도라간들 죄악니 읍실숀냐 ᄉᆞ람의 ᄌᆞ식 되고 쳐ᄌᆞ의 비러온 밥 읏지 먹고 안져씨리 귀골지인 져 무슉니 품팔기로 ᄌᆞ싱ᄒᆞᆫ다 군칠의 집 드러가 슐ᄉᆞᆼ 츌입 심부름과 국슈집의 불ᄊᆡᆨ쥬기 쳘쵸젼 담ᄇᆡᄀᆡ기 화ᄉᆞ발집 물짓기와 졍방ᄌᆞᄃᆡ 심부름 과시 ᄊᆡᆨ 방목ᄉᆞ환 유순군의 승교메기 쵸ᄉᆞᆼ난듸 연반군 병든 ᄉᆞ람 업고 가기 화린막의 ᄉᆞᆼ직ᄒᆞ기 마젼장니 쌀ᄂᆡ 봉족 유ᄃᆡ군의 ᄉᆞᆼ부메기 급ᄒᆞᆫ ᄉᆞ람 편지젼키 외방쥬인 삭질젓기 아모리 버러도 구명보론 극난ᄒᆞ고 읍던 병만 탕탕 난니 ᄒᆞᆫ심ᄒᆞ기 그지읍고 ᄒᆞᆫ슘지쳐 우름날 졔[208]

무숙은 무일푼의 상황에서 가족을 진심으로 걱정하며 온 힘을 다해 일한다. 병든 사람도 업고, 초상난 데 상부도 메며, 급한 사람의 편지도 전하는 등 돈을 버는 과정에서 돈의 가치를 알게 된다. 하지만 아무리 벌어도 가난을 면하기 어렵다는 사실을 깨닫게 되면서 돈은 벌기도 어렵지만 모으기는 더 힘들다는 현실을 인식한다. 이를 통해 궁극적으로는 돈의 가치를 올바로 인식하고, 나아가 단란한 가족을 꾸리는 것이 얼마나 소중한지를 인지한다.

셋째, 가족공동체 안에서의 행복 추구이다. 조선시대 여성은 가부장제 아래에서 남편에게 무조건 순종하는 삶을 살아야 했다. 하지만 의양은 첩의 신분임에도 불구하고 무숙을 개과천선 시키는 데 주도적인 역할을 담당한다. 개과천선을 위한 속이기를 단행할 때 의양뿐만 아니라 무숙의 본처와 김 선달, 막덕이가 동참하여 적극적으로 돕는다. 이들의 화합이 무숙을 건강한 인간으로 회복시키는 데 큰 역할을 하고 있다.

> 김션달 편지 보고 낙누ᄒᆞ여 니른 마리 무슉아 게 안써라 염치 읍고 넉살 죠ᄐᆞ 져리 될 쥴 몰나던냐 ᄂᆡ 위연니 지난 달의 시골 농ᄆᆡᆨ의 나려갓ᄃᆞ 촌촌니 거러 오노란니 너의 쳐ᄌᆞ 남의 협실의 가 슈다 ᄌᆞ식 거나리고 ᄀᆡᄉᆞ지경 우는 쇼리 즘간셔셔 듯노란니 너의 실인 구곡간ᄌᆞᆼ ᄒᆞ마 거의 녹아 쥬거넌지 걱정니요 ᄇᆡ고푸다 우는 ᄌᆞ식 ᄒᆞ마 ᄀᆡᄉᆞᄒᆞ여실나 ᄌᆞᆼ안갑부 네라던니 져 지경 웬일인냐 너도 응당 져 지경의 뉘우치지 안니ᄒᆞ랴 □□□너는 ᄉᆞ람 안일망졍 우리 셰의 ᄉᆡᆼ각ᄒᆞ여 그져 잇슬 기리읍셔 쏠 셤인지 돈 관인지 나무 반촌 ᄉᆞ라 오늘 식젼 보ᄂᆡ엿다 가난 슈응ᄒᆞᄌᆞᄒᆞ면 나라도 못ᄒᆞ거든 ᄂᆡᆫ들 어니 당ᄒᆞᆯ숀냐 에라 너 그만 쥬거라 너 ᄉᆞ러 쓸 곳 인나 널노 두고 글짓기을 게우ᄉᆞ라 노ᄅᆡ지여 쇼리 명창의게 젼ᄒᆞ

208) 김진영 외, 앞의 책, 343-344쪽.

리라[209]

위의 인용문은 김 선달이 무숙에게 하는 말이다. 옳은 말을 하는 친구를 멀리하던 무숙은 김 선달이 하는 말을 듣고 무안하여 고개를 숙이고 죽으려고까지 한다. 김 선달 또한 무숙에게 인간애의 소중함을 말하고 있다. 이러한 모든 일이 가능했던 것은 의양의 주체적인 행동이 있었기 때문이다. 즉 무숙을 건강한 인간으로 재탄생시키고, 그를 바탕으로 대화합을 도모하여 가능할 수 있었다. 그래서 의양은 남성 못지않은 능력으로 모든 문제를 해결하는 주체자라 할 만하다.

또한 의양은 가족공동체 안에서 처첩의 화합을 이루어낸 인물이다. 의양은 무숙을 개과천선 시키기 전에 무숙의 본처에게 허락을 구하는데, 본처의 허락은 곧 의양의 존재를 긍정적으로 인정하는 바라 하겠다. 의양의 주체적인 행동은 조선사회 처첩의 지위를 허물고 평등을 지향한 것으로 이해할 수도 있다. 이러한 의양의 주체의식은 첩의 신분을 허물고 가족공동체의 일원으로 동등하게 자리 잡았음을 의미하는 것이기도 하다. 가족을 토대로 행복을 추구해야 함을 그렇게 제시한 것이라 할 수 있다.

의양은 가족공동체 안에서 물질의 추구보다는 인간적인 행복을 중시한다. 속이기의 마지막 부분에서 의양은 무숙에게 김 선달을 새 서방으로 맞이할 것이니 뒷물을 데워오라며 무숙의 마음을 시험한다. 무숙이 죽음을 결심하고 비상가루를 먹고자 한다. 이것은 무숙이 의양을 사랑하는 마음이 여전함을 보이는 것이라 할 수 있다. 이에 의양도 '날

209) 김진영 외, 앞의 책, 347-348쪽.

갓튼 창녀라도 ᄒᆞᆫ 가ᄌᆞᆼ만 모시다가 이부불경 법을 아러 ᄉᆞ후승죵ᄒᆞᆯ 터인니 셔방임도 이 지경 죤즁ᄒᆞᆫ 쥴 알 써시오'라며[210] 무숙에 대한 진실한 사랑을 보여준다. 의양은 자신의 삶을 위해 무숙의 경제력을 보고 무숙을 선택했지만, 무숙의 재산을 지켜내고 자신의 위치를 확고히 다진 현실적인 인물이자 새로운 시대에 맞는 화합을 이루어낸 인물이라 할 수 있다. 이러한 주체적인 의식이 무숙의 인간성을 회복시켜 가족공동체의 건강한 삶을 만들어낼 수 있었다. 행복 추구의 근본적인 토대가 가족임을 천명한 것이다. 지금까지 논의한 내용을 간략하게 표로 나타내면 다음과 같다.

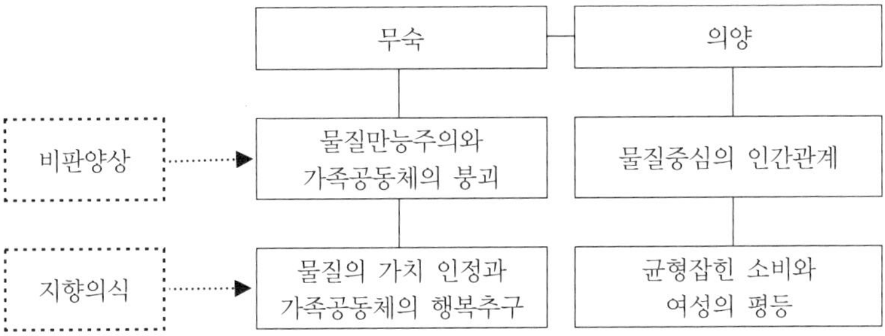

이상에서 보는 바와 같이 〈무숙이타령〉은 물질만능주의의 세태와 물질에 사로잡혀 가족을 저버리는 행태를 비판하고 있다. 물질을 우선시하는 세태는 가족공동체의 붕괴라는 위기를 촉발하였다. 더욱이 무숙의 향락적인 소비 행태는 큰 문제이기에 개과천선을 통해 물질의 가치와 가족의 소중함을 일깨울 필요가 있었다. 또한 의양은 무숙이 탕진하는

210) 김진영 외, 앞의 책, 351쪽.

재산을 현명하게 관리함으로써 계획적이고 합리적인 경제관을 제시하기도 하였다. 이처럼 〈무숙이타령〉은 물질이 지배하는 사회일지라도 가족이 여전히 중요할 뿐만 아니라 가족공동체가 화합해야 할 필요성을 역설하고 있다.

계급 비판형 판소리계 소설은 이처럼 조선후기 유산계급의 문제점을 고발하면서 시정을 촉구하고 있다. 신분의 높낮이를 막론하고 조선후기에 들어서면 경제적인 측면을 중시하기에 이른다. 신분제에서 계급제로 변화하면서 나타난 필연적인 현상이라 하겠다. 그러면서 물질만능주의 현상이 나타나게 되고, 기존의 윤리와 도덕을 폄시하는 일이 빈발한다. 경제력을 바탕으로 모든 문제가 해결되면서 인본으로 여겼던, 그래서 모름지기 따르고 실천해야 했던 유교적인 윤리관이 부정되는 일이 일반화된다. 문제가 심각해지자 그것을 바로잡아야 했고, 그러는 과정에서 이 유형의 지향의식이 분명해졌다. 바로 윤리적인 인간, 도덕적인 인간이 되어 가정이나 사회의 구성원으로 일익을 담당해야 한다고 본 것이다. 하지만 민중의 의식은 근대를 지향하고 있는데, 그것을 중세적인 것으로 되돌리려한 것은 한계점이라 할 수 있다. 그럴지라도 공동체의 건전한 일원이 되기를 촉구한 것은 이 유형의 지향의식 중 핵심이라 하겠다.

2. 유형별 지향의식의 상관관계

실창 판소리계 소설에는 공동체에서 소외된 군상의 가난 탈피와 모순된 사회제약에서 벗어나고픈 소망이 담겨 있다. 그것은 궁극적으로 상하의 조화를 통한 인간 평등, 인간 해방을 지향한 것이라 하겠다. 이런 점에서 실창 판소리계 소설의 지향의식은 각 유형별로 긴밀한 상관성을 갖는다 하겠다. 앞에서 각 유형의 지향의식을 검토한 바 있다. 그 결과 각기 공통된 의식을 내함하고 있었다. 그 의식을 바로 민중의 지향의식이라 해도 좋다.

신분 비판형은 중세의 끄트머리이지만 여전히 주자학적인 권위를 내세우면서 관념론에 빠져있는 양반 관료의 가식과 일탈을 다루었다. 이들 유형에서는 공통적으로 사회적 지도층에 해당하는 양반 관료의 경직된 사고와 선민의식을 폭로하면서 상하균등을 지향하고 있다. 이 유형의 양반 관료는 자신의 처지를 직시하지 못하고 자신을 과대적으로 인식하거나 공무를 방관적으로 처리한다. 그러는 과정에서 자신들의 본심이 탄로 날 뿐만 아니라 그들의 권위가 여지없이 나락으로 떨어지도록 했다. 그들의 권위가 떨어진 만큼 수직적인 신분질서도 와해되어 하층민과 다름이 없게 된다. 상층의 하강으로 신분에서 수평을 지향한 것이라 할 수 있다. 실제로 이 유형의 작품에서는 권위적이거나 방관적인 양반 관료를 그것도 최하층의 인물이 전격적으로 공격하여 나신으로 대중 앞에 서게 만든다. 나신으로 나선 양반 관료는 더 이상 권위와 체통을 주장할 수 없게 되었다. 급전직하로 그들의 신분을 떨어뜨려 그것을 공모한 하층민과 다름이 없음을 만천하에 천명한 것이라 하겠다. 주자학적 이념으로 무장하거나 신분적 우위를 내세울지라도 궁극에는 동등한 인간이라는 점을 그렇게 역설한 것이라 하겠다. 그래서 이 유형에서는 무엇보다도 중시한 것이 상하층의 조화를 지향한 것이라 할 수 있다.

제도 비판형은 하층민의 질곡을 다루면서 당시 제도의 불합리를 지적하고 있다. 그러면서 새롭게 지향해야 할 노선을 천명하고 있다. 주요한 것으로 제도의 경직성과 편향성을 들 수 있다. 당시의 모든 제도는 상층부 남성을 중심에 두고 마련되었다. 그들에게 권위와 혜택이 집중되고 그외의 사람들에게는 희생과 굴종을 강요했기 때문이다. 특히 경제제도가 기득권층에 집중되도록 했는가 하면, 사회제도 또한 가부장인 남성에게 유리한 방향으로 마련되었다. 그렇게 함으로써 하층민과 여성을 억압하고 착취하는 일을 당연하게 여겼다. 제도 비판형은 그러한 일로 빚어진 하층민과 여성의 어려움을 증폭해서 보이고 있다. 문제는 이들이 주어진 제도에 순응하지 않고 파격적으로 일탈하도록 했다는 점이다. 하층 남성들의 경우 기존의 제도에 항거하다 죽음을 맞지만, 여성들의 경우 철칙과도 같았던 정절을 과감하게 파기한다. 그렇게 함으로써 제도에서 빚어진 하층민의 참상을 고발하면서 동시에 그것으로부터 벗어나기를 소망한 것이라 할 수 있다.

계급 비판형의 경우 축재에 성공한 인물의 행태를 들어 도덕과 윤리의 중요성을 강조하고 있다. 이제 신분이 권력을 갖던 시대에서 경제력이 힘을 발휘하는 상황으로 변화하였다. 화폐경제와 상품경제가 발달하면서 토지를 소유하지 않고도 부를 축적할 수 있게 되었다. 그러면서 짧은 시간에 부를 축적하여 유산계급으로 부상한 부류가 나타나게 되었다. 경제력이 현실을 지배할 수 있음을 인지하고 수단과 방법을 가리지 않고 축재에 관심을 기울여 성공한 것이라 할 수 있다. 문제는 이렇게 성공한 유산계급의 인물이 주자학적 이념이나 상식적인 의식에서 이해할 수 없는 그릇된 행태를 일삼았다는 점이다. 경제력만 앞세워 부모자식 간에 지켜야 할 가정윤리를 망각하거나 다른 사람과의 신의를 저버려 사회윤리마저 부정하는 지경에 이르렀다. 그런가 하면 물질만능주의가 성행하면서 방만하게 재물을 탕진하는 일도 벌어졌다. 어느 모로 보나 비판의 대상이 될 수밖에 없어 시정을 촉구하게 되었다. 경제력을 앞세우면서 윤리도덕 관념을 무시하거나 재력으로 모든 것을 해결하려는 그릇된 의식을 고쳐야 건전한 공동체문화를 구축할 수 있었기 때문이다. 이는 무산계급에서 유산계급의 그릇된 행태를 고발하면서 바람직한 인간상을 정립하려 했던 것으로 볼 수 있다. 가정적인 불목이나 사회적인 위화감의 원인을 재물에 대한 탐욕으로 보고 올바른 방향으로 회복되기를 꿈꾼 것이라 할 수 있다.

이상에서 보듯이 신분 비판형, 제도 비판형, 계급 비판형에서 추구하는 지향의식이 비슷함을 알 수 있다. 모든 유형에서 중시하는 것이 당시 사회의 문제점을 해학적으로 풍자하면서 새로운 의식을 담아 시정을 촉구했기 때문이다. 그러는 과정에서 상층신분의 가식을 폭로하거나 제도의 모순을 지적하기도 했다. 그런가 하면 유산계급의 전횡을 고발하기도 하였다. 이렇게 당시 사회가 안고 있는 제반 문제를 확인하고, 그것이 합리적인 방향으로 시정되기를 갈망하였다. 상층신분의 권위 추락과 상하의 조화나 남녀평등을 비롯한 인간의 해방, 그리고 유산계급의 각성과 재화의 재분배가 실현되기를 소망한 것이다. 하지만 민중의 소망이 지극할지라도 당시의 이념이나 법제가 그것을 용인할 수는 없었다. 그래서 근대적인 의식을 담는 이면에 중세적인 관념 또한 배제할 수 없었다. 이러한 사정을 표로 정리하면 다음과 같다.

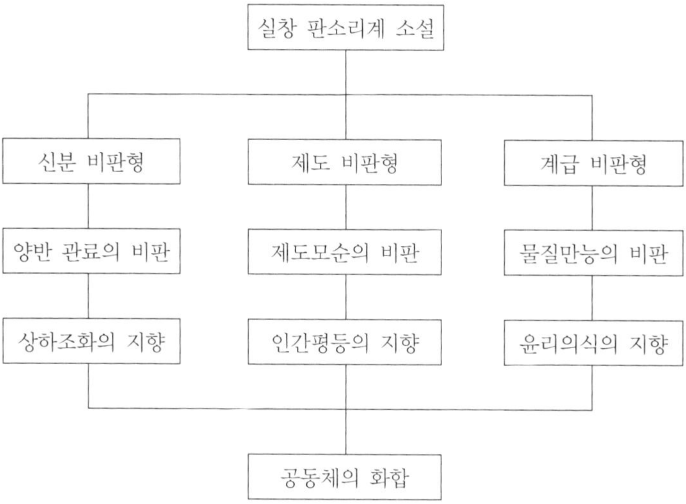

표에서 보는 바와 같이 실창 판소리계 소설은 공통된 지향의식을 추구하고 있다. 그것은 각 유형이 강조점을 달리했을 뿐 당시 사회의 문제점을 지적하고 시정되기를 소망했기 때문이다. 문제와 시정이 알고 보면 부조리를 청산하고 합리적 대안을 강구한 것이라 할 수 있다. 이렇게 부조리가 발생한 것은 위선적이거나 방관적인 상층신분, 편향되거나 경직된 사회제도, 그리고 몰지각하거나 재력을 과시하는 유산계급에 있다 하겠다. 모두 기득권을 구축하고 하층민을 압박하거나 수탈하면서 문제가 불거진 것이다. 그래서 이러한 기득권을 평등과 윤리, 그리고 조화를 통하여 극복되기를 소망하였다. 그러한 지향의식이 원만하게 달성될 때 마침내 공동체의 화합과 번영이 가능한 것으로 보았다. 그래서 차별을 극복하고 수평적인 화합을 추구한 것이 핵심이라 할 수 있다. 원대한 목표를 설정하고 실현되기를 바랐지만, 중세적인 이념을 완전히 탈피하지 못해 구호에 머문 아쉬움이 없지 않다. 이것은 중세를 넘어 근대를 지향했음에도 불구하고 그 방법론이나 실천력에서 한계를 노정한 것이라 할 수 있다. 비판과 풍자를 가했음에도 혁명적인 노선을 걸은 것이 아니라서 실질적인 변화를 촉발하지는 못한 것으로 보아야 하겠다.

판소리계 소설과 비판의 전승사적 의의

실창 판소리계 소설의 비판양상과 지향의식을 검토하는 과정에서 이 유형의 작품군이 갖는 문학사회학적 의미를 짐작할 수 있었다. 창을 상실하면서 하층 지향적인 의취가 강화되어 비판의 강도나 풍자의 기법이 고도화될 수 있었기 때문이다. 그러는 중에 상층부와는 멀어지면서 하층의 일방적인 비판과 공격을 담은 서사로 고착화된 것으로 이해할 수 있다. 이러한 요인이 창을 상실하는 데 일조한 것으로 보아야 하겠다. 서사구성의 허약성과 기괴한 서사기법에다[211] 상층에 대한 비판을 주조로 하면서 창을 잃은 것으로 볼 수 있다. 역설적이게도 이들은 창을 잃으면서 당시의 시대상이나 민중의식을 더 적극적으로 수렴하여 중세에서 근대로의 이행기 문학의 특성을 갖게 되었다. 이는 강한 비판의식이 문학사적으로도 남다름을 의미하는 것이기도 하다. 이에 이 장에서는 실창 판소리계 소설의 실창 동인을[212] 비판의 강화라는 점에서 찾아보

---

211) 김종철, 「〈변강쇠가〉의 미적 특질-괴기미 추구와 관련하여」, 『판소리연구』 4, 판소리학회, 1993, 275-316쪽.

212) 판소리의 실창 원인을 지역적 집중과 배제의 작동으로 해석하기도 한다. (정병헌, 「판소리의 지향과 실창(失唱)의 관련성 고찰」, 『판소리연구』 32, 판소리학회, 2011, 265-294쪽.)

고, 마지막으로 이들이 갖는 문학사적 위상을 짚어보도록 하겠다.

1. 비판과 실창의 상관성

판소리 창본은 당시 상하민중에게 효과적으로 공연될 자질을 가지고 있었다. 상층민에게는 그들의 기호에 맞게, 하층민에게는 그들의 소망을 담아 공연했기 때문이다. 대체로 상층민에게는 당시의 도덕률인 유교적 덕목을 강조하는 방향으로 공연하면서 예술적 감흥을 고취한 반면에, 하층민에게는 신분이나 계급에서 오는 불편부당을 고발하는 것으로 공연의 추동력을 얻었다. 그렇게 된 데에는 판소리 공연이 완창보다는 눈 대목 중심의 부분 창이 많았기 때문에 가능할 수 있었다. 그래서 판소리 창본은 전체적으로 유기적인 맥락이 부족하거나 주제 구현이 양면성을 보이는 것이 사실이다. 유교의 강상을 내세운 표면적인 주제와 인간평등과 개인적 욕망구현을 중시한 이면적인 주제가 양립한 것이다. 이러한 내용을 공연 상황에 맞게 탄력적으로 운용하면서 생명력을 유지한 것이 현전 판소리 창본이라 할 수 있다.

실창 판소리계 소설의 경우 그와는 사정이 사뭇 다르다. 실창한 작품의 경우 당시의 제도와 신분을 공격하거나 조롱하는 것이 주종을 이루기 때문이다. 더욱이 상층과 타협의 여지를 남기지 않고 공격 일변도라서 기득권층이나 상층부에서 수용하기가 어려웠다. 이른바 표면적인 주제로 타협할 만한 것이 없어서 도태된 것으로 볼 수 있다. 특히 판소리 창자들이 상층부와 기득권층에게 경제적인 후원을 받는 상황에서[213] 그들을 일방적으로 공격하는 창본을 공연하는 것은 부담스러운 일일 수밖에 없다. 일부 작품의 경우 다룬 내용이 기이하거나 충격적이라서 상하를 막론하고 공연하는 데 곤란을 겪을 수 있었다. 이를 전제하면서 각 유형별로 실창의 동인을 검토해 보도록 한다.

첫째, 신분 비판형의 실창 동인이다. 이 유형의 작품이 창을 잃는 핵심은 상층인 양반 관료에 대한 지속적인 공격과 그들의 권위를 추락시키는 것이라 할 수 있다. 전승 작품인 〈춘향가〉의 경우 우여곡절을 겪을지라도 춘향이 상층의 체제를 인정하고 그곳으로 편입된다.[214] 즉 외피적으로는 기존의 신분제를 긍정하면서 그 질서 속에서 최고의 선택을 위해 노력한다. 그래서 상층지향의 의식을 보이고 있다. 반면에 실창된 작품의 경우 상층의 인사를 조롱하고 비판하면서 하층과 다름없게 그들을 끌어내리는 데 심혈을 기울인다. 상하층이 다름없음을 상층의 권위와 가식을 비판하면서 확인하고자 했다. 이것은 평등을 지향하되 〈춘향가〉와 정반대의 노선을 천명한 것이다. 그래서 상층 양반 관료의 위신만 추락시킬 뿐 그들의 긍정적인 요소를 회복시켜주지 않는다. 판소리 창자들이 상층의 좌상객(座上客)에게 이러한 작품을 연창할 수 없는 이유이기도 하다.

〈배비장전〉은 주자학적 이념에서 정남을 자처하던 배비장의 위선을 비판한 작품이다. 그런데 그들의 비판에 적극적으로 참여하면서 배비장을 풍자·비판한 인물이 천민인 애랑과 방자라는 점이다. 물론 제주목사의 모의가 있었지만 천민이 상층민을 공격하는 것은 아무리 신

---

213) 조홍기, 「한국과 서양의 음악 후원제도 비교연구」, 『모드니 예술』 2, 한국문화예술교육학회, 2009, 307-320쪽.

214) 신동흔, 「〈춘향전〉 주제의식의 역사적 변모양상 - 완판 계열 이본을 중심으로」, 『판소리연구』 8, 판소리학회, 1997, 213-260쪽.

분제가 느슨해졌다 해도 있을 수 없는 일이다. 그래서 이러한 작품을 불특정 다수에게 공연하는 일이 주저될 수밖에 없었다. 잘 아는 것처럼 이 작품은 정남의 지위를 잃은 정비장의 문제는 물론이거니와 항상 정남을 자처하며 기생을 멀리했던 배비장의 위선을 풍자적으로 폭로하고 있다.[215] 배비장이 보이는 행태는 개와 다름없이 개가죽을 쓰고 울타리 구멍을 드나들며, 분장한 애랑에게 침혹하여 여색을 탐한다. 이것은 상층 관료의 부정상을 적나라하게 보이는 것이라 하겠다.[216] 더욱이 나신으로 동헌에 나타난 배비장의 모습은 상층부의 가식을 모두 벗긴 것이기도 하다. 상층의 권위와 가식을 그것도 천민을 동원하여 만천하에 폭로하고 작품이 끝난다. 그들의 처지를 헤아리거나 그들의 신분을 인정하지 않는다는 점에서 비판의 강도가 높다 하겠다.[217] 창이 전승되는 작품은 상층부의 신분과 질서를 긍정적으로 인정하는 반면에, 이 작품에서는 그러한 요인을 원천적으로 부정하고 있다. 그래서 상층부의 경제적 후원을 바라는 판소리 창자들이 이러한 작품을 창에서 우선적으로 배제했을 것으로 본다.

〈강릉매화타령〉도 상층부인 관리를 지속적으로 풍자·비판한 것이라 할 수 있다. 이른바 상층에 대한 배려 없는 공격이 문제가 되어 실창된 것으로 볼 수 있다. 더욱이 공격의 주체가 관기인 기생 매화라는 점이다.

---

215) 여세주, 「貞男毁節譚의 形成과 社會的 意味」, 『한민족어문학』 16, 한민족어문학회, 1989, 259-278쪽.

216) 김영주, 「〈배비장전〉의 풍자구조와 그 의미망」, 『판소리연구』 25, 판소리학회, 2008, 111-136쪽.

217) 윤보윤, 「《天倪錄》과 고전소설의 대비적 고찰 - 〈御史巾幗登筵上〉, 〈提督裸裎出櫃中〉과 〈배비장전〉을 중심으로」, 『인문학연구』 34, 충남대학교 인문과학연구소 2007, 325-350쪽.

매화는 강릉태수의 모의에 따라 죽은 혼령으로 가장하고 골생원을 철저하게 농락한다. 마침내 그녀는 골생원을 나신으로 만들어 경포대로 유인하여 춤을 추게 만들고, 그러한 골생원에게 태수가 나타나 모든 것이 속임수임을 밝힌다. 그래서 골생원은 기생 매화에게 침혹되어 정체성 없이 나날을 보내다가 철저하게 모욕을 당하고 만다. 〈춘향가〉에서처럼 상층민이라고 해서 그들의 권위를 다시 회복시켜 주지도 않는다. 상층의 권위와 가식, 그리고 부정적인 의식을 끌어내리는 것으로 작품이 마감되고 만다. 상층도 하층과 다름없음을 하향평준화의 방향으로 모색하여 상층부의 반감을 살 수밖에 없었다. 한편 골생원의 행태도 상층부에서 긍정적으로 인식하기에 어려운 면이 있었다.[218] 골생원이 기생에게 매혹되어 과거시험지에 기생을 위한 시를 쓰거나 돈이 없어 시전의 아이에게 빰을 맞거나 기생의 죽음을 애도하고자 제를 올리는 행위 등은 양반사대부 입장에서도 용인하기 힘든 내용이다. 보수층의 관점에서 자신들의 위신추락만 다루었기에 수용이 어려웠고, 그러한 조류를 반영하여 판소리 창자들이 공연 작품에서 배제한 것이라 하겠다.

이상에서 보는 바와 같이 신분 비판형은 신분에 의해 상층부를 구성하고 있는 관리를 비판·풍자하고 있다. 문제는 이들 유형에 속하는 작품의 경우 비판의 주체가 천민일 뿐만 아니라, 비판 후에도 비판 대상이었던 양반 관리들의 개과천선이나 원상회복 없이 모욕적인 비판으로 이야기가 갈무리된다는 점이다. 그래서 상층부를 나락으로 끌어내려 상하가 차이 없음을 부각한 것이라 할 수 있다. 상층부의 사회와 그들의 권위를 인정하지 않고 일방적으로 공격한 꼴이 되고 말았다. 소설적인 비판과

---

218) 이문성, 「인물 작명과 골생원의 형상으로 본 〈강릉매화타령〉」, 『판소리연구』 30, 판소리학회, 2010, 265-291쪽.

풍자에서는 적당할지 몰라도 상층민에게 유용한 공연물로 유통되기에는 어려운 면이 없지 않았다. 상하의 조화를 전제로 상층사회나 신분을 인정하고 하층이 그 속으로 편입되는 것과 상반된 작화라 할 만하다. 이러한 요인 때문에 창자들이 상층민을 일방적으로 조롱·풍자한 작품이 창에서 도태된 것이라 할 수 있다.

둘째, 제도 비판형의 실창 동인이다. 이 유형은 비판을 중심에 두고 작품이 형상화되었다. 특히 하층민의 애환을 해학적으로 그리면서 당시의 제도와 관습을 비판하는 데 역점을 두어 도태된 것으로 볼 수 있다. 민속극이 철저하게 민중의 공연예술로 발전하면서[219] 상층부의 관심 영역에서 멀어진 것처럼 이 유형도 당시의 제도와 관습 등을 비판하면서 상층민에게 외면 받은 것으로 볼 수 있다.

〈변강쇠가〉의 실창 원인은 여러 관점에서 생각해 볼 수 있다. 먼저 〈변강쇠가〉의 실창 요인은 광작이나 상품경제가 활성화되면서 하층민이 터전을 상실한 것에서 찾아 볼 수 있다. 농업이나 경제제도의 왜곡이 하층민을 유랑하게 만들었고, 이것이 근본적인 동인이 되어 상층민에 대한 반감으로 나타난 것이다. 왜곡된 사회제도에서 최하층민인 변강쇠가 나무의 덕과 쓰임새를 내세우며 상층부의 상징인 장승을 과감하게 베어 민중의 저항의식을 드러냈다. 기득권층에서는 변강쇠의 행위가 제도에 대한 반감은 물론 상층에 대한 도전으로 인식하고 맹공을 퍼붓게 된다. 이른바 장승연합이 기득권층을 옹호하면서 변강쇠에게 감내하기 어려운 질병이 생기도록 하다가 마침내 죽이고 만다. 이는 역설적으로 변강쇠와 옹녀가 떠돌이 유랑민의 위치에서 유교사회에서 억압했던 성

219) 정수연·전은자, 「조선후기 탈춤 연행구조에 관한 연구－광대, 향리 집단을 중심으로」, 『대한무용학회논문집』 47, 대한무용학회, 2006, 235-261쪽.

을 표면적으로 드러내면서 경제제도와 사회제도의 문제를 통렬하게 비판한 것으로 해석할 수 있다. 이러한 내용을 〈변강쇠가〉의 실창 요인의 핵심으로 꼽을 수 있다. 또한 옹녀의 행위에서도 실창 요인을 찾을 수 있다. 옹녀는 남편이 죽으면 개가를 일삼는 여성으로 그려진다. 순절이나 수절을 중시했던 사회에서 여성이 거침없이 반복적으로 개가를 결행하도록 한 것은 남성 중심의 사회에서는 용인할 수 없는 일이다. 더욱이 남성의 계속된 죽음으로 여인천하를 만드는 옹녀의 개가는 어떠한 방식으로든 단죄해야 했고, 이것이 작품의 유통에도 영향을 끼친 것으로 볼 수 있다. 한편으로 이 작품이 다른 실창 판소리와는 달리 인간의 성을 중심 소재로 삼고 있다는 점이다. 성의 기괴적 형상화는 유교질서를 위배하는 행위요, 사회질서를 문란하게 만드는 요소였다. 그러한 것이 직설적으로 그려졌다는 점에서 문제가 더 크다. 기물타령에서 남녀의 성기를 노골적으로 묘사했는가 하면, 변강쇠와 옹녀가 성행위를 일삼는 것은 당시로서는 큰 문제가 아닐 수 없었다.[220] 제도에 대한 과감한 도전과 성의 지나친 노골화가 이 작품을 상층민에게는 물론 일반대중에게도 공연할 수 없도록 만든 핵심이라 하겠다.

〈장끼전〉은 철저한 가부장제의 사회에서 여성이 한 인간으로서의 주체성을 내세우고 있는데, 이것이 실창의 결정적 요인이라 할 수 있다. 가부장제를 부정하는 한편으로 남편이 죽자 개가를 단행하는 것도 당시로서는 금하는 제도였다. 그런데 이 작품에서는 그러한 제도를 과감하게 부정하고 있다. 남성의 부속물로 살아야만 했던 조선후기의 여성은 자의적인 판단으로 스스로의 인생을 살아갈 수 없었다. 설령 남편

220) 김종철, 「실전 판소리의 종합적 연구 – 판소리사의 전개와 관련하여」, 『판소리연구』 3, 판소리학회, 1992, 87-153쪽.

이 이른 나이에 사망해도 순절하는 것을 미덕으로 여겼다. 여성의 자체적인 삶에 의의를 두지 않은 결과이다. 어떠한 경우가 있어도 가문의 명예를 지켜야 했기에 순절이 불가할 때는 수절이 강요되었다. 가부장제에서는 남성의 재혼은 용인될지라도 여성의 재혼은 불가하였다. 가부장제와 과부금혼제도가 당시의 민중, 그중에서도 여성에게는 큰 문제가 아닐 수 없었다. 〈장끼전〉에서는 그러한 문제를 전면에 들고 나와 비판하고 있다. 그렇기 때문에 잘못된 남편의 행위를 엄중하게 경고하기도 하고 개가를 단행하기도 한다. 경솔한 남편의 행위를 엄중하게 경고하는 것은 더 이상 가부장제와 남성중심의 사회를 인정하지 않겠다는 의미이며, 개가의 단행은 과부금혼제도를 거부한 것이기도 하다. 판소리의 경제적 후원자였던 지배계급은 까투리의 행위가 사회질서를 어지럽히고 미풍양속을 헤치는 요인으로 보았을 것이다. 그래서 창자들의 자가 검열 과정에서 이러한 작품이 창에서 도태된 것이라 하겠다. 어느 모로 보나 상층민이 긍정할 만한 요소를 찾을 수 없자 창자가 더 이상 연창하지 않은 것으로 볼 수 있다. 한편으로는 부익부빈익빈에 따른 계급이 대두되면서 더 이상 하층의 빈민 문제에 관심을 기울이지 않은 것도 실창의 요인 중의 하나일 수 있다.

이상에서 보는 바와 같이 제도 비판형 판소리계 소설은 당시에 철칙처럼 여겨졌던 제도를 과감하게 위배하고 있다. 그렇게 함으로써 문제에 대한 진단과 개선의지를 보이고자 한 것이다. 이 제도 비판형의 인물은 어느 경우든 하층민의 고단한 삶을 다루고 있다. 그들이 그렇게 된 데에는 농업이나 경제제도 그리고 남성 중심의 가부장제가 있었다. 그래서 이 유형의 작품에서는 그러한 문제를 적극적으로 비판할 수밖에 없었는데, 이것은 상층부의 심기를 불편하게 만드는 요인이기도 했다. 경제적 후원자인 상층부의 처지를 헤아리면서 창자들은 자연스럽게 이러한 작품을 창에서 배제한 것으로 볼 수 있다.

셋째, 계급 비판형의 실창 동인이다. 조선후기는 신분질서가 느슨해지는 한편으로 계급의 문제가 부각되고 있었다. 이른바 유산계급과 무산계급이 그것이다. 경제사회의 변화로 하층민도 부를 축적하여 사회의 기득권층을 이루는 일이 가능해졌다. 더욱이 상업과 화폐경제의 발달로 더 이상 토지에 의존하지 않고도 부를 축적하여 유산계급으로 군림하는 일이 빈발했다. 문제는 이렇게 성장한 계급이 긍정적인 면보다는 부정적으로 비치는 경향이 많았다는 점이다. 모든 것을 금전으로 해결하여 인간관계가 부정적으로 정립될 수밖에 없었기 때문이다. 더욱이 경제적인 이익을 무엇보다 우선하여 기존의 유교덕목을 부정하는 일이 빈발하였다.[221] 이는 상층부에게 비판의 대상이 되었다. 한편으로는 하층민에게 군림하면서 그들에게도 배척되는 처지가 되었다. 그래서 이러한 사정을 형상화한 작품은 상하층 모두에게서 부정되는 상황을 맞게 되었다. 이들 작품이 창으로 연행될 기반이 그렇게 상실된 것이라 할 수 있다.

〈옹고집전〉은 조선후기에 광작으로 부농을 이루어 지주로서 군림한 요호부민(饒戶富民)의 문제를 다룬 작품이다. 옹고집처럼 요호부민이 될 수 있었던 것은 경제제도의 변화로 광작이 가능해졌기 때문이다. 이들은 한량처럼 지낼지라도 유산계급이라는 점에서 소작인을 비롯한 지역민을 착취할 수밖에 없었다. 그러는 한편으로 상층의 유교윤리를 준수하지도 않았다. 오로지 경제적인 이익만 추수하다 보니 병든 어머니를 냉방에 방치하는 것도 가능할 수 있었다. 유교윤리의 핵심이 효행

221) 김미령, 「판소리계 소설을 통해 본 돈에 대한 욕망 - 〈춘향전〉 〈흥부전〉 〈심청전〉을 중심으로」, 『고전과 해석』 9, 고전한문학연구학회, 2010, 7-34쪽.

이지만 그것마저도 부정하는 신흥부유층의 문제를 명시적으로 지적하기 위한 장치라 하겠다. 더욱이 하층민에게는 여전히 신앙으로 중시되는 불교마저도 무시하는 행태를 보이고 있다. 이러한 그를 시정할 필요가 생겨 가옹을 내세워 진옹이 처참한 상황으로 내몰리도록 했다. 경제적인 궁핍을 직접 경험하도록 함으로써 개과의 기회를 제공한 것이라 하겠다. 경제적인 우위만을 내세우며 하층민에게 군림하는 한편으로 상층민이 중시하는 유교적인 강상마저 부정하는 옹고집과 같은 신흥유산계급은 상하 모두에게서 부정적으로 인식하게 되었다.[222] 그래서 이러한 작품은 판소리 창자가 자연스럽게 연창의 목록에서 배제할 수밖에 없었다. 인기를 먹고사는 예능인으로 부상한 판소리 창자가 굳이 상하 모두에서 외면하는 텍스트를 대중적으로 연행할 필요는 없었던 것이다. 실창의 핵심적인 동인을 작품 내에서 찾을 수도 있다.

〈무숙이타령〉 역시 신흥부유층, 즉 유산계급의 그릇된 행태를 고발한 작품이다. 김무숙은 대방왈자로 서울 중촌 갑부의 아들이다. 그는 아버지의 경제력만 믿고 방탕한 나날을 보낸다. 청루를 찾아 유락(遊樂)하는 삶을 보내다가 내의원 소속 기생인 의양의 미모에 반해 속량전을 내고 첩으로 삼는다. 의양이 모든 일을 당차게 함에도 불구하고 무숙은 여전히 청루를 찾으며 방탕한 생활을 일삼는다.[223] 의양을 비롯한 주변인물 모두가 속이기를 통하여 무숙을 궁핍한 생활로 내몰고 마침내는 친구인 김 선달과 의양이 놀아나는 것처럼 가장하여 그가 죽음을

222) 김흥규, 「19세기 전기 판소리의 연행환경과 사회적 기반」, 『어문논집』 30, 고려대학교 국어국문학연구회, 1991.

223) 박진아, 「〈게우사〉의 형성과 문학사적 위상에 관한 고찰」, 『국학연구론총』 12, 택민국학연구원, 2013.

결심하도록 한다. 이것은 김무숙과 같은 유산계급이 보이는 행태가 죽음을 부를 만큼 파격적인 일임을 천명한 것이라 하겠다. 어쨌든 김무숙은 신흥부유층의 그릇된 행태를 비판한 것으로 상층민이나 하층민에게 모두 비판의 대상이었다. 경제적인 이유만으로 유락적인 삶을 사는 것이 어느 모로 보나 부정적일 수밖에 없었기 때문이다. 당연히 판소리 창자도 상하 모두에게 부정되는 작품을 연행할 리 만무했다. 이것이 이 작품이 창을 잃는 핵심적인 동인이라 하겠다.

이상에서 보는 바와 같이 계급 비판형은 경제적인 우위만을 믿고 방탕하게 행동하는 문제 때문에 실창한 것으로 볼 수 있다. 즉 옹고집이나 김무숙처럼 자신의 부만을 믿고 기존의 윤리의식을 부정하거나 건전한 소비생활을 저해하는 행태가 상하 민중 모두에게 부정적으로 비치면서 창을 잃게 된 것이라 하겠다. 글로 쓰여 유통의 파장이 덜한 소설에서는 그것이 비판의 강도를 높이는 효과가 있었지만, 대중에게 직설적으로 전해지는 연행에서는 그들의 그릇된 행태를 문제 삼지 않을 수 없었다. 상층에게는 유교윤리를 무시한다는 점에서, 하층에게는 경제적으로 군림한다는 점에서 선호하지 않는 작품이 되었고, 이것이 창을 잃은 핵심적인 동인이라 하겠다.

요약컨대 전승 판소리는 표면적으로 충효열을 강조하면서 유교 덕목을 지향했지만, 실창 판소리는 조선후기 판소리 향유층의 보수적인 세계관을 반영하기보다는 그것을 부정·비판하고 있다. 그래서 판소리사에서 영향력을 발휘했던 보수 향유층의 요구에 부합될 만한 작품으로 형상화될 수 없었고, 이것을 실창의 원인으로 지적할 수 있다.[224] 더욱이 상층

224) 강진옥, 「변강쇠가」, 『판소리의 세계』, 문학과 지성사, 2000, 285쪽.

부를 비판하고 징치하는 과정에서 상민은 물론 천민이 공모·가담하여 부정적인 인식이 더 강화될 수밖에 없었다. 이것은 역설적으로 당시 사회의 제반문제를 더 적극적으로 풍자·비판한 것으로 해석할 수도 있다. 그럼에도 불구하고 문제를 극복할 방안을 명확히 제시하지 못한 것은 판소리계 소설이 보이는 한계점이라 하겠다. 이는 중세적인 틀을 벗지 못하고 근대를 지향했기 때문이라 하겠다.

2. 비판의 문학사적 의의

실창 판소리계 소설은 문학사적인 측면에서 주목할 필요가 있다. 문학은 시대를 반영한다는 점에서 실창 판소리계 소설을 시대상황과 더불어 이해할 필요가 있다. 조선후기는 중세에서 근대로 전환·이행하는 과도기였다.[225] 그러면서 현실적 합리주의를 바탕으로 새로운 가치관이 형성된다. 새로운 가치관의 변모는 기존의 종속관계에서 벗어나 상하의 조화를 추구하는 수평의 관계를 지향하고 있다. 조선후기가 사회경제적으로 많은 변화를 겪으면서 그 이념이나 의식이 중세의 봉건제도에서 벗어나 점차 근대로 이행해 갔음을 의미한다. 그래서 실창 판소리계 소설에는 중세의 봉건적 사고방식을 담는 한편으로 새롭게 등장한 근대의식을 수렴하기도 하였다. 실창 판소리계 소설이 문학사적으로 남다른 의의를 갖는 것도 바로 이 때문이다.

첫째, 신분 비판형의 문학사적 의의이다. 신분 비판형은 중세적인 이

---

225) 인권환, 「토끼전의 서민의식과 풍자성」, 『판소리의 이해』, 창작과 비평사, 1978, 243- 245쪽.

념이 상당히 무뎌졌음에도 신분적으로 기득권을 형성한 계급에서는 자신들의 권익을 옹호하기 위하여 중세적인 이념을 더 굳건하게 믿는다. 자신들은 하층민과 다르다는 인식을 주자학적인 이념이나 관료적인 권위를 내세워 천명하곤 하였다. 시대는 이미 합리성과 실용성을 중시하기 시작했음에도 불구하고 기존의 신분이나 사상에 휩싸여 여전히 관념적인 사유체제를 벗어나지 못하고 있다. 그래서 민중의 관점에서 보면 그들의 완고한 인식을 수정할 필요가 생겼다. 그렇게 해서 나타난 유형이 바로 신분 비판형 작품인 〈배비장전〉과 〈강릉매화타령〉이다.

〈배비장전〉은 중세를 넘어 근대를 지향하는 문학사의 흐름을 적절히 포착한 작품이다. 전체적으로 이들 작품은 양반의 위엄과 권위의 한계를 드러냄과 동시에 신분제 극복의 필요성을 말하고 있다. 즉 비판과 용서라는 구도를 통해 상하층의 조화를 모색한 것으로 볼 수 있다. 이 작품은 주자학적인 이념으로 무장한 양반들의 한계를 지적하는 것이 핵심이다. 그래서 속이기라는 해학적 요소를 통해 양반들의 가식적인 모습을 드러내는 한편으로 신분을 벗어던질 때 새로운 시대로 나아갈 수 있음을 일깨우고 있다. 중세에서 근대로 넘어가는 과도기적 상황에서 주자학적인 이념을 버리고 상하의 협력과 조화를 통한 근대적인 사고를 지향한 작품이라 할 수 있다. 그런 점에서 중세문학을 넘어 근대로 나아가는 지점에서 그 역할을 충실히 수행한 작품으로 평가할 수 있다.

〈강릉매화타령〉은 책임의식이 결여된 관료사회의 한계를 지적하고 있다. 그래서 속이기라는 해학적 요소를 통해 관료의 무능함을 드러내는 한편으로[226] 관료사회의 부정부패를 시정하고 상하층이 화합을 이

226) 송주희, 「고전소설에 나타난 속이기의 서사기법적 연구」, 충남대학교 석사학위논문, 2008.

룰 때 새로운 시대로 나아갈 수 있음을 일깨워 주고 있다. 이 작품은 관료사회의 기강을 바로 세우고 상하의 협력과 조화를 통해 새로운 세상을 지향한 작품이라 할 수 있다. 그런 점에서 과도기적인 문학의 실태를 수렴한 것으로 평가할 수 있다.

이렇게 신분 비판형에서는 중세적인 이념과 제도에 사로잡혀 근대적인 실용노선을 인지하지 못한 양반 관료층을 비판하면서 올바른 방향으로 나아가기를 소망하고 있다. 즉 주자학적인 이념에 매어 있거나 양반 관료의 그릇된 행태를 시정하여 건전한 공동체 문화가 실현되기를 바란 것이다. 그래서 비판의 주체도 사회적인 약자로 설정한 것이 아닌가 한다. 양반 관료를 공격하면서 그들의 권위를 끌어내리고 자신들은 진보적 각성을 통해 상하가 근접할 수 있음을 보인 것이라 할 수 있다. 신분의 상하가 이제 수평이 되기를 소망하였지만 그것이 전격적으로 실행될 수는 없었다. 양반 관료를 집중적으로 풍자하는 과정에서 민중의식을 내재시키는 데 머물렀기 때문이다. 이 또한 과도기적인 문학이 보이는 특성이자 한계이기도 하다. 그래서 이 유형 또한 기존의 질서와 새로운 질서가 교차되는 과도기 문학사의 특성을 보인다 하겠다.

둘째, 제도 비판형의 문학사적인 의의이다. 어느 시대를 막론하고 제도는 사람의 행동과 사고를 제약한다. 긍정이든 부정이든 간에 제도에 의해 운신의 폭이 결정되는 것은 분명한 일이다. 문제는 중세의 법제와 제도는 평등을 전제한 것이 아니라는 점이다. 대부분 상층부와 남성을 중심에 두고 법제가 마련되었기 때문에 민중이나 여성에게는 항시 불리할 수밖에 없었다. 이러한 법제는 중세를 마감하고 근대로 이행되면서 비판의 대상이 될 수밖에 없었다. 근대는 신분적으로 수평관계를 확립하기 때문에 수직적인 신분을 전제한 법제가 더 이상 현실을 반영할 수 없었기 때문이다. 실창 판소리계 소설은 그와 같은 사정을 적절히 반영하여 문학사적으로 남다른 의미가 있다.

제도 비판형 판소리계 소설인 〈변강쇠가〉와 〈장끼전〉은 당시의 법제에서 파생된 중층적인 문화현상을 잘 반영하고 있다. 〈변강쇠가〉에서는 경제적인 법제가 상층부나 부유층에 집중되도록 한 후 하층민이 삶의 터전을 잃고 방랑하거나 여성의 개가를 금하는 문제를 다루고 있다. 그런데 이들이 중세적인 관점에서 일방적으로 탄압만 받기보다는 일정하게 자신의 목소리를 내고 있다는 점이다. 변강쇠의 경우 기득권을 상징하는 장승을 제거하였으며, 옹녀의 경우에는 과감하게 재가금지를 어겼다. 그 결과 변강쇠는 죽음으로 징치 받았지만,[227] 옹녀는 새로운 삶을 지향하게 되었다. 그래서 중세적인 이념이 여전한 가운데 새로운 의식이 발현된 사정을 적절히 다룬 것으로 볼 수 있다. 〈장끼전〉 역시 농업제도에 의해 터전을 잃고 정처 없이 떠도는 유랑민의 모습을 장끼 부부를 통해 확인할 수 있다. 장끼의 경우 중세적인 억압과 수탈에 변변히 대응하지 못하다가 죽음을 통해 항변하는 모양새를 취했고, 까투리의 경우 자신의 처지를 헤아려 재가를 단행함으로써 기존의 질서에 강하게 항거하고 있다.[228] 그렇게 하는 것이 경직된 법제를 탈피하여 융통성 있게 현실에 대응하는 것이기 때문이다. 이것은 질곡의 중세 법제를 벗어나 합리적인 근대의식을 발현한 것이기도 하다.

이처럼 제도 비판형에서는 중세의 법제로 빚어진 문제를 비판하면서

227) 신동흔, 「〈변강쇠가〉로 읽는 성·병·주검의 문화사」, 『역사비평』 67, 역사문제연구소, 2004, 307-332쪽.

228) 유귀영, 「판소리계 소설 속 하층여성의 열에 대한 인식과 그 의미」, 『판소리연구』 39, 판소리학회, 2015, 173-202쪽.

도 그것을 완전히 벗어나지는 못했다. 즉 중세의 제도에서 강요하는 내용을 비판하면서도 대안을 확실하게 모색하지 못했다. 극력하게 저항하지 못하고 미온적인 방법으로 항변하면서 근대지향의식을 드러낼 따름이었다. 이 제도 비판형 판소리계 소설에 중세의 이념과 근대의 의식이 혼효된 것도 그러한 사정 때문이다. 중세의 상하질서를 강조한 법제와 남성 중심의 가부장제가 여전한 가운데 여성의 개가를 현실적으로 단행하여 법제에서 오는 불합리를 극복하고자 한 것이다. 이는 중세에서 근대로 전환되는 문학의 양상을 이들 유형이 잘 대변하는 것으로 보아야 하겠다. 즉 중세와 근대의 문학을 이 유형의 작품이 적절히 수렴하여 전환기문학사에서 남다른 의미를 갖는다 하겠다.

셋째, 계급 비판형의 문학사적인 의의이다. 조선후기로 가면서 신분의 문제보다 계급의 문제가 중요시되었다. 신분의 질서가 느슨해지는 한편으로 유산계급이 부각되고 무산계급이 유랑하는 현상이 나타났기 때문이다.[229] 이것은 자본주의 경제와 유관한 현상이 사회 도처에서 나타났기 때문이다. 실제 상품경제와 화폐경제가 발전하면서 이제 더 이상 토지에 얽매이지 않고도 부를 축적할 수 있게 되었다.[230] 이렇게 부를 축적한 계급은 이른바 유산계급을 이루며 사회적인 강자로 자리하게 되었다. 상층부의 유산계급은 말할 것도 없이 하층부에서도 유산계급으로 부각하여 군림하는 일이 가능해졌다. 유산계급이 기득권을 유지하고 사회통념상 받아들일 수 없는 그릇된 행태를 보이자 그것을 시정할 필요

229) 정인숙, 「〈덴동어미화전가〉에 나타난 조선후기 화폐경제의 발달 양상 및 도시생활문화의 탐색」, 『국어교육』 127, 한국어교육학회, 2008, 365-392쪽.

230) 최기숙, 「돈의 윤리와 문화 가치-조선후기 서사 문학의 경제적 상상력」, 『현대문학의 연구』, 한국문학연구학회, 2007, 181-218쪽.

가 생겼는데, 문학에서 그러한 작업을 진행하였다. 그것이 〈무숙이타령〉과 〈옹고집전〉 같은 계급 비판형 소설이라 하겠다.

계급 비판형인 〈무숙이타령〉과 〈옹고집전〉은 새롭게 부상한 유산계급의 문제를 지적하고 그렇지 못한 계급과 재화의 균분은 물론 윤리·도덕적인 인간으로 변화하기를 촉구하고 있다. 그래서 자본과 인본이 양립되었던 당시의 문화현상을 예리하게 포착한 유형이라 할 만하다. 〈무숙이타령〉의 경우 유산계급이 보이는 무절제한 경제관념을 시정하는 것이라 할 수 있다. 김무숙은 갑부의 아들로 충족된 재물을 바탕으로 기생을 첩으로 들인 후에도 여전히 청루에서 재물을 탕진한다. 통상적인 관념에서 이해할 수 없는 행태를 보이는 것이다. 이는 인본을 벗어나 자본으로 급격하게 치우친 그릇된 관념을 강조하여 보인 것이라 하겠다. 그래서 중세적인 이념을 내세우며 보편적인 정서에 해당하는 건전한 인간, 균형 잡힌 인간으로 변환시켜야 했다. 시대의 급격한 변화에 적절히 대응하지 못한 유산계급의 문제를 지적하고 가정이나 사회적으로 균형 잡힌 인간상을 정립하고자 한 것이다. 인본을 중시하던 사회에서 자본이 강렬하게 부각되던 사회현상을 적절히 포착한 작품이라 하겠다. 그만큼 당대의 문제를 예리하게 짚어내어 과도기 문학으로서의 가치가 충분하다 하겠다. 〈옹고집전〉의 경우 물질을 중시하면서 자본을 축적한 유산계급의 그릇된 행태를 고발하는 데 집중하고 있다. 재화가 생활의 전반에서 중시되자 이제 재화를 축적하고 인색하게 구는 군상도 나타나게 된 것이다. 대표적인 인물이 바로 옹고집이다. 그는 자신의 재화를 바탕으로 가정의 화목이나 사회의 안녕에 이바지할 수도 있었지만 철저하게 외면하고 오로지 경제적인 이익만 추구할 따름이다. 그러는 중에 중세적인 이념이면서 보편적 정서인 윤리와 도덕을 무시하는 상황에까지 이르렀다.[231] 그래서 그의 그릇된 의식을 시정할 필요성이 대두되어 강도 높은 징치를 가하는 것이다. 이것은 자본보다 인본을 근거로 한 건전한 삶을 강조한 것이라 하겠다. 조선후기에 급격하게 자본에 편중되던 사회적 이념을 인본, 특히 윤리적인 인간으로 재편해야 할 필요성에서 이와 같은 작품이 생산된 것으로 볼 수 있다. 그래서 중세적인 이념과 근대자본의 가치가 양가적으로 드러난 작품이 〈옹고집전〉이라 하겠다. 그만큼 문학사적으로 과도기적인 특성을 잘 드러낸다 하겠다.

이처럼 계급 비판형은 조선후기 문화의 과도기적 현상을 적절히 포착하고 있다. 그래서 당시 사회의 문제를 적극적으로 형상화하여 문학사, 특히 민중문학사적인 의의가 남다르다 하겠다. 실제로 주자학적 이념이 붕괴되어 윤리도덕보다는 경제적인 이익을 우선하게 되면서 전통윤리나 보편윤리에서 벗어나는 그릇된 행태가 빈발할 수 있었다. 그래서 이 유형에서는 근대적 자본의식과 중세적인 윤리의식이 중층적으로 혼효될 수밖에 없었다. 새로운 유산계급의 부정적인 행위가 크게 문제되어 그것을 합리적으로 시정할 필요가 있었지만 현실에서는 결코 쉽지 않았던 것이 사실이다. 이 유형의 작품이 판타지적이거나 공모(共謀)의 수법으로 문제를 폭로·시정한 사정을 짐작할 수 있다. 이는 민중의 차원에서 문제를 진단한 것에 지나지 않아 문제해결을 위해 강력하게 대응할 수 없었던 처지를 헤아린 것이기도 하다. 그래서 이 유형은 근대 진입기 민중의 처지를 적절히 대변하는 것으로 보아도 좋다. 그만큼 문학사적으로 양가적인 특성이 내재되어 있음을 의미한다.

---

231) 서인석, 「조선 후기 향촌 사회의 악인 형상 – 놀부와 옹고집의 경우」, 『인문연구』 20, 영남대학교 인문과학연구소, 1999, 47-78쪽.

판소리계 소설의 비판담론 요약과 제언

본 논문은 실창 판소리계 소설을 유형에 따라 신분 비판형, 제도 비판형, 계급 비판형으로 나누어 실창 판소리계 소설의 문학적 양상과 지향의식을 살폈다. 이를 바탕으로 실창 판소리계 소설은 각 유형이 강조점을 달리했을 뿐 당시 사회의 문제점을 지적하고 시정되기를 소망하며 공통된 지향의식을 추구하고 있다는 점을 밝혔다. 지금까지 논의한 것을 결론 삼아 요약하면 다음과 같다.

첫째, 실창 판소리계 소설의 유형을 분류하였다. 실창 판소리계 소설은 사설은 기록으로 전해지되 창이 전승되지 않는 판소리 작품을 말한다. 실창 판소리계 소설은 판소리로 불리지 못할 만큼 사회적인 문제를 강하게 지적하고 있다. 그것은 중세에서 근대로의 이행기인 조선후기 서민들의 고달픈 삶, 중세적 윤리의식의 부재, 사대부들의 타락한 삶을 담고 있기 때문이다. 그만큼 상층부에 대한 강렬한 비판의식을 담고 있다. 그래서 유형 분류의 기준으로 비판의 대상을 선택하였다. 이 기준을 토대로 유형을 신분과 제도, 그리고 계급 비판형으로 분류하였다. 먼저 신분 비판형에서는 양반사회의 일면과 공동체에 융합하지 못한 관료사회의 행태를 검토하였다. 다음으로 제도 비판형에서는 공동체에서 내몰린 하층민들이 유랑민으로 살 수밖에 없었던 이유와 여성의 개가 문제에 초점을 맞추어 사회의 불합리한 제도를 추적해 보았다. 마지막으로 계급 비판형에서는 경제발전에서 발생한 물질우선주의의 병폐와 도덕과 인간성 상실의 문제를 검토해 보았다. 이와 같은 유형을 기반으로 각 유형에 따른 분석 텍스트를 선정하였다. 신분 비판형은 〈배비장전〉과 〈강릉매화타령〉을, 제도 비판형에는 〈변강쇠가〉와 〈장끼전〉을, 계급 비판형은 〈옹고집전〉과 〈무숙이타령〉을 선정하였다.

둘째, 실창 판소리계 소설의 유형별 비판양상을 살펴보았다. 각 유형별로 비판의 동인과 양상을 분석하였다. 먼저 신분 비판형에서는 오로지 신분을 내세워 기득권을 형성한 계급의 문제를 지적하고 있다. 〈배비장전〉은 관료사회에서 행해지는 민중에 대한 수탈과 양반의 권위만 앞세우는 가식적인 실태를 지적하고 있다. 〈강릉매화타령〉은 관료에게 요구되는 능력과 품행보다 부정과 부패를 일삼는 양반 관료층의 그릇된 행태를 지적하고 있다. 다음으로 제도 비판형의 작품이다. 〈변강쇠가〉는 유랑민의 삶을 책임지지 못하는 기득권층의 무책임과 가부장제의 뿌리 깊은 악습을 비판하고 있다. 〈장끼전〉은 중세 해체기에 현실에 맞지 않는 토지제도와 가부장제 및 여성 개가금지제도 등의 문제를 지적하고 있다. 끝으로 계급 비판형에서는 유산계급의 그릇된 행태를 고발하고 있다. 〈옹고집전〉은 조선후기 화폐경제의 발달로 부를 축적한 계급에서 인간의 윤리와 도덕보다는 물질을 우선시하는 세태를 지적하고 있다. 〈무숙이타령〉에서는 부를 축적한 유산계급에서 보이는 비윤리적인 행태와 물질 우선주의가 불러온 사회의 부도덕한 이면을 지적하고 있다.

셋째, 실창 판소리계 소설의 유형별 지향의식과 각 유형의 상관관계를 검토하였다. 실창 판소리계 소설은 사회의 가장 낮은 신분인 하층민이 나서서 기득권층의 문제를 비판하고 있다. 이는 궁극적으로 상하의 조화를 통해 공동체의 화합을 위한 것이라 하겠다. 그래서 필연적으로 각 유형에는 민중의 소망을 성취하기 위한 의식이 내재되어 있다. 신분 비판형은 상층신분의 비정상적인 행태를 폭로하고 그들이 건전한 방향으로 선회되기를 소망하고 있다. 신분제가 붕괴되는 상황에서 상층민으로 군림하는 문제를 해학적으로 그려 그들의 권위를 급선직하로 끌어내림으로써 하층민과 상층민이 다르지 않음을 보여주고 있다. 제도 비판형은 당시 제도의 미비가 불러온 참상을 고발하고, 그것을 합리적으로 시정되기를 소망하고 있다. 이 유형에서는 제도의 경직성과 편향성에 대한 문제를 제기하고, 그것이 유연하면서도 합리적으로 조정되기를 희망하고 있다. 즉 양반 중심적인 제도의 편향성을 상하가 아우를 수 있는 방향으로 조정하여 인간평등이 성취되고, 여성에 대한 억압이 중시되는 경직성에서 벗어나기를 바라고 있다. 이는 현실성에 맞는 유연성을 강조하면서 여성의 주체적인 모습을 부각한 것이라 할 수 있다. 계급 비판형은 조선후기 유산계급의 문제점을 고발하고 시정을 촉구하고 있다. 경제력을 바탕으로 모든 문제가 해결되면서 인본으로 여겼던 유교적인 윤리관이 부정되는 사태에 이르자 그것을 바로 잡아야만 했다. 그러는 과정에서 개과천선을 통해 윤리적인 인간, 도덕적인 인간으로 변화시켜 건전한 사회의 일원이 되기를 촉구하고 있다.

다음으로 실창 판소리계 소설의 각 유형별 상관관계이다. 실창 판소리계 소설은 유형마다 비판하는 대상은 다르지만, 모든 유형에서 당시 사회의 문제점을 해학적으로 풍자하면서 새로운 의식을 담아 놓았다. 그러는 과정에서 상층신분의 가식과 부패를 폭로하거나 제도의 모순을 지적하고 유산계급의 전횡을 고발하기도 하였다. 남녀평등을 비롯하여 유산계급의 각성, 그리고 상층 신분의 권위추락과 상하의 어우러짐이 실현되기를 소망한 것이다. 그런 점에서 세 유형은 인간평등과 윤리의식을 강조하는 가운데 공동체의 조화라는 공통된 지향의식을 추구하고 있다.

넷째, 지향의식을 통해 본 실창 동인과 문학사적 의의에 대해 살펴보았다. 먼저 실창의 동인이다. 실창 판소리계 소설은 앞에서도 살핀 바와 같이 상층부에 대한 비판이 서사기조이다. 더욱이 현전 창본처럼 화합과 타협의 여지가 없이 상층부에 대한 치욕적인 공격을 감행하고 있다. 상층부의 입장에서 수용할 수 없는 내용이 되어 판소리 창자가 스스로 검열하면서 창에서 배제된 것으로 보인다. 창자의 경우 경제적 후원자인 상층부의 취향을 도외시 할 수만은 없었기 때문이다. 그래서 작품의 민중성에다 비판의 경직성이 창을 잃는 핵심 동인이었을 것으로 보인다. 다음으로 각 유형별 문학사적 의의이다. 실창 판소리계 소설은 중세의 봉건제도에서 벗어나 근대로 이행해 가는 과도기의 상황을 적절히 포착하였다. 먼저 신분 비판형은 주자학적인 이념에 매어 있거나 양반 관료의 그릇된 행태를 시정하여 건전한 상하문화가 실현되기를 소망하였다. 하지만 양반 관료를 집중적으로 풍자하는 과정에서 민중의식은 강화되었지만 그것이 전격적으로 실행될 수 없는 한계점 또한 없지 않다. 그럴지라도 이 유형의 작품인 〈배비장전〉과 〈강릉매화타령〉은 기존의 질서와 새로운 질서가 교차되는 현상을 적절히 구현한 점에서 문학사적으로 중시된다. 제도 비판형은 중세의 법제에서 빚어진 문제를 비판하면서도 대안을 확실하게 모색하지 못한 한계가 있지만, 법제에서 오는 불합리를 지적하고 근대지향의식을 드러낸 것은 주목할 만한 일이다. 제도 비판형 작품인 〈변강쇠가〉와 〈장끼전〉은 중세에서 근대로 전환되는 문학적 양상을 적절히 수렴하고 있어서 이야기문학사에서 남다른 의미를 갖는다. 계급 비판형은 자본과 인본(人本)이 양립되던 과도기적인 현상을 예리하게 포착하면서 당시 사회의 문제를 적극적으로 폭로하였다. 이 유형의 작품인 〈옹고집전〉과 〈무숙이타령〉은 사회문제를 민중의 차원에서 진단하고, 바람직한 인간상을 정립하여 공동체의 건전한 일원으로 복귀시키는 등 근대 진입기 민중의식을 담았다는 점에서 문학사적인 의의가 크다.

요컨대 실창 판소리계 소설은 전체적으로 중세적인 법제와 관습을 비판하면서도 적극적으로 항거하지 못하고 있다. 다만 미온적인 방법으로 항변하면서 근대지향의식을 드러냈을 따름이다. 하지만 실창 판소리계 소설은 관념보다 현실을 강조하던 시대적 요구에 힘입어 상하의 수직적 관계보다 수평적인 조화를 중시하고 있다. 제도와 신분은 물론 경제력의 차이에서 오는 문제를 시정하여 평등한 세계관을 지향한 것이다. 그런 점에서 근대의식을 적절히 수렴한 것으로 볼 수 있다. 실창 판소리계 소설이 한국고전소설사에서 통공시적으로 중요한 의미를 갖는 것도 그 때문이다.

제2부

판소리계 소설의 비판대상과 담론양상

판소리계 소설의 신분비판과 정체성담론

1. 머리말

기녀는 고전소설이나 시가 등 문학작품에 자주 등장하지만, 기녀의 기원과 기녀제도 설치에 대한 의도는 명확하게 밝혀지지 않고 있다. 다만 『고려사』 세가(世家) 성종 13년(994년) 8월 계사(癸巳)일 조에 "사신을 거란에 보내어 기악(妓樂)을 바치자, 물리쳤다"는 기록을 기녀에 대한 최초 기록으로 보고 있다. 이 자료를 근거로 한다면 기녀라는 신분제도는 800년이라는 긴 역사를 갖고 있다고 볼 수 있다.[1)]

조선시대에 접어들면 기녀제도의 비윤리성을 문제 삼아 일부 사대부들은 기녀제도의 폐지를 주장해 왔다. 하지만 조선의 가부장제의 남성중심 사회는 여성에게 윤리적 존재로서의 열녀와 쾌락적 대상으로서 기녀를 동시에 요구하는[2)] 이중적 면모를 유지해 온다. 천민의 신분이지만

1) 『高麗史』 3, 세가3 成宗 甲午 13년 8월 계사: 『高麗史』 上, 延世大 東方學硏究所, 1972, 79면 "進妓樂 却之" (강명관, 「조선후기 기녀제도의 변화와 京妓」, 『한국고전문학여성연구』 18, 한국고전여성문학회, 2009, 7쪽.)

2) 강명관, 「조선후기 기녀제도의 변화와 京妓」, 『한국고전여성문학연구』 18, 한국고전여성문학회, 2009, 10-11쪽.

양반과 교류하며 절개를 지키려 했던 기녀의 삶은 가부장제의 사회와 신분의 특수성으로 인해 역사적 자료나 문학작품에 다양한 양상으로 등장한다.

기녀에 대한 그간의 연구는 주로 기녀가 갖는 신분의 시각에서 논의되었다. 대표적인 논의를 살펴보면 다음과 같다. 먼저 서혜은[3]은 기녀가 정절을 표방하게 된 사회적 배경으로 신분제의 동요와 민중의식의 성장을 들었다. 기녀는 절개를 지키기 어려운 상황에서 정절을 지킴으로써 양반 남성과의 애정을 성취할 수 있었으며, 나아가 임금의 포상과 신분상승이라는 결과를 가져왔음을 확인하였다. 또한 기녀가 정절을 지킬 수 있었던 이유로 기녀의 자아 인권에 대한 각성과 정절의 인식 변화를 들었다.

김종군은[4] 기녀가 가정 내에서 지위를 획득할 수 있는 기준으로 남성의 출세에 기여한 내조, 기녀로서 갖추기 어려운 정조라는 두 축과 긴밀하게 관련되어 있다고 보았다. 또한 기녀의 내조와 정조를 다양하게 확장시켜 기녀가 가정 내 위상이 비교적 낮은 첩의 신분으로 안주하는 경우와 가정 내 위상이 격상된 본처나 그에 비견할 만한 부실이 되는 경우도 심도있게 논하였다.

민혜경은[5] 조선조 사회에서 나타난 기녀의 신분적 특성과 기녀들이 지향하고자 했던 삶의 모습을 살폈다. 고전소설에 나타난 기녀 유형을 의지 표출형, 애정 추구형, 위선 폭로형, 남성 원조형, 재물 추구형 등 다섯 가지 형태로 분류하여 이들 유형에 속하는 작품을 분석하였다.

---

3) 서혜은, 「고전소설에 나타난 기녀의 정절실현 양상과 그 사회적 의미」, 『문학과 언어』 25, 문학과 언어 연구회, 2003.

4) 김종군, 「고전소설 속 기녀의 정조의식과 가정 내 안주 문제」, 『한국고전여성문학연구』 11, 한국고전여성문학회, 2005, 148쪽.

5) 민혜경, 「고전소설에 나타난 기녀의 형상과 자의식」, 순천대학교 석사학위논문, 2010.

김진희는[6] 조선시대의 패설·야담·소설 등의 서사장르를 통해 담론화된 기생의 섹슈얼리티를 '나쁜 기생'과 '열녀 기생'으로 분류하였다. '나쁜 기생'은 남성의 쾌락을 확장하기 위해, '열녀 기생'은 남성의 성공에 헌신하기 위해 존재할 뿐이라고 논하였다. 이상의 논의는 기녀의 신분적 특성과 관련하여 기녀의 정조와 절개에 관심을 두고 연구가 이루어져 왔음을 살필 수 있다.

판소리계 소설에 등장하는 기녀는 정조와 절개를 드러내기도 하지만, 기녀를 통해 관리의 부정과 부패를 비판하고 건강하지 못한 남편을 개과천선(改過遷善) 시키는 등 민중의식을 담고 있다. 대표적인 작품이 〈춘향전〉, 〈강릉매화타령〉, 〈배비장전〉, 〈무숙이타령〉이다. 〈춘향전〉의 경우 춘향은 변사또의 수청을 거부하게 되면서 옥에 갇히게 되는데, 〈춘향전〉은 춘향의 절개를 통해 관료의 횡포와 부패를 드러내어 관료사회의 타락을 비판하고 있다. 또한 〈강릉매화타령〉, 〈배비장전〉의 매화와 애랑은 방탕한 생활을 일삼는 왈자나, 양반층의 위선과 가식을 폭로하고 있다. 〈무숙이타령〉의 의양은 소비와 향락을 일삼는 방탕한 남편을 개과천선 시켜 건강한 인간으로 회복시킨다. 이처럼 판소리계 소설에 등장하는 기녀는 유교사회에서 여성에게 요구하는 절개를 내세워 관리의 횡포를 고발하고 있으며, 속이기라는[7] 독특한 방법으로 사회문제를 비판하고 있다.

그간 일반 고전소설에 등장하는 기녀에 대해서는 다양한 관점에서

6) 김진희, 「조선조 서사물에 나타난 기생 섹슈얼리티의 함정」, 『한국고전여성문학연구』 23, 한국고전여성문학회, 2011.

7) 송주희, 「고전소설에 나타난 속이기의 서사기법적 연구」, 충남대학교 석사학위논문, 2008.

논의가 진척되었지만, 기녀의 특성이 강화된 판소리계 소설의 기녀에 대해서는 연구가 미비한 실정이다. 이에 본고에서는 판소리계 소설에 등장하는 기녀의 유형과 양상을 검토하고, 그들이 갖는 서사적 의미를 살펴보고자 한다.

2. 기녀의 유형과 양상

기녀는 신분상 천인이지만 춤과 시, 글에 능한 예인으로 대접받으며 자신의 재능을 인정받기도 하고, 절개를 지켜 열녀로 추앙받기도 하였다. 한편으로 일부 기녀는 속신(贖身)하여 양민부자나 양반의 소실이 되어 처첩간의 갈등을 일으키는 인물로 인식되기도 한다. 판소리계 소설에 등장하는 기녀는 남성들의 애정적 대상이기보다는 그릇된 인물의 행태를 부각시켜 고발·시정하는 데 역점을 두고 있다. 이들 기녀는 남성 지배계층의 문제를 고발하면서 건전한 사회가 되기를 소망하고 있다. 그런데 그 목적을 달성하기 위한 방편이 크게 두 가지 유형으로 나뉜다. 하나는 남성을 유혹하여 문제를 지적하며 바로잡는 것이고, 다른 하나는 열녀의 행적을 보이며 남성의 문제를 시정하거나 원조하는 것이다. 그래서 크게 두 가지 관점에서 유형을 설정하고 기녀들이 작품에서 어떻게 활동하는지 살펴보고자 한다.

1) 유혹형 기녀의 양상

기녀는 지배적인 권력을 가진 남성을 유혹해 그들이 가진 권력을 무너뜨릴 수 있다.[8] 실제로 판소리계 소설의 유혹형 기녀는 관리로서 책임을 다하지 못하는 남성들을 유혹해 기득권층의 문제, 남용되는 관권을 지적하면서 지배계층의 문제를 비판하고 있다. 유혹형 기녀는 〈강릉매화타령〉의 매화, 〈배비장전〉의 애랑을 들 수 있다. 이들은 요염함으로 남자를 감미롭게 유혹하는 팜므파탈적인 이미지를 가지고 있어 정신적으로 건강하지 못한 골생원과 배비장을 유혹하여 망신시키는 데 성공한다.

기녀의 팜므파탈적인 이미지 묘사는 기녀들이 앞으로 펼칠 활약상을 예고하고 있다. 아래 인용문은 〈강릉매화타령〉의 매화의 모습이다.

> 一步二步 상원ᄒᆞ야 갈거 자모 상별ᄒᆞ이 骨生員 울며 가다 달랑달랑 달낭金 아니 듯기야 우이 梅花 녀부야 져달긔 梅姬西時 員妣 一色中의 가거만ᄂᆞᆫ 梅花色을 당홀소야 크도 적도 아이 ᄒᆞ고 맛도 이도 조던이야 어여붓기가 初生달 갓고 하당花 한가지가 안개 속긔 무져ᄂᆞᆫ디 은은ᄒᆞᆫ 뒷도 사ᄅᆞᆷ의 졍신을 다 놋기더이야 부龍성장 판방의 진담ᄃᆡ 부처물 、、、거동인져 잠간 보고지거 보고지거[9]

골생원은 사또를 따라 강릉으로 내려오게 되는데 기생 매화에게 현혹되어 자신의 본분을 망각하기에 이른다. 인용문을 통해 알 수 있듯이 매화는 색골인 골생원을 현혹시켜 과거시험장에서도 기생을 그리워하는 시를 짓는 지경까지 이르게 한다. 문제를 일삼는 골생원은 또 한번 매화의 유혹에 넘어가 강릉사또와 강릉백성들이 보는 앞에서 알몸으로

---

8) Jean Baudrillard(1979), De la seduction, 배영달 역, 『유혹에 대하여』, 백의, 1996, 21쪽.

9) 이영규 소장, 〈매화가라〉, 211쪽.

망신당하는 지경에 이른다.

이어서 〈배비장전〉의 애랑의 이미지를 살펴본다.

> 애랑이가 비록 천기(賤妓)로 났을망정 색태(色態)는 월서시(越西施), 양태진(楊太眞)을 압도하고, 지혜는 남자로 말하면 진유자(陳留子)에 내리지 아니하고 간교(奸巧)는 구미호(九尾狐)가 환생하였던지, 호색 남자가 얽혀들면 상투 끝까지 빠져 허덕허덕하는 터일러라.[10)]

호색 양반이 애랑에게 빠지면 자신의 상투까지 잘라 애랑에게 받칠 만큼 애랑은 팜므파탈의 매력을 가지고 있다. 실제로 임기를 끝내고 제주를 떠나는 정비장은 애랑의 유혹에 넘어가 자신의 재물은 물론 입은 옷도 모조리 벗어주며 이까지 뽑아주고 떠난다.[11)] 새로 부임한 사또와 함께 온 배비장은 기생에게 농락당하는 정비장을 비웃으며 정남인 척 자부하지만 결국 애랑의 유혹에 넘어가 훼절당하고 만다. 유혹형 기녀인 애랑과 매화는 자신이 사랑하는 남자에 대한 헌신보다는 사또의 명령에 따라 공모에 가담해 문제의 인물을 망신시키는 데 앞장선다. 즉 〈강릉매화타령〉과 〈배비장전〉은 기녀를 이용해 사회의 문제를 비판하는 목적이 강하다 할 수 있다. 이를 확인하기 위해 〈강릉매화타령〉과 〈배비장전〉의 내용을 요약하면 다음과 같다.

---

10) 정병욱 교주, 『배비장전·옹고집전』, 신구문화사, 1974, 8-9쪽.

11) 애랑이 정비장에게서 모든 것을 빼앗을 수 있었던 것은 그녀의 요부적인 행위 때문이다. 그래서 애랑이 자발적으로 상층부에 항거한 것으로 보기보다는 그녀의 요부적 속성을 드러낸 것으로 이해해야 하겠다. 한편으로는 배비장을 속이기 위한 동인을 확보하기 위한 장치라 할 수 있다.

〈강릉매화타령〉

① 골생원과 매화의 사랑
② 골생원과 매화의 이별
③ 강릉사또와 매화의 공모
(매화가 죽었다고 소문을 내고 가짜 묘를 만듦)
④ 매화가 골생원을 유혹하여 골생원이 알몸으로 망신당함

〈배비장전〉

① 정비장과 애랑의 이별
② 배비장과 애랑의 만남
③ 제주사또와 애랑의 공모
④ 배비장이 애랑과 방자에게 속아 알몸으로 망신당함

〈강릉매화타령〉-③과 〈배비장전〉-③에서 알 수 있듯이 매화와 애랑 모두 사또의 분부에 따라 공모의 주동자가 된다. 〈강릉매화타령〉의 강릉사또는 주색만 일삼는 골생원을 징치해 관료사회의 기강을 바로잡기 위해, 〈배비장전〉의 제주목사는 양반으로서 혼자 도덕군자임을 자칭하며 관원들과 화합하지 못하는 배비장의 이중적인 가식을 벗겨내기 위해 기생을 이용한다. 결국 골생원과 배비장은 기녀의 유혹에 넘어가 여러 사람 앞에서 알몸으로 망신당하는 지경에 이르는데, 기녀들의 행위와 그 결과는 주자학적인 이념에 사로잡히거나 해이함으로 나날을 보내는 지식층의 문제를 지적한 것으로 볼 수 있다.

다음은 〈강릉매화타령〉과 〈배비장전〉에 나타난 인물의 문제를 살펴보기로 한다. 먼저 〈강릉매화타령〉-①의 골생원과 매화의 사랑은 두 사람의 진정한 사랑이라기보다는 향락에 빠져 지내는 관료의 타락상을 빗대고 있다. ②의 골생원과 매화의 이별 과정 속에는 골생원이 과거장

에서 기생을 위해 시를 짓고, 시전 아이에게 뺨을 맞는 상황을 통해 양반의 한계와 유교사회의 질서가 붕괴되는 시대상을 비판하고 있다. 속이기를 통한 공모에서 유혹형 기녀인 매화는 양반사회의 문제를 드러내는 동시에 문제해결의 주동자가 된다.

〈배비장전〉-①은 백성에게 수탈을 일삼는 관료사회의 부패상을 암시적으로 드러내고 있다. 배비장은 스스로가 양반으로서 도덕군자임을 자처하며 기생을 천시하는 등 고결한 인물임을 자랑한다. 하지만 정남으로서의 배비장이 가식으로 가득 찬 인물임을 애랑의 공모에 의해 그 실체가 드러난다.

〈강릉매화타령〉과 〈배비장전〉은 기녀를 통해 도덕적으로 문제가 있는 인물을 유혹하여 참괴한 행동을 유발하고 그를 통해 정상인으로 돌아오기를 소망한 것이라 볼 수 있다. 또한 상하가 공모하여 당시대의 문제의 인물을 고발하고 시정하려는 차원에서 기생이 동원되어 공동체 안에서 질서를 바로잡고 상하의 화합을 모색했다는 점에서 의의가 크다고 할 수 있다.

2) 열녀형 기녀의 양상

조선시대는 일처다첩제의 사회로 부인 외에 첩을 거느릴 수 있었었다. 일처다첩제의 사회제도 아래 주로 기녀들은 양반의 소실로 안주하여 천민의 신분을 벗어나기도 하였으며, 경제력을 갖춘 남성의 첩으로 가정에 안착할 수 있었다. 이는 기녀가 다른 여성들과 달리 남성과의 자유분방한 교류가 가능하였기 때문이다. 기녀가 양반의 첩으로 안주하는 경우는 첫째, 자신의 신분을 인정하고 기생첩으로 만족하는 경우,

둘째 순결의식을 강하게 내세워 당당한 소실이 되는 경우, 셋째 적극적으로 출세시켜 가자(加資) 받아 본처에 비견할 만한 소실이 되는 경우, 넷째 목숨을 걸고 수절하여 본처의 지위를 획득하는 경우이다.[12] 열녀형 기녀는 유교사회에서 요구하는 절개를 지켜 첩 이상의 확고한 자리를 차지한다. 일부다첩제 사회에서 이들이 확고한 위치에 오를 수 있었던 이유는 신분상승의 욕구와 온전한 가정을 꾸리고자 하는 욕구에 기인한 것으로 볼 수 있다. 그러한 기녀로는 〈무숙이타령〉의 의양과 〈춘향전〉의 춘향을 들 수 있다.

열녀형 기녀가 첩 이상의 자리에 안착할 수 있었던 첫 번째 요인은 그녀들이 충분한 외모를 갖추고 있었기 때문이다.

> 얼골은 쇼군이요 ᄐᆡ도은 귀비라 만호 즁안 연쇼더리 밋쳐 발광 다단니되 인의예지 노푼 마음 고졀ᄒᆞ기 ᄶᆞᆨ니 읍셔[13]

> 평양집을 청ᄒᆞ니 안즁문 열ᄯᅳ리고 의냥니가 나올 젹의 월식은 만정ᄒᆞᆫᄃᆡ 비회고면ᄒᆞ며 벽화쥬 노푼 ᄉᆞ랑 치의홍상 일미인니 촉ᄒᆞ의 졍니 안져 ᄃᆡ긱ᄒᆞ는 거동을 본니 셔시 ᄐᆡ도 달기 모양 십오야 발근 다리 구름쇽의 감취난 듯 지당의 취ᄒᆞᆫ 연니 군ᄌᆞ긔상을 ᄯᅴ녀난 듯 셤셤약질 고흔 얼골 쥬슌을 반ᄀᆡᄒᆞ니 낭낭지어 요요셩은 보든 바 ᄎᆞ음니라 허랑ᄒᆞᆫ 무슉니 심혼니 살난ᄒᆞ냐 ᄂᆡ렴의 ᄉᆡᆼ각ᄒᆞ되 여ᄎᆞ가인은 츌ᄉᆡᆼᄉᆞ십의 쳐음니라 니제냐 만ᄂᆞ신니 그젼의 ᄒᆞ든 니리 오입도 헛오입니요 ᄌᆡ물만 헛도니 쓰고 남의게 쇼근 후회가 니러ᄒᆞ니 관어히ᄌᆞ은 난위슈라[14]

---

12) 김종군, 「고전소설 속 기녀의 정조의식과 가정 내 안주 문제」, 『한국고전여성문학연구』 11, 한국고전여성문학회, 2005, 176쪽.

13) 박순호 소장, 〈게우사〉, 318쪽.

14) 박순호 소장, 318쪽.

위의 예시문은 〈무숙이타령〉의 의양의 모습이다. 의양은 재색도 뛰어나고 고결한 성품을 지녔다. 의양의 주변에는 별감, 포도부장, 오입쟁이들이 정조를 지키는 의양을 비웃고 회유하였으나 넘어가지 않는다. 의양의 삶의 목적은 기녀의 신분에서도 벗어나고 첩으로서의 위치보다 당당한 아내의 위치에서 가정을 꾸려 살고자 하는 의지가 강하였기 때문이다. 이를 위해 의양은 자신을 기적에서 빼내 줄 만큼 충분한 경제력을 갖춘 무숙을 선택한다. 근본적으로 의양이 무숙을 선택할 수 있었던 이유는 그녀의 뛰어난 미모로 인해 무숙이 의양에게 호감을 보인 때문이라 할 수 있다.

다음 인용문은 이몽룡의 눈에 비친 춘향의 첫인상이다. 몽룡은 단옷날 그네를 타는 춘향을 보고 첫눈에 반하게 되는데, 춘향의 모습은 세상에서 보기 힘든 월궁 선녀의 모습과 같다.

> 도련임 조와라고 자셔이 살펴보니 요요정정하야 월ᄐᆡ화용이 세상의 뭇쌍이라 얼골이 조촐ᄒᆞ니 청강의 오난 학이 셜월의 빗침 갓고 단순호치 반ᄀᆡ하니 별도 갓고 옥도 갓다 연지을 품은 듯 자하상 고은 빗쳔 어린안ᄀᆡ 셕양의 빗치온 듯 취군이 영농ᄒᆞ야 문ᄎᆡ는 은하슈 물결갓다 연보을 졍이 옴계 쳔연이 누의 올나 북그려이 셔잇거날 통인 불너 안지라고 일너라 춘향의 고흔 ᄐᆡ도 염용ᄒᆞ고 안난 거동 자셔이 살펴보니 빅셕창파 ᄉᆡ빗 뒤에 목욕하고 안진 졔비 사람을 보고 놀ᄂᆡ난 듯 별노 단장한 일 업시 쳔연한 국ᄉᆡᆨ이라 옥안을 상ᄃᆡ한니 여운간지명월이요 단순을 반기한이 약슈 즁지연 화로다 신션을 ᄂᆡ 몰나도 영주의 노던 션여 남원의 젹거하니 월궁의 뫼던 션여 벗 한나을 일러구나 네 얼골 네 ᄐᆡ도는 셰상 인물 아니로다[15)]

15) 김진영 외, 「완판 84장본 열녀춘향수절가」, 『춘향전 전집』 4, 박이정, 1997, 308-309쪽.

양반 자제인 몽룡은 방자를 통해 춘향이 기생 신분이라는 것을 알게 되지만, 집안의 허락도 없이 춘향과 백년가약을 맺는다. 이처럼 의양과 춘향이 신분상승의 기회를 얻게 된 첫 번째 요인은 뛰어난 미모 때문임을 확인할 수 있다. 두 번째 의양과 춘향이 가정을 이루고 첩 이상의 위치를 획득할 수 있었던 결정적인 요인은 그녀들 스스로 열녀를 자처하며 절개를 지켰기 때문이다. 의양과 춘향은 기녀의 신분에서 벗어나기 위한 신분상승의 목적도 있었지만, 무엇보다 한 남자의 아내로 온전한 가정을 이루며 살기를 갈망하고 있었다. 그러한 상황을 살펴보면 다음과 같다. 먼저 의양을 살펴보기로 한다. 의양은 자신을 기적(妓籍)에서 빼내 줄 만큼 부유한 무숙을 남편으로 선택한다. 의양이 선택한 무숙은 장안의 갑부 아들이지만, 가족을 돌보지 않고 기생집을 제 집 드나들 듯 하며, 성격 또한 활협하여 모두가 그를 천하다고 생각하는 인물이다. 아래 인용문은 무숙의 사람됨을 잘 나타내고 있다

> 죠쇽을 올게 ᄒᆞ야 본ᄃᆡᆨ 안ᄋᆡ 집일넌지 쳡의 집 살임일넌지 피ᄎᆞ가 습지 안케 지나가면 ᄒᆞᆫ평ᄉᆡᆼ니 ᄂᆡᆨᄂᆡᆨᄒᆞ련만은 무슉의 미친 마음 ᄂᆡ두ᄉᆞ 경영 읍시 뒤ᄭᅳᆺ슬 ᄉᆡᆼ각존코 돈 쓰기만 위쥬ᄒᆞ고 남만 죠케 ᄒᆞᄌᆞᄒᆞ니 숀틉 밋틔 ᄇᆡ졉만 알고 ᄇᆡ쇽 ᄂᆡ죵은 몰ᄂᆞ신니 무슉의 ᄌᆞᆸ놈 지식 금홀 ᄉᆞ람 뉘 잇스랴 ᄆᆡ일 일용 쓰넌 거시 슴ᄉᆞᄇᆡᆨ을 너머 쓰고 가진 율속 풍유랑과 명기명충 션쇼리며 쇼충범ᄇᆡᆨ 각기 쳐ᄒᆞ 하로 즘간 놀고 ᄂᆞ도 근쳔금식 탕탕 쓰고 일가 죡쇽 노쇽 간의는 푼젼 일니 ᄡᅡᆷ니 ᄂᆞ고 담ᄇᆡ씨로 간거리을 판니 ᄉᆞ론 공고 버셔진 놈 무뢰ᄌᆞᆸ탄 허랑ᄀᆞ즁의 무슉니가 으른니라 돈은 쎠도 슈가 ᄋᆡᆨ고 안니 쎠도 슈가 잇넌듸 열 양 쓸 듸 쳔 양 쓰고 쳔 양 쓸 듸 ᄒᆞᆫ 양 쓴니 젹실인심 무슉니요 불의심ᄉᆞ 무슉니라[16)]

16) 박순호 소장, 326-327쪽.

의양은 무숙의 방탕한 소비와 비천함을 알고도 무숙의 첩이 된다. 그녀는 자신의 신분을 인정하고, 그 굴레에서 벗어나기 위하여 무숙의 재산을 지켜야 했음은 물론, 무숙을 개과천선 시킬 필요성도 있었다. 이를 위해 의양이 무숙의 개과천선에 주도적 역할을 맡은 것도 그 때문이다. 그러는 한편으로는 무숙을 향한 일부종사를 실천하여 열녀형 기녀의 모습을 보인다. 의양이 열녀로서의 의지를 보인 것은 신분상승은 물론 경제적인 안정을 도모한 것이라 하겠다. 조선후기는 경제력이 신분에 버금가는 사회였다. 경제력만 있으면 신분을 사고팔 수 있었기 때문에 의양이 장안의 제일 갑부인 무숙을 택한 것이다. 의양의 신분상승과 경제적 안정은 가정을 이루는 소망으로 확대된다. 의양이 무숙을 개과천선 시키기 전 본부인의 허락을 구하는 행동이나 절개를 지킨 것도 모두 무숙의 첩이 아닌 온전한 부인으로서의 자리를 다지기 위한 노력이라고 볼 수 있다.

다음으로 춘향이 보이는 열녀로서의 모습이다. 춘향은 당시 노비종모법에 따라 기생이 될 수밖에 없는 처지였다. 하지만 스스로 여염집 처자라고 생각하며 관찰사나 군수 현감이 불러도 가지 않는 도도함을 보인다. 거기에 춘향의 모(母) 또한 권문세족 양반들이나 일등재사(一等才士) 한량이 춘향을 보고자 간청하여도 거절하고 나선다. 같은 고을에서 양반상하 막론하고 동네 사람들도 십 년에 한 번쯤이나 춘향의 얼굴을 볼까 말까한다. 이러한 춘향의 마음을 사로잡은 사람이 이몽룡이다.

> 잇ᄯᅢ 춘향이 추파을 잠간 들러 이도령을 살펴보니 금셰의 호걸리요 진셰간 기남자라 천정니 놉파슨니 소연공명할 거시오 오악이 조귀ᄒᆞ니 보국충실될 거시ᄆᆡ 마음의 흠모하야 ᄋᆡ미을 수기고 엄실단좌 ᄲᅮᆫ이로다[17)]

위의 인용문에서 알 수 있듯이 도도함을 보인 춘향이 이몽룡과 첫 만남에서 이몽룡과 백년가약을 맺는다. 춘향이 이몽룡을 선택한 이유는 그가 기이한 남자임을 한눈에 알아보았기 때문이다. 무엇보다 춘향이 이몽룡과 맺어질 수 있었던 데에는 춘향 모(母)의 영향이 컸다. 춘향 모는 춘향이 기생의 딸로 버려질까 걱정하였지만, 춘향의 태몽을 상기하며 춘향과 이몽룡의 백년가약을 허락한다.

> 한 ᄭᅮᆷ을 어든니 셔긔 반공ᄒᆞ고 오ᄎᆡ 영농하더니 일위션녀 쳥학을 타고 오난ᄃᆡ 머리에 화관이요 몸의난 ᄎᆡ의로다 월픠 소ᄅᆡ 징징ᄒᆞ고 손의난 게화 일지를 들고 당의 오르며 거슈장읍ᄒᆞ고 공슌이 엿ᄌᆞ오ᄃᆡ 낙포의 ᄯᆞᆯ일넌니 반도진상 옥경 갓다 광한젼의셔 젹송자 맛나 미진 정회ᄒᆞ올 차의 시만ᄒᆞ미 죄가 되야 상졔 ᄃᆡ로하사 진퇴의 ᄂᆡ치시ᄆᆡ 갈 바을 몰나더니 두유산 실영계셔 부인ᄭᅴ으로 지시ᄒᆞ기로 왓사오니 어엽비 여기소셔 ᄒᆞ며 품으로 달여들 ᄉᆡ 학지고셩은 장경고라 학의 소ᄅᆡ 놀ᄂᆡ ᄭᆡ니 남가일몽이라 [18]

> 춘향모 쎡 나안자 정신업게 말을 하되 ᄭᅮᆷ이라 하는 거시 젼수이 허사기 안이로다 간밤의 ᄭᅮᆷ을 ᄭᅮ니 난ᄃᆡ업는 쳥용 한나 벽도지의 잠계 보이거날 무슨 조흔 이리 잇슬가 하여던니 우연한 일 안이로다 ᄯᅩ한 드른이 사ᄯᅩ 자졔 도령임 일홈이 몽용이라 ᄒᆞ니 ᄭᅮᆷ 몽ᄶᅡ 용 용ᄶᅡ 신통ᄒᆞ게 맛치여ᄶᅡ 그러나 져러나 양반이 부르시난ᄃᆡ 안이 갈 슈 잇것난야 잠간 가셔 단여오라[19]

17) 김진영 외, 앞의 책, 309쪽.
18) 김진영 외, 앞의 책, 300쪽.
19) 김진영 외, 앞의 책, 308쪽.

춘향의 이몽룡에 대한 애정은 이몽룡의 기이한 관상과 춘향 모(母)의 태몽에 바탕을 두고 시작되지만, 춘향의 이몽룡에 대한 믿음은 굳건했다. 열녀로서의 춘향의 절개가 변사또의 수청을 거부하며 죽음을 불사하기 때문이다. 춘향은 춘향 모(母)의 덕분으로 여염집 여인의 삶을 살아왔지만, 기생 신분으로 정절을 지키기가 쉽지 않았을 것이다. 고을 수령이 부임하면 기녀가 수청 드는 것은 당연한 것이기도 했다. 그렇기 때문에 춘향에 대한 변사또의 수청 요구는 일상적인 풍속이라 할 수 있다. 하지만 춘향은 변사또에게 '자신이 비록 천한 계집이긴 하지만, 남편을 배반하는 것은 벼슬하는 관장님네가 나라를 배반하는 것과 같다'며 이몽룡과 맺은 백년가약을 잊지 않는다. 춘향의 이러한 행동은 이몽룡에 대한 사랑의 마음이기도 했지만, 그 내면에는 신분상승의 욕망이 내재되어 가능한 것이기도 하다. 즉 춘향은 절개를 통해 이몽룡과의 결합을 꿈꾸었기 때문이다. 그래서 춘향의 열녀의식은 신분상승 욕구를 성취하기 위한 수단이라 할 수 있다.[20)]

3. 기녀의 비판적 기능

판소리계 소설에서 기녀는 주변 인물과의 화합을 통해 방탕한 생활을 일삼는 관료나 남편을 개과천선 시키는 역할을 하기도 하고, 대립을 통한 갈등으로 주변 인물들의 잘못을 깨닫게 하여 건강한 삶을 살아갈 수 있도록 돕기도 한다. 다음은 판소리계 소설에 나타난 기녀가 주변

20) 이상택, 「춘향전 연구 – 춘향의 성격분석을 중심으로」, 『국문학연구』 3, 서울대학교, 1966.

인물과 갖는 화합과 대결의 양상을 살펴보도록 하겠다.

1) 공모적 기능

판소리계 소설에 나타난 기녀들의 특징은 문제의 인물을 개과천선시키고 있다는 점이다. 〈배비장전〉의 애랑과 〈강릉매화타령〉의 매화, 〈무숙이타령〉의 의양이 모두 그러한 역할을 맡고 있다. 먼저 애랑을 살펴보자. 애랑은 제주목사와 방자의 공모로 배비장을 훼절시켜 배비장의 가식적인 면을 벗기는데 주동자 역할을 맡는다. 배비장이 가진 문제는 이중적 태도이다. 관리의 이중적 행태는 관료사회를 불협화음으로 이끌고 갈 수 있으며, 백성의 삶을 고단하게 만들 수 있다. 배비장의 이중적 모습은 제주를 떠나기 전 가족들과 대화 내용에 잘 나타나 있다. 배비장이 제주목사를 따라 제주도로 부임하자 가족들은 배비장이 주색에 빠질 것을 먼저 걱정한다.

> 글랑은 염려마오. 이팔가인 체사소(二八佳人 體似酥)하니 요간장검 참우부(腰間長劍 斬愚夫)라, 수연불견 인두락(雖然不見 人頭洛)이나 암리초군 골수구(暗리招軍 骨髓구)라 하였으니, 계집은커녕 아이들 비역이나 하게 되면 가막쇠 아들일세[21]

가족들의 염려에 배비장은 자신을 위엄 있는 사대부, 지조 있는 선비, 정념을 가진 지아비임을 강조한다.[22] 또한 제주도에 도착해서는 기

---

21) 정병욱 교주, 10-11쪽.

22) 신효경, 「배비장전에 나타난 신분의 한계와 극복 방안」, 『어문연구』 87, 어문연구학회, 2016, 98쪽.

녀에게 빠져 모든 것을 빼앗기고 있는 정비장을 보며 방자에게 자신의 지조를 자부한다.

"허랑한 자부로다. 이친척 원부모(離親戚 遠父母) 천리 밖에 와서 아녀자에 대혹(大惑)하여 저다지 애걸하니 체면이 틀리었다. 우리야 만고절색(萬古絕色) 아니라 양귀비·서시라도 눈이나 떠 보게 되면 바색의 아들일다."[23]

사또와 모든 비장이 명기색기(名技色妓) 술을 부어 감홍로(甘紅露)·계당주(桂糖酒) 취케 먹고 춘흥 겨워 노닐 적에, 배비장은 가장 청고(淸高)한 척하고 송정 암상(松亭岩上)에 외면 단좌(單坐)하여 남 노는 것 비양하고 글 지어 읊으되, "천장(天長)하니 한양은(漢陽) 노천리(路千里)요, 해활(海闊)하니 영주는 파만경(波萬頃)을 여화미인(女花美人)은 간초월(看楚越)이요, 취롱강산 무한경(醉弄强酸無限景)을"[24]

배비장은 자신의 본성을 숨기고 제주목사와 다른 비장들 앞에서 고고한 척 하며 다른 관료들과 화합하지 못하고 있다. 이러한 배비장의 행동이 제주목사의 입장에서는 자신의 위엄과 체통을 무시한 처사로 비춰진다. 그리하여 제주목사와 애랑의 공모로 배비장을 훼절시키고 만다.

〈강릉매화타령〉의 매화는 〈배비장전〉의 애랑과 비슷한 역할을 맡고 있다. 골생원은 난쟁이 곱사등에 안짱다리로 체질이 기이하게 생겼지만, 강릉사또는 골생원이 문필이 뛰어난 것을 알고 그의 재능을 아껴 부임지인 강릉으로 데려온다. 하지만 골생원은 강릉의 명기인 매화에게 푹 빠져 관료사회의 기강을 무너뜨리고 양반의 위엄을 하락시키는

23) 정병욱 교주, 39쪽.

24) 정병욱 교주, 49-50쪽.

일들을 서슴지 않는다. 보다 못한 강릉사또는 매화와 공모해 주색에 빠진 골생원을 망신주기로 한다. 매화는 공모의 주동자가 되어 골생원의 문제를 드러내는데, 이는 골생원으로 대표되는 양반의 위선적인 문제를 고발하는 것이기도 하다.

아래 인용문은 가짜 귀신으로 변장한 매화에게 속아 강릉사또와 백성들이 모여있는 경포대로 향하는 골생원의 모습이다.

경포ᄃᆡ 풍악을 ᄒᆞᆫ충홀 져 잇ᄯᆡ ᄆᆡ화 골생원 훨젹 벅겨 동아줄노 허이 자마여 글으고 경포ᄃᆡ로 올나간다 使道 분무ᄒᆞ되 소방상여 쟁이ㅅ옥매고 서ᄒᆞ고 우ᄃᆡ군 열두 롬이 골나 메고 가며 어하던 ᄉᆞ엄 차차 불상허다 불상허다 어아 범사 어아 범사 불상ᄒᆞ다 千里江陵 나예와다 무쥬ᄀᆡᆨ魂 오거귀나 어이야나 불향ᄒᆞ나 너에너에 넘하 너오、、、가연ᄒᆞ다 혼백인덜 드을소야 발 마초와 가며 너호 너오 骨生員이 마、、、허다 (결락) 、、、骨生員이 불썽허단 말이 웬말이야 ᄆᆡ화 여자오되 서방임 혼은 날을 다아오고 신쳐논 셔울로 모셔 가나이다[25]

가자 ᄆᆡ화 여자오ᄃᆡ 동하줄노 허이 마야 벌거벅고 나을 나을 다야가사 아무나 부면 우ᄉᆡ홀긔다 아무도 모로이다 엽여말고 가사이다、、、骨生員 거동부소 골생원 명기、、、병커시、、、또 산불이 가관이다 ᄆᆡ화 두을 骨生員 우나 가며 노아 아불너 올나간다 使道 骨生員을 소기라고 제상의 음식을 진셜ᄒᆞ고 풍유로 일지(ᄆᆡ)화 골생원을 ᄉᆡᆺ으로로 올나가야야 이 아서라 使道 무셥다 ᄆᆡ화 엿자오ᄃᆡ 유명이 날나ᄉᆡᆺ이 모로나이다 使道 우이 두을 위ᄒᆞ야 은식을、、、다 이나이다 ᄇᆡ 부으거 먹고 가사이다[26]

25) 이영규 소장, 〈매화가라〉, 221-222쪽.
26) 이영규 소장, 222-223쪽.

위의 인용문에서 알 수 있듯이 골생원은 나신이 되어 부끄러움도 모르는 채 매화에게 알몸으로 농락당하며 저승길도 마다하지 않는다. 양반의 위엄과 권위는 그 어느 곳에서도 찾아볼 수 없다. 골생원의 행위는 책임의식이 결여된 관료사회의 모습과 양반의 권위가 상실되어가는 세태를 풍자한 것으로 볼 수 있다.

〈무숙이타령〉의 의양은 첩의 신분으로 남편을 개과천선 시킨다. 이 작품은 무숙을 통해 우회적으로 물질을 우선시하는 사회를 비판하고 있지만, 한편으로는 가부장의 권위가 약화되고 여성의식이 높아지는 세태를 반영하고 있다. 의양이 첩의 신분으로 경제력을 믿고 방탕한 삶을 사는 남편을 개과천선 시키기 위해 자신보다 신분이 더 아래인 종과 무숙의 죽마고우인 김 선달과 함께 무숙이 새로운 삶을 살 수 있도록 공모를 단행하고 있기 때문이다. 의양이 공모를 진행하고 성공할 수 있었던 요인은 그녀의 강한 주체성과 주도면밀함에 있다. 의양의 주도면밀한 과정을 살펴보면 다음과 같다.

> 이날부터 막덕니와 쇽안 말노 약쇽ᄒᆞ고 일심동역으로 무숚니을 결단닐 제 막덕니 너는 ᄂᆞ ᄒᆞ는 게교ᄃᆡ로 명심ᄒᆞ여 거힝ᄒᆞ라 약쇽을 말 ᄡᅩ듯 ᄒᆞ고[27)]

먼저 의양은 물질의 소중함을 모르는 무숙을 무일푼으로 만들기 위해 막덕이와 서로 짜고 무숙의 재산을 모두 탕진한다. 재산을 모두 탕진한 무숙은 결국에 의양의 종으로 전락하고 마는데, 이 전략은 무숙이 고생을 통해 물질의 가치를 깨닫게 하는 데 있다. 의양은 무숙을 종살

---

27) 박순호 소장, 333-334쪽.

이를 시키는 것에 그치지 않는다. 의양이 선택한 다음 전략은 자신의 소중함을 알게 하는 것이었다. 그래서 의양은 무숙과 가장 친한 김 선달과 공모해 무숙의 질투심을 이끌어낸다. 의양은 김 선달을 새 서방으로 맞이할 것이라며 무숙에게 뒷물까지 데워오라 시킨다. 무숙은 생계를 위해 의양의 종 노릇을 하고 있지만, 자신의 첩이였던 의양이 다른 남성과 결합하는 것을 볼 수 없었다. 그 광경을 지켜보고 사는니 죽음을 선택하고자 했다. 그래서 무숙은 비상가루를 먹고 죽음을 결심한다. 이러한 무숙의 행동은 의양을 여전히 사랑하는 마음이 남아 있음을 보여준다. 의양과 김 선달도 무숙의 마음을 알고 작은 부자로 부지런히 재산을 모으며 살 것을 당부한다. 즉 의양의 주도면밀함으로 공모가 성공적으로 이루어질 수 있었으며, 그러한 과정에서 비록 무숙이 무일푼이 되어 고생했지만, 무숙은 가족의 소중함, 물질의 소중함도 깨닫게 되고 의양은 무숙의 행실을 바로잡을 수 있었다.

2) 대립적 기능

〈춘향전〉과 〈무숙이타령〉은 기녀인 춘향과 의양이 주변인물과 대립하면서 사건의 새로운 전환을 맞이하고 있다. 〈춘향전〉의 경우 춘향이 이몽룡과 헤어지고, 변학도가 사또로 부임해 오면서 갈등과 대립의 양상으로 이야기가 전개되면서 사건을 위기로 몰고 간다. 기녀와 사또의 대립은 약자와 강자의 대립으로 약자인 춘향의 시련과 고난을 예고하고 있다. 성격이 괴팍하고 고집불통으로 알려진 변학도는 춘향에게 수청을 들라고 명하지만, 춘향은 변학도의 수청을 거부한다. 춘향의 수청 거절 행위를 변학도는 지방관의 권위에 대항하는 것으로 받아들인다. 이에 수청 거절이 엄형정배에 해당하는 죄라고 위협하며 춘향을 하옥하기에 이른다. 강자와 약자의 대립은 상·하의 대립으로 힘없는 약자는 강자의 명령에 복종할 수밖에 없다. 하지만 춘향은 약자의 위치에서도 명령에 불복종하며 자신의 의지를 굳힌다.

> 충효열여 상하 잇소 자상이 듯조시오 기ᄉᆡᆼ으로 말합시다 충효열여 업다 ᄒᆞ니 낫낫치 알외리다 ᄒᆡ셔 기ᄉᆡᆼ 농션이는 동셜영으 죽어 잇고 셔쳔 기ᄉᆡᆼ 아히로되 칠거학문 들어 잇고 진쥬 기ᄉᆡᆼ 논ᄀᆡ는 우리 나라 충열노셔 충열문의 모셔 놋코 쳔추힝사 하여 잇고 쳥쥬 기ᄉᆡᆼ 화월리난 삼칭각의 올나 잇고 평양 기ᄉᆡᆼ 월션이도 충열문의 드려 잇고 안동 기ᄉᆞᆼ 일지홍은 ᄉᆡᆼ열여문 지은 후의 정경가자 잇싸온니 기ᄉᆡᆼ ᄒᆡ폐 마옵소셔 춘향 다시 사ᄯᅩ젼의 엿자오되 당초의 이수ᄌᆡ 만날 ᄯᆡ의 ᄐᆡ산 셔ᄒᆡ 구든 마음 소쳡의 일심 정졀 ᄆᆡᆼ분갓턴 용ᄆᆡᆼ인들 ᄲᆡ여ᄂᆡ지 못할 터요 소진장의 구변인들 쳡의 마음 옴계가지 못할 터요 공명션ᄉᆡᆼ 놉픈 ᄌᆡ조 동남풍은 비러씨되 일편단심 소여 마음 굴복하지 못하리다[28)]

위의 인용문에서 알 수 있듯 춘향과 변사또의 대립이 강할수록 춘향의 절개가 더욱 두드러짐을 살필 수 있다. 수청을 거부한 춘향에게 가해지는 곤장으로 백성들은 변사또에 대한 원망이 고조되지만, 춘향이 지키려는 절개는 나라를 위해 희생한 월선과 논개의 절개만큼 숭고함으로 드러난다.

> ᄆᆡᆼ호갓턴 굴노 사령 벖데갓치 달여드러 감ᄐᆡ갓탄 춘향의 머리ᄎᆡ를 젼졍시졀 연실 감듯 ᄇᆡ사공의 닷줄 감듯 사월 팔일 등ᄯᆡ 감듯 휘휘친친

28) 김진영 외, 앞의 책, 348쪽.

> 감어쥐고 동당이쳐 업질은니 불상타 춘향 신세 ᄇᆡᆨ옥갓탄 고흔 몸이 육자ᄇᆡᆨ이로 업더졋구나 …… 요 다리는 요리 틀고 져 다리는 져리 틀소 ᄆᆡ우 치라 예잇 ᄊᆡ리요 딱 부친니 부러진 형장가비는 푸루루 날라 공즁의 빙빙 소사 상방 ᄃᆡ뜰 아ᄅᆡ 써러지고 춘향이는 아뭇쪼록 압푼ᄃᆡ를 차무랴고 이를 복복 갈며 …… 춘ᄒᆡᆼ이는 제절노 셔름 제워 마지면서 우난듸 일편단심 구든 마음 일부종사 쓰시오니 일ᄀᆡ 형별 치옵신들 일연이 다 못가셔 일각인들 변하릿가 잇ᄊᆡ 남원부 할양이며 남여노소 업시 묘와 구경할 제 좌우의 할양더리 모지구나 모지구나 우리 골 원임이 모지구나 져런 형벌리 웨 잇시며 져런 ᄆᆡ질리 웨 잇솔가 집장사령놈 눈익켜 두워라 삼문 밧 나오민 급살을 주리라 보고 듯난 사람이야 뉘가 안이 낙누하랴[29)]

즉 춘향과 변사또의 대립은 절개를 지닌 여인과 자신의 지위를 무분별하게 남용하는 관리의 대립으로, 변사또의 부당한 처사가 극에 달할수록 춘향의 절개가 더욱 부각된다. 이는 대립을 통해 선과 악을 분명히 하면서 주제를 드러낸 것이기도 하다.

다음은 〈무숙이타령〉의 의양과 무숙의 대립이다. 의양과 무숙의 대립은 첩과 남편과의 대립이다. 첩과 남편의 관계에서 볼 때 상·하의 대립관계라 할 수 있으나, 의양이 무숙을 개과천선 시키고자 하는 주체적인 면에서 볼 때 수평적 대립이라 할 수 있다. 기생인 첩이 나서서 탕자인 남편을 개과천선 시키고자 하는 노력은 앞서 살펴보았듯이 여성의식의 성장으로도 해석할 수 있다. 무숙의 방탕한 생활이 세상 사람들은 의양 때문이라고 하자, 무숙이 패가망신하여 온갖 누명을 쓰고 구설에 오를 것을 염려한 의양은 무숙을 개과천선시키기로 결심한다. 의양이 무숙과

---

29) 김진영 외, 앞의 책, 349-350쪽.

대립하는 이유는 무분별한 소비와 방탕한 생활을 일삼는 무숙을 개과천선 시켜 함께 행복한 삶을 사는 데 목적이 있다. 의양은 자신의 목적을 이루기 위해 치밀한 계획을 세우고 주도면밀하게 계획한 바를 실행해 나간다. 신분제 사회에서 첩이 나서서 남편을 간섭한다는 것은 있을 수 없는 일이지만, 의양은 무숙을 개과천선 시키기 위해 본처에게 허락을 받아 동의를 구한다. 또한 집안의 재산이 축나는 것을 막기 위해 남은 재산을 수양아버지께 간직해 달라고 부탁한다. 이러한 의양의 행동을 통해 의양의 경제관념을 엿볼 수 있는 한편 가정에서 자신의 위치를 확고히 하려는 그녀의 현명함을 엿볼 수 있다.

의양은 무숙을 개과천선 시키는 방법으로 무숙을 무일푼으로 살게 만든다. 이는 험난한 고생을 통해 주색과 노름에 빠져 방탕하게 살아온 과거를 깨닫게 하고, 물질에 빠져 가족의 소중함을 일깨우게 하기 위한 목적이라 하겠다. 또한 의양이 무숙의 가장 친한 친구인 김 선달과 같이 살기로 한 것을 보여줌으로서 의양이 아내로서의 소중함도 깨닫게 하고 있다. 요컨대 의양과 무숙의 치밀한 대립의 갈등은 탕아인 남편과 주체성이 강한 기녀의 갈등으로, 의양의 현명한 대책과 계교가 무숙을 개과천선 시켜 건강한 삶을 살아가도록 하였다.

4. 지향의식과 정체성 확립

1) 탕자 길들이기와 공동체 복귀

〈무숙이타령〉은 속이기를 통하여 탕자를 길들이고 있다. 이 작품의 속이기에서 가장 유용한 인물이자 수단이 바로 기녀 의양이다. 무숙은 장안의 거부임에도 불구하고 주색과 놀음에 빠져 지낸다. 더 나아가 가정을 돌보지 않고 방탕한 생활로 전전할 따름이다. 무숙의 방탕한 삶은 다음 인용문에 잘 나타나 있다.

> 게집의게 다졍홈과 살 악기고 돈 모로고 노름판의 쇼담 만코 즙기 쇽도 알만ᄒᆞ되 츤타ᄒᆞ야 본체 안코 인긔가 니러ᄒᆞᄂᆞ 부죡ᄒᆞᆫ 게 지식니요 허랑ᄒᆞᆫ 게 마음니라 형세가 이러ᄒᆞ고 ᄌᆡ죠가 절등ᄒᆞ니 ᄉᆞᆷ틔 육경 ᄌᆡ승임네 ᄉᆞ람을 만들냐고 입신양명 일너가며 간간니 게결ᄒᆞ되 마다ᄒᆞ고 쌧노으며 쥭마교우 어진 친구 붕우척션 슬ᄐᆞᄒᆞ고 오른말의 ᄊᆞᆼᄂᆡ기와 그른 말은 고지 듯고 은군ᄌᆞ 오입ᄒᆞᆫ 연 노구 노와 쳥ᄒᆞ기와 아ᄅᆡ 우ᄃᆡ ᄉᆡᆨ쥬가을 밤낫 읍시 일을 ᄉᆞᆷ어 쳥누고각은 ᄉᆞ랑니요 기ᄉᆡᆼ의 집은 본ᄃᆡᆨ니라 부형니 읍셔진니 가젼진학니 읍셔지고 힝세가 기ᄉᆡᆼ의 집은 본ᄃᆡᆨ니라 부형니 읍셔진니 가젼진학니 읍셔지고 힝세가 니러ᄒᆞ니 가쇽인들 도라볼가 호호탕탕 밋친 마음 위아침 죠아ᄒᆞ고 쳐ᄌᆞ식을 몰ᄂᆞ보며 화협으로 모도 쇽아 허숑세월 지나간니[30)]

무숙은 본처와 아이들이 양식이 떨어져 굶어 죽을 지경에 이르러도 그들을 돌보지 않는 무책임한 가장이다. 그래서 세상 사람들은 무숙이 의양에 침혹되어 그러한 생활을 일삼는 것으로 생각한다. 방탕한 생활의 연속은 결국 패가망신으로 이어질 수 있기에 의양이 그를 개과천선 시키기로 마음먹은 것이다.[31)]

---

30) 박순호 소장, 313-314쪽.

31) 구체적인 과정을 들어보면 다음과 같다.

① 의양은 무숙의 아내에게 무숙이 배고픔과 서러움을 당하도록 하여 무숙의 허랑한 심사를 잡아 볼 것이라는 편지를 보낸다.

② 의양은 막덕이와 무숙의 행실을 고치려 계획대로 일을 추진한다.

③ 먼저 집안의 온갖 패물과 세간을 다 팔고 방안의 세간과 기물은 수양아버지께 간직

무숙은 돈이 떨어지자 자신의 아래옷은 물론 상투까지 잘라 팔아 돈을 마련했는가 하면, 아버지 묘 이장을 핑계로 외삼촌에게 돈을 빌리기까지 하는 위인이다. 이에 의양이 속이기를 통하여 무숙의 재산이 모두 탕진된 것으로 꾸민다. 패가망신한 무숙이 무일푼으로 쫓겨난 후 가족의 배고픔을 보고 나서야 반성한다. 무숙은 지난날 자신처럼 삶을 사는 사람들을 보며 후회한다. 의양의 지혜로운 처사가 무숙의 개과천선을 가능케 했다. 이것은 의양이 주체적인 노력으로 자신의 목적을 달성한 것이기도 하다.

무숙의 개과천선은 무숙을 공동체의 일원으로 복귀시켰음을 의미한다. 무숙이 겪는 가난과 배고픔, 그리고 본처와 아이들이 굶는 현실이 그를 새로운 인간으로 태어나도록 했다. 이는 그동안 무숙이 몰랐던 가족의 소중함을 깨달아 가는 과정이라 할 수 있다. 가족공동체의 일원으로 건강한 삶을 살아갈 필요성을 그렇게 보인 것이다. 한편 의양이 김 선달과 같이 살겠다고 하자 무숙이 비상을 먹고 죽으려 한 행동은

해 달라고 보낸다.

④ 의양은 무숙을 무일푼으로 만든다. 무숙은 입을 옷이 없어 떨어진 옷을 입고 굶기를 밥 먹듯하며 거지 모양으로 지낸다.

⑤ 의양은 김 선달과 가짜 애정 행각을 벌이고, 무숙은 의양의 애정 행각을 빌미로 본처에게로 간다.

⑥ 무숙은 굶는 처자식을 위해 품팔이를 하면서 흥청망청한 사람들과 오입쟁이와 지식없는 사람들은 자기와 같은 몰골이 될 것이라며 지난날을 되돌아본다.

⑦ 무숙은 의양의 중노미로 일하며 온갖 괄시와 설움을 받는다.

⑧ 의양은 김 선달에게 무숙을 온갖 고생시킨 후에 평생 정을 품고 살기를 바랄 것이니 무숙과 재회 잔치에 참여하기를 바란다는 내용의 편지를 보낸다.

⑨ 무숙은 의양이 자신의 가장 친한 친구인 김 선달과 같이 산다는 말에 비상을 먹고 죽을 것을 결심한다.

⑩ 의양은 무숙이 깊게 반성 한 줄 알고 전일은 다 잊어버리고 어부나 농부가 되어 작은 부자로 부지런히 재산을 모아서 살아보자고 한다.

의양이 자신의 가족이라는 인식을 드러낸 것이기도 하다. 무숙을 건강한 인간으로 회복시켜 가족 일원으로서 책무를 다하도록 한 것은 탕자를 길들여 가족공동체로 복귀시킨 것이라 하겠다.

2) 관권(官權) 오용의 폭로와 시정

〈강릉매화타령〉과 〈배비장전〉·〈춘향전〉은 기녀를 통해 관권의 오용과 위선을 폭로하고 있다. 〈강릉매화타령〉의 골생원은 관아에 소속된 책방의 관리이지만, 골생원은 매화에게 빠져 지낼 따름이다. 골생원의 퇴폐적인 행태는 과거시험장에서도 여실하게 나타난다. 골생원은 과거를 보러 간 시험장에서 오로지 매화만을 생각하여 그녀를 그리워하는 시를 지어 제출한다. 또한 매화가 죽었다는 소리에 무덤을 찾아 통곡하고 매화 그림을 그려 껴안고 지낸다. '부모 죽은 데 아고 아고 하지, 첩 죽은 데 아고 아고 하냐'는 방자의 말은 본분에 충실하지 못하는 관료의 그릇된 행태를 지적한 것이라 하겠다. 관리로서 자신이 맡은 임무에 충실해야 하지만 관기에게 빠져 본연의 책임을 다하지 못하는 해이함과 관리의 권한을 그릇 사용하는 문제를 고발한 것이라 하겠다.

〈배비장전〉은 관권의 오용을 정비장의 그릇된 행동을 통해 보여준다. 정비장은 제주도를 떠나면서 애랑에게 모든 것을 주고 간다. 정비장이 애랑에게 건넨 것은 하급관리가 갖기에 어려운 고가의 품목들이다.[32)]

---

32) 중량 한통, 세량(細凉) 한 통, 탕건(宕巾) 한 죽, 우황(牛黃) 열 근, 인삼(人蔘) 열 근, 월자(月子) 서른 단, 마미(馬尾) 백 근, 장피(獐皮) 사십 장, 녹비(鹿皮) 이십 장, 홍합(紅蛤)·전복(全鰒)·해삼(海蔘) 백 개, 문어(文魚) 열 개, 삼치 서 뭇, 석어(石魚) 한 동, 대하(大蝦) 한 동, 장곽(長藿)·소곽(小藿) 다시마 한 동, 유자(柚子)·백자(柏子)·석류(石榴)·비자(榧子)·청피(靑皮)·진피(陳皮)·용(茸), 얼레·화류(樺榴) 살쩍·삼층난간 용봉장(三

이것은 정비장이 백성의 고혈을 짜서 수탈한 재물이라 할 수 있다. 정비장이 관리로서 혹정을 일삼은 증거이기도 하다. 관리로서 백성들의 삶을 보살펴야 하는데, 그러한 임무는 저버리고 역으로 권력을 이용하여 백성들의 재물을 수탈하였다. 백성을 위해 쓰도록 부여된 권한을 개인의 영달을 위해 잘못 사용된 사례라 할 만하다. 역시 관리로서 윤리도덕을 준수하며 체통을 지켜야 할 배비장이 관기를 천하게 여기며 함부로 대하는 것도 관권을 잘못 사용하는 것이거니와 제주목사와 애랑 등의 공모로 진행되는 속이기에서 여염집 여인과 정을 통한 것도 알고 보면 관리의 권한을 그릇 사용한 것이다. 관리의 권한을 오용하며 자신의 이익이나 음욕을 채우는 문제를 지적한 것이라 하겠다.

〈춘향전〉 또한 기녀인 춘향을 통해 관권의 오용으로 하층민이 억울하게 당하는 모습을 보이고 있다. 춘향은 수청을 들지 않는다는 이유로 하옥되어 죽을 처지에 놓이게 된다. 변사또의 이러한 처사는 엄연한 관권의 오용이라 할 수 있다. 백성들을 위해 써야 할 권한을 개인의 욕망을 위해 잘못 쓰고 있는 것이다. 문제는 이와 같은 관리의 관권 남용을 폭로하는 데 기녀가 절대적인 영향을 끼쳤다는 점이다. 기녀가 관에 소속된 약자로서 유혹형이나 열녀형을 막론하고 기득권의 그릇된 행태를 적극적으로 고발하기 때문이다. 이렇게 문제를 폭로한 것은 그

層難艱 龍鳳欌)·이층 문갑(二層 文匣)·가께수리·산유자(山柚子) 궤·뒤주 각 여섯 개, 걸음 좋은 제마(濟馬) 두 필, 총마(驄馬)세 필, 안장이 두 켤레, 백목(白木) 한 동, 세(細布) 세 필, 모시 다섯 필, 면주(綿紬) 세 필, 간지(簡紙) 열 축, 부채 열 병(柄), 간필(簡筆) 한 동, 초필(草筆)한 동, 연적(硯滴) 열 개, 설 대 열 개, 쌍수복 백통(雙壽福 白銅)대 한 켤레, 서랍 하나, 남초(南草) 열 근, 생청(生淸) 한 되, 숙청(熟淸) 한 되, 생율(生栗) 한 되, 마늘 한 접, 생강 한 되, 나미(糯米) 열 섬, 황육(黃肉) 열 근, 후추 한되 (정병욱 교주, 앞의 책, 21-24쪽.)

들의 그릇된 행태가 바로잡히기를 소망했기 때문이다.

3) 사회비판과 민중의식 고양

〈춘향전〉·〈무숙이타령〉·〈강릉매화타령〉·〈배비장전〉은 모두 하층민인 기녀를 통해 조선시대 사회상을 비판하고 있다. 작품을 통해 드러내는 사회의 문제점을 살펴보면 〈춘향전〉은 하층민 여성의 절개와 정조를 통해 조선후기 부패한 관료사회를 비판하고 있다. 변학도는 사또의 직책을 맡았지만 육백삼십 리 떨어진 곳에서부터 '춘향이란 계집이 매우 예쁘다지'라며 기녀에만 마음을 쏟는다. 변학도의 춘향에 대한 수청 요구는 당대의 신분질서와 기녀풍속에 따르는 일상적인 행태라 하겠다. 변학도는 자신의 향락적 풍류의식을 일종의 권력층의 권위의식 정도로 인식한다. 그래서 춘향의 수청 거절 행위를 지방관의 권위에 대항하는 것으로 받아들인다. 변학도의 향락적 풍류의식은 민생수탈과 결부되어 척결의 대상이 된다. 그러한 변학도의 강요에 끝까지 굴하지 않는 춘향을 통해 당시 민중의 의식이 고양되어 있음을 짐작할 수 있다.

〈무숙이타령〉은 조선후기 급격하게 발달한 경제발전이 가져온 병폐로써 향락문화와 소비문화를 꼬집고 있다. 무숙은 갑부의 아들이라서 경제적인 걱정 없이 생활할 수 있다. 경제적인 여유가 마침내 도덕이나 윤리적인 일탈을 가져와 방만한 생활을 일삼는다. 그러한 행태를 더 이상 두고 볼 수 없어 의양이 속이기를 통해 무숙을 개과천선 시킨다. 극도의 경제적 궁핍을 조성함은 물론, 무숙을 종으로 전락시켜 자아성찰을 유도한다. 이는 하층민인 기녀가 문제의식을 가지고 경제적 기득권을 형성한 무숙의 문제를 시정한 것이라 할 수 있다. 그래서 의양으로 대변되는 민중의식의 건전성과 합리성을 드러낸 것으로 볼 수 있다.

〈강릉매화타령〉은 관료사회의 퇴폐적 행태를 잘 드러내고 있다. 골생원은 강릉부사의 책방으로 공적인 권한을 가지고 있다. 그럼에도 불구하고 매화에 침혹되어 객관적인 시각을 잃고 만다. 더욱이 사적인 애정 때문에 공적인 일을 소홀히 하여 문제를 야기한다. 치자의 위치에서 올바로 행동해야 함에도 불구하고 그릇된 행태를 보인 것이다. 이것은 당시의 관료사회가 도덕적으로나 윤리적으로 그만큼 해이해졌음을 지적한 것이기도 하다. 그러한 문제를 바로잡는 데 기녀가 동원되었다. 하층민을 동원하여 상층의 문제를 바로 잡고자 한 것은 하층의 의식이 그만큼 고양되었기 때문이다.

〈배비장전〉은 정비장과 배비장을 통해 부패한 관료사회의 문제를 통렬하게 비판하고 있다. 정비장의 경우 수많은 재물을 애랑에게 빼앗기는데 사실은 이 모든 것이 제주도민에게 수탈한 것이다. 공적인 치자의 입장보다는 사적인 욕망을 채우는 데 혈안이 되었음을 짐작할 수 있다. 배비장의 경우는 치자로서 권위와 도덕을 지켜야 함에도 불구하고 그러하지 못했다. 그는 기생을 능멸하면서도 여염집 여인에게는 애정을 쏟는다. 문제는 그 여염집 여인이 바로 기생이라는 점이다. 그래서 권위를 내세우며 허세를 떨었던 배비장의 본성이 만천하에 드러난다. 여기에서 정비장이나 배비장을 속이며 그들의 그릇된 관료문화를 전격적으로 비판한 것이 기녀 애랑이라는 점이다. 이 애랑은 하층민을 대변하는 인물로 당시의 제도 내에서나마 문제의식을 부각한 것으로 생각할 수 있다.

5. 맺음말

기녀제도는 팔백 년의 긴 역사를 갖고 있다. 기녀는 조선시대 다른 천민과는 달리 남성과의 관계가 사회적으로 인정되어 역사사료나 문학 작품에서 자주 등장한다. 판소리계 소설인 〈춘향전〉·〈강릉매화타령〉·〈배비장전〉·〈무숙이타령〉에서도 기녀가 저마다 독특한 성격을 가지고 등장한다. 그만큼 서사적 의미가 남다를 수 있다. 지금까지 판소리계 소설에 나타나는 기녀의 양상과 기능을 살피고, 이를 바탕으로 서사적 의미를 검토해 보았다. 이상의 논의한 것을 요약하면 다음과 같다.

첫째, 기녀의 유형과 양상에 대해 살펴보았다. 판소리계 소설의 기녀는 유혹형 기녀와 열녀형 기녀로 나뉜다. 유혹형 기녀는 남성을 유혹하기에 충분한 팜므파탈적인 이미지를 가졌다. 남성을 유혹할 미모를 바탕으로 애랑은 배비장의 가식 폭로를, 매화는 골생원의 해이함을 지적하였다. 열녀형 기녀는 기생의 신분에서 벗어나 새로운 삶을 희망하고 있다. 춘향의 경우 신분상승의 꿈을, 의양의 경우 무숙과의 행복한 삶을 소망하며 가정을 이루고자 하는 의지가 강함을 살필 수 있었다. 열녀형 기녀인 춘향과 의양은 공통적으로 신분상승 욕구가 강한 기녀이다. 조선후기는 경제력이 신분에 버금가는 사회였다. 경제력만 있으면 신분을 사고 팔 수 있었기 때문에 의양과 춘향이 신분상승 의욕을 드러낸 것도 그 때문이다.

둘째, 기녀의 공모와 대결에 대해 살펴보았다. 먼저 기녀가 주변인물과 공모하는 경우이다. 〈배비장전〉의 애랑은 제주목사와 방자와 공모하여 배비장을 훼절시킨다. 배비장의 가식적인 면을 벗기는 데 기녀가 주동자의 역할을 맡고 있다. 〈강릉매화타령〉에서는 매화에게 침혹된 골생원을 매화와 사또가 공모하여 골생원을 웃음거리로 만들어 망신주는 데 성공한다. 〈무숙이타령〉의 의양은 무숙을 개과천선 시키기 위해 자신보다 신분이 아래인 종과 무숙의 죽마고우인 김 선달 등과 공모한다. 다음으로 기녀가 주변인물과 대립하는 경우이다. 〈춘향전〉에서 춘향과 변사또와의 대립은 약자와 강자의 갈등을 보여준다. 약자인 기녀와 강자인 변사또와의 대립을 통해 기녀의 절개를 강조하는 한편, 관료의 그릇된 인식을 고발한다. 〈무숙이타령〉의 의양과 무숙의 대립은 첩과 탕아인 남편과의 갈등을 다룬 것이다. 마침내는 의양의 현명한 대책과 계교로 무숙을 개과천선 시킨다. 무숙이 건강한 삶을 살아가도록 의양이 교육시킨 것이다.

셋째, 기녀가 갖는 서사적 의미에 대해 살펴보았다. 판소리계 소설에는 인격적으로 건강하지 못한 인물이 등장한다. 이들을 징치하기 위해 기녀를 등장시켰다. 최하층민인 기녀를 등장시켜 기득권층을 신랄하게 풍자·조롱함으로써 서사적 흥미를 제고하였다. 기녀가 남성들과 유흥공간에서 자유롭게 교유하여 가능한 일이기도 하고, 민중을 대표하는 기녀의 의식이 그만큼 고양되어 가능한 일이기도 하다. 각 작품에 등장하는 기녀들은 하층민을 대표하면서 기득권층의 문제, 즉 탕자에 대한 문제, 남용되는 관권에 대한 문제, 사회의 부정적인 문제를 비판하며 시정을 촉구한다. 그런 점에서 이 기녀를 통해 민중의식을 읽어낼 수 있으며, 나아가 상하의 조화를 모색했던 의식도 짐작할 수 있다.

〈배비장전〉의 위선비판과 공동체담론

1. 머리말

근대로의 전환점이라는 시각에서 볼 때 조선후기를 역사적인 격동기로 간주할 수 있다. 그러한 격동기에 그동안 조선왕조를 지탱해왔던 신분제는 사회·경제적 요인 때문에 많은 변화를 겪는다. 양반의 위엄과 권위가 변화하는 사회와 더불어 추락해 갔고, 어리석은 관리는 백성들에게 풍자와 조롱의 대상이 되었다. 이러한 사회 현상 속에서 특권적 사대부들의 타락한 삶, 중세적 윤리의식의 부재 등을 강하게 풍자한 소설이 등장한다. 대표적인 작품으로 〈배비장전〉·〈종옥전〉·〈오유란전〉·〈이춘풍전〉 등을 들 수 있다.[33]

그중에서 〈배비장전〉은[34] 지배층의 위선을 주밀하게 풍자한 작품이라 할 수 있다. 이 작품이 실창(失唱)된 것은 문제를 가진 지배층을 일방

---

33) 최순원, 「〈李春風傳〉의 硏究 – 能動的 女性人物을 中心으로」, 충남대학교 석사학위논문, 1996, 1-2쪽.

34) 현재 전하는 〈배비장전〉의 이본은 활자본으로 1916년 신구서림본, 1950년 국제문화관본(김삼불 교주본), 1956년 세창서관본 등이 있으며 국문 필사본으로는 박순호본이 전한다. 본고는 1974년 신구문화사 정병욱 교주본을 텍스트로 삼았다.

적으로 풍자할 뿐 하층민과 화합의 장을 마련하지 못했기 때문이다. 이 작품에 대한 그간의 연구를 보면, 이상일은 〈배비장전〉의 풍자를 하층에 의한 상층 비판 외에도 상층에 의한 하층 교화로 해석될 수 있는 양가성을 지닌다고 보았고,[35] 송철호는 〈배비장전〉의 풍자양상을 풍자주체의 신분적 처지 또는 계층적 성격에 따라 분류하였다.[36] 권순긍은 〈배비장전〉과 같은 흥미로운 작품이 방각본이나 필사본 등의 다양한 이본을 보유하지 못했다고 보고, 그 이유를 지나친 풍자로 대중에게 공감을 획득하지 못한 탓으로 여겼다.[37] 김영주는 〈배비장전〉의 풍자구조를 표면적으로는 사대부의 부조리함을 보여주는 한편, 지배계층의 전복과 피지배계층의 상승으로 해석하기도 했다.[38] 박일용은 〈배비장전〉의 풍자가 표면적으로 드러나는 강렬한 민중적 비판성을 획득한 듯이 보이지만, 인간의 삶에 대한 현실적인 측면을 부각시키지 못해 〈춘향전〉처럼 수용기반을 획득할 수 없었다고 보았다.[39]

조선후기가 근대로 넘어가는 과도기라는 점을 생각하면, 〈배비장전〉에서 권위와 위엄만 내세우는 양반의 모습을 외설을 통해 풍자한 이유가 무엇인지, 어리석은 관리를 조롱하면서까지 추구하고자 했던 지향의식

35) 이상일, 「〈배비장전〉의 작품 세계의 재조명」, 『판소리연구』 36, 판소리학회, 2015, 241쪽.

36) 송철호, 「판소리계소설의 풍자양상과 의미」, 『동남어문논집』 36, 동남어문학회, 2013, 7쪽.

37) 권순긍, 「〈배비장전〉의 풍자층위와 역사적 성격」, 『반교어문연구』 7, 반교어문학회, 1996, 229쪽.

38) 김영주, 「〈양반전〉과 〈배비장전〉의 이중적 풍자구조 연구」, 경북대학교 석사학위논문, 2006, 39쪽.

39) 박일용, 「조선시대 훼절담의 변이양상과 그 사회적 의미」, 『조선시대애정소설』, 집문당, 1993, 401-402쪽.

이 무엇인지 살펴볼 필요가 있다. 〈배비장전〉은 같은 상층부 인물인 제주목사와 동료인 비장들이[40] 하층민인 기생·방자와 더불어 그릇되고 가식적인 배비장을 비판한 것이다. 이는 상하의 조화를 지향하는 것으로 수직적인 신분이 수평적인 신분으로 나아가고 있음을 엿볼 수 있는데, 본고에서는 그러한 관점에서 〈배비장전〉에 나타난 신분의 한계와 극복 방안, 그리고 지향의식이 무엇인지 구체적으로 고찰해 보고자 한다.

2. 신분제와 작품의 형성

1) 조선후기의 신분제

조선후기의 가장 큰 사회적 변화는 신분제의 동요로 볼 수 있다. 그런데 이 신분제의 변화가 근대사회로 가는 징표라 할 수 있다. 조선후기 신분제의 동요를 살피기 위해서는 조선 초로 거슬러 올라가서 그 사정을 헤아려볼 필요가 있다. 조선은 건국 초기 신분을 양인과 천민으로 구분하는 양천제도를 법제화하였다. 16세기에 이르러 급격한 사회변동으로 인해 농촌사회의 유력층으로 성장한 사족(士族) 계층은 몰락 양인을 노비로 점유하고 그들의 노동력을 이용하여 농장 경영을 확장해 나갔다.[41] 향촌의 지배계층이었던 사족들은 그 고장의 수령과 원활

---

40) "비장(裨將)이란 조선시대에 감사(監司)·유수(留守)·병사(兵使)·수사(水使)·견외사신(遣外使臣)을 따라다니며 일을 돕던 관원의 하나로 서얼(庶孼)이나 한족(寒族), 중서층(中胥層) 출신이 맡는 직책이었다." (박진태, 「배비장전 연구」, 『대구어문논총』 1, 우리말글학회, 1983, 75쪽.)

41) 서한교, 「17·18세기 丹城地方納粟人의 實態와 身分變動」, 『역사교육연구』 23·24, 한국역사교육학회, 1999, 855-887쪽.

한 관계를 유지하기 위해 수령의 행정에 대한 시비를 금하고 부세 납부에 힘쓸 것을 강조하였다.

한편으로 임병양란으로 인한 전쟁의 피해는 국가 재정의 궁핍은 물론 군제의 개편에 커다란 변화를 가져와 신분제 붕괴의 요인으로 작용하였다. 이는 17-18세기 신분질서의 혼란을 야기시켜 양반과 평민의 신분제는 물론 노비체제까지 흔들어 놓았다. 임진왜란과 병자호란 이후 평민층의 각성과 사회·경제의 변화에 따라서 신분제가 크게 동요한 것이다. 그 직접적인 계기를 다음과 같이 지적할 수 있겠다.[42)]

첫째, 임진왜란 때 국가 재정의 궁핍과 군량미 부족을 보충하기 위하여 곡식을 바치는 사람에게 벼슬을 주는 이른바 납속수직제의 시행이다. 이 제도는 국가재정이 어려움에도 불구하고 영선(營繕)이나 진휼(賑恤) 사업이 필요할 때마다 시행되었다. 처음에는 국가에서 관장·시행하였으나, 후에는 '공명첩'이라는 이름으로 지방관이 재량껏 각종 위계 관직을 매매하기에 이른다. 그러자 지방의 관리는 모속관(募粟官)의 공이 아쉬워 규정에도 없는 면역 등의 혜택을 팔았고, 강제로 이를 구매토록 하는 일까지 일어났다.[43)] 경제적 여유를 가진 많은 농민과 천민들 중 납속수직에 의하여 양반의 위계관직을 취득하는 사람의 수가 늘어난 것도 당연하다. 이렇게 해서 얻은 관직의 경우에는 호적대장이나 기타 공문서에 '납속'의 단서를 붙이도록 제도화되어 있었지만, 실제로는 단서를 붙이지 않고 본래의 양반과 같이 행세하였다.

둘째, 면천첩제의 시행을 들 수 있다. 이것은 재물을 바치는 노비에게

---

42) 김용섭, 『조선후기농업사연구 I - 농촌경제, 사회변동』, 일조각, 1970.
43) 김용섭, 앞의 책, 409-414쪽.

면천하여 양민이 되게 하는 것인데 재정난이 심하던 광해군 때에 납전면천자가 특히 많았다.[44] 납전면천은 하나의 사회적 관례가 되었고, 지방의 수령들은 이것을 저마다 시행하기에 이른다. 천민이 면천하는 방법으로는 납전면천 외에 자기를 대신해 줄 사람을 사서 그 자리에 넣고 면천하는 '대구속신제'도 있었다. 천민이 양인의 딸과 결혼하여 그 자식이 어머니의 신분을 따라 양인이 되는 '노비종모법'을 이용한 면천도 있었다. 노비종모법은 양·천 간의 혼인에 있어서 자녀의 신분은 원래 천민신분을 따라 노비가 되었는데, 이것을 개정하여 어머니가 양녀일 경우에는 그 소생 자녀는 어머니의 신분을 따라 양인으로 삼았다.[45] 이러한 방법으로 사노비는 점점 자취를 감추고, 공노비들 또한 신공을 내지 않아 사실상 양인이나 다름이 없게 되었다. 그러다가 순조 원년인 1801년에 이르러 국가에서 노비안을 불살라 공노비를 면천하는 일까지 벌어졌다.

셋째, 모칭(冒稱)하는 사람이 늘어났다는 점이다. 다른 신분으로의 모칭은 하급 신분을 가진 자가 상급 신분을 모칭하는 경우인데 관작(官爵)을 모칭하거나 유학, 공신의 후예, 교생, 양민을 가칭하는 것이 그것이다. 이와 반대로 상급 신분을 가진 자가 하급 신분을 모칭하기도 했다. 예를 들면 평민층이 군역을 회피하기 위하여 권력자의 비복이 되는 경우이다.[46] 그러면서 상하의 위계질서가 점진적으로 와해될 수밖에 없었다. 현실적인 문제를 해결하기 위한 방편으로 모칭을 일삼다가 그것이 신분제에 영향을 주는 데까지 나아간 것이다.

44) 고려대학교 민족문화연구원, 『고려대한국어대사전』, 고려대학교 민족문화연구원, 2009, 1163쪽.

45) 김용섭, 앞의 책, 416쪽.

46) 김용섭, 앞의 책, 417쪽.

위에서 알 수 있듯이 조선후기의 신분제의 변화는 조선 초 양반과 지주의 충돌로 시작하여 임진왜란과 병자호란 이후 급격히 흔들리기 시작했음을 알 수 있다. 전란이 휩쓸고 간 사회에서 양반의 위엄과 권위가 추락하였고, 경제적 여유를 가진 많은 상민과 천민은 납속수직에 의하여 양반의 위계관직을 취득하면서 기존의 양반과 면천을 통해 새로운 신분을 획득한 양반 사이에서 많은 갈등이 유발되었다. 이러한 과도기적 상황 속에 사회가 안정적으로 유지되기 위해서는 무엇보다도 신분의 상호 한계를 인정하고 그것을 극복하는 것이다. 그러한 사정이 당시에 대중적인 인기를 끌던 이야기문학으로 형상화된 것이라 하겠다. 신분제의 동요가 다양한 측면에서 야기되자, 상층민은 끌어내리고 하층민은 끌어올려 평등의식을 지향하는 일이 가능해졌다. 이렇게 상하 조화를 모색하는 과정에서 갈등이 증폭되어 나타난 작품이 바로 〈배비장전〉이라 하겠다.

2) 작품의 창작 배경

조선전기는 양반과 천민의 신분구조가 명확한 계층사회였다. 집권층인 양반은 방대한 토지의 지주이면서 한편으로 자신의 이익과 권위를 유지하기 위해 주자학적인 가치관을 우선시하였다. 하지만 현실을 무시한 관념적 논쟁의 결과 초기의 진취성을 상실하고 도리어 사회변화를 제약하기에 이른다. 이러한 상황은 왜란과 호란을 유발하고 그로 인해 서민층의 불만이 증폭된다.

이에 반해 조선후기에 들어오면 양반의 수가 증대되어 그들이 사족계층으로서 모두 지배층에 오를 수 없게 되었다. 더욱이 경제적인 문제가 중시되면서 신분은 양반이되 서민적인 생활을 감내해야 하는 계층, 즉 몰락양반이 양산된다. 약 200년 동안의 조선후기의 호적을 분석한 결과 17세기에는 양반의 호(戶)가 전체의 약 7퍼센트 정도에 불과했지만, 1850년에 이르면 약 70퍼센트로 급증한다. 물론 이같이 급증한 양반 모두가 그에 상응하게 행세할 수 없는 노릇이었다. 이는 사·농·공·상의 사민(四民) 가운데에서 극소수의 사족 계층이 지배신분으로 군림하던 시대가 지났음을 뜻한다.[47] 그래서 신분제의 모순에 대한 강한 반발이 나타날 수밖에 없었다. 실제로 권력의 중심에서 소외된 사족 계층은 현실적·경제적으로 중인 이하의 신분과 다를 것이 없게 되었다. 그러는 과정에서 중인·상민들이 현실에 대해 새롭게 인식하면서 전통적인 윤리관·인간관에 반기를 들고 독자노선을 걸었다. 이들은 화폐경제·상업경제에 기민하게 적응하여 부를 축적하고, 그 부를 통해 신분의 한계를 넘는 유산계층을 이루게 되었다. 하층에서 기득권층의 문제를 강하게 지적할 수 있었던 저력도 여기에 있었다. 그런 반면에 양반계층은 신분분화로 권력층과 몰락양반이 양극화되면서 일부 양반은 관직에서 소외되어 가난한 평민과 다름없는 삶을 살게 되었다. 이러한 상황 속에 신분만을 믿고 위엄과 권위를 내세우는 인물이 양산될 수 있었다. 하지만 기층민들은 그들을 종이호랑이와 같이 취급할 따름이었다. 실용노선을 걷는 기층민에게는 그들의 가식이 조롱과 비판의 대상이 될 수밖에 없었다. 이것이 점차 확대되어 기층민들이 사족 계층, 또는 지배층 전체를 비판하는 양상으로 확대되었다. 그래서 조선후기는 기득권층과 기층민의 갈등과 대립, 그리고 조화를 모색해 나가는 과도기라 할 수 있다.

---

47) 김태영, 『한국의 사회사』 2, 한길사, 1987, 70쪽.

이른바 변증법적인 변화를 거쳐 합일의 새로운 사회로 나아가는 모색기라고 할 수 있다. 〈배비장전〉은 바로 그러한 사회상을 적절히 포착한 작품이라 할 수 있다.

실제로 기층민들 사이에서는 가식적인 양반, 나아가 지배층의 그릇된 행태를 비판하는 일이 빈발했고 그것이 다양한 이야기로 형상화되기에 이른다. 기생이 관리를 농락하는 기롱설화(妓弄說話), 사람이 쌀뒤주 속에 들어간 이야기인 미궤설화(米櫃說話), 이를 뽑히는 이야기인 발치설화(拔齒說話) 등이 그것이다. 이 이야기의 공통점은 가부장제와 남존여비를 강조하는 사회에서 최하층의 여성이 그것도 기득권의 남성을 기롱하는 공통점을 가지고 있다. 이때의 기생은 민중을 대변하는 것으로 보아도 무난하다.

이것은 확대하여 하층민의 인식 변화로 더 이상 가식적인 양반들에게 무조건적인 복종을 불허하겠다는 의지의 표현이라 하겠다. 따라서 훼절담을 주요 모티브로 생산된 조선후기 소설들은, 정남(貞男)을 자처하던 남성의 숨겨진 추악함을 과감하게 드러내어 풍자의 대상으로 삼은 것이다. 그중의 대표적인 작품이 바로 〈배비장전〉이라 하겠다.

〈배비장전〉은 제주목사와 배비장, 그리고 애랑과 방자를 내세워 조선의 집권층과 지배층의 간섭에서 벗어나고픈 민중의 심리를 적절히 형상화하였다. 즉 강압적인 상층부의 구속에서 벗어나려는 민중의 몸부림을 문학적으로 형상화한 것이라 하겠다. 이것은 신분제도의 붕괴에 따라 조선 사회가 가지고 있는 모순과 병폐를 고발한 작품이기도 하다.

〈배비장전〉을 통해 조선 사회가 안고 있는 모순과 병폐를 비판만 할 것이 아니라 그 모순과 병폐의 극복이 이 작품에서 중요하다. 상·하의 협력관계를 그래서 눈여겨 볼 필요가 있다. 중세에서 근대로 넘어가는 과도기의 상황에서 민중의식이 성장하자 조선의 기반이었던 신분제는 해결해야 할 문제로 부각된다. 상층부의 입장에서 보면 경제력을 기반으로 성장한 하층민을 마냥 무시할 수 없게 되었고, 하층민의 입장에서 보면 조선의 지배층인 사족 계층을 마냥 공격할 수만은 없는 처지였다.

문제를 해결하기 위해서는 여전히 중세적인 이념에 사로잡혀 현실을 직시하지 못하는 인물을 올바르게 교정해야만 했다. 즉 문제적인 인물을 고발하고 시정함으로써 신분제의 폐해를 극복하는 것이 핵심이라 하겠다. 잘 아는 것처럼 기롱설화(妓弄說話), 발치설화, 미궤설화에 등장하는 남성인물은 중세적인 이념에 사로잡혀 현실을 제대로 직시하지 못하고 있다. 더욱이 가식과 권위만을 내세우며 상하의 조화를 백안시하고 있다. 이렇게 부정적인 양반들이 상·하층 모두에게 풍자의 대상이 된 것이다. 즉 〈배비장전〉의 정비장과 배비장과 같이 위엄과 체통을 갖추지 못한 인물을 시정하여 올바른 가치관을 갖도록 해야 했다. 그래야만 상하가 조화를 이루는, 더 나아가 상하의 구분이 없는 이상적인 사회를 만들 수 있었기 때문이다.

실제로 〈배비장전〉은 배비장의 상관인 제주목사가 배비장의 가식적인 허물을 벗기기 위해 공모를 지시하고, 관비인 애랑과 방자가 가담하여 배비장을 훼절시켜 망신을 준다. 상층부인 제주목사는 배비장의 가식을 벗김으로써 근대지향적인 노선을 향해 한 발 나아가고, 하층민인 애랑과 방자의 공모는 상층부인 배비장을 끌어내림으로써 신분의 평등을 추구한 인물이라고 할 수 있다. 조선후기에 상·하층이 공모하여 가식적인 인물을 훼절시키는 소설이 유행한 것도 저와 같은 사회적인 분위기 때문이라 하겠다. 이것은 신분제도의 모순을 극복하고 새로운 사회로 나아가는 과정에서 발생한 필연적인 현상이기도 하다. 그것은 근대로의 지향의식을 대중문학으로 형상화한 것으로 보아도 좋다.

3. 신분의 한계와 비판양상

1) 신분의 한계

조선 초에 확립되었던 반상제도는 조선후기로 오면서 동요되기 시작한다. 임병양란을 겪으면서 민중의식이 고양되고, 국가의 재정을 위해 신분제를 탄력적으로 운용하는 과정에서 신분의 이동이 촉발되었다. 그러면서 신분으로는 상층이면서 경제적으로는 하층민이 나타났는가 하면, 경제적으로는 유산계층이면서 신분으로는 하층민인 경우가 발생하여 신분과 계급이 혼재·괴리된 복잡한 사회구조를 갖게 되었다. 하지만 궁극적으로는 경제력을 바탕으로 한 유산계층이 중시되면서 신분만을 강조하는 상층부가 스스로 한계에 봉착하여 비판의 대상이 된다. 그러한 사정을 〈배비장전〉을 통하여 살펴보도록 하겠다.

(1) 양반의 위엄과 한계

조선시대 양반은 교육·과거응시·입사(入仕)에서 배타적인 특권이 보장된 기득권 세력이었다. 그들은 권력을 이용하여 규정 이상의 토지와 노비를 소유하였는가 하면, 반역(叛逆)과 같은 대죄(大罪)를 짓지 않은 이상 관직과 토지가 주어지고, 수족과 같은 노비를 대대로 전할 수도 있었다. 조선시대의 양반은 결국 개인의 능력보다는 그들의 가문을 통해 기득권을 계승해 왔다. 하지만 조선후기에 들어오면서 양반의 권위와 위세는 갈수록 격하될 수밖에 없었다. 몰락양반의 경우 겨우 명맥만 유지할 뿐 신분에서 오는 이득을 기대하기 어려웠다. 그러면서도 기존의 신분적 질서를 중시하여 고답적인 행태를 보이는 인물이 없지 않았다. 그러한 정도가 심화된 것은 역설적으로 신분제의 폐해가 극단에 이르렀음을 말하는 것이기도 하다. 다음의 인용문을 보자.

> 한양에 김경(金卿)이라 하는 양반이 있되 문필 재력(才力)이 비범하여 십오 세에 생원(生員), 진사(進士), 이십 전에 장원 급제, 초입사(初入仕)에 한림(翰林), 주서(主書), 이조(吏曹), 옥당(玉堂), 승지(承旨), 당상(堂上), 방백(方伯)을 바라더니, 대신 서계(大臣書啓) 끝에 제주 목사 제수(除授)되니 … [48]

제주목사로 부임되는 김경은 전형적인 양반 관리로서 엘리트 인물이다. 그래서 문필도 뛰어나고 재능 또한 출중하다. 이는 주자학적인 사회에서 가장 이상적인 인물이라 할 수 있다. 문장력을 바탕으로 치자(治者)의 지위에 오르는 것이 주자학자의 이상이요, 꿈이기 때문이다. 그를 실현한 김경이야 말로 모든 이에게 존경받아 마땅한 인물이라 할 수 있다. 하지만 제주도로 떠나는 배 안에서의 김경은 관리로서의 책임의식이나 양반으로서 위엄과 체통은 어디에서도 찾아 볼 수 없다.

> "술 들어라. 먹고 놀자."
> 사또, 취흥(醉興)이 도도(陶陶)하여 풍월(風月) 지어 읊으되,
> "청천(靑天)이 도수중(倒水中)하니 어유 백운간(魚遊白雲間)이라, 이 글 어떠한고?

---

48) 정병욱 교주, 『배비장전·옹고집전』, 신구문화사, 1974, 9쪽.

비장들이 대답하되,
"예, 좋소. 문장귀(文章句)요
사또 취중에 희담(戲談)한다.
"누구서 제주 배 타기 어렵다 하더니, 누워서 떡 먹기는 눈에 고물이 나 떨어지고, 안자서 똥 누기는 발 허리나 실지. 내 서울서 들으니 바다에 꼬리 큰 고기가 있다하니 그 말이 옳으냐?"[49)]

배가 제주도로 안전하게 닿기도 전에 제주목사가 보이는 행태는 양반의 권위 및 위엄과는 거리가 멀다. 더구나 태풍을 만나 죽을 상황의 위기에서 제주목사와 그를 보좌하는 비장들이 보이는 행태는 양반들의 권위나 위엄이 얼마나 허망한 것인지 여실히 보여준다. 태풍을 만나 죽을 고비를 맞은 비장들이 신세 한탄하는 대목을 요약하면 다음과 같다.

비장 ⓐ – 홀로 계신 부모님은 자식이 이제나 저제나 올까 기다리며 계시고, 젊은 아내는 한숨과 눈물로 날마다 남편이 돌아오기를 기다리고 있을 것이라며 한탄한다.
비장 ⓑ – 나이 사십에 자식도, 양자도 없는 처지에 조상 제사 끊기게 됨을 걱정한다.
비장 ⓒ – 형세가 가난하여 마누라 속곳이 없어 한 벌 얻어 입힐까 하고 나왔다가, 속절없이 물에 빠져 귀신이 될까 탄식한다.
비장 ⓓ – 형세가 가난하지는 않지만, 양반의 이름을 갈고 추천을 얻어서 출세를 바라고 나와 속절없이 죽게 됨을 원통해 한다.

위의 내용에서 알 수 있듯이 제주목사와 비장들은 죽음을 앞두고 위험한 상황을 극복하려는 어떠한 노력도 하지 않는다. 죽음 앞에서 양반

49) 정병욱 교주, 앞의 책, 14쪽.

의 체통은 여지없이 무너져 혼비백산할 따름이다. 그러는 과정에서 제주목사는 바다에 제를 올리기로 결정한다.

> 이렇듯 탄식할 제, 사또 정신없이 앉아 그 거동을 보다가 무슨 생각이 났던지 사공을 불러 분부한다.
> "용왕이 이제야 제수(祭需)를 달라나 싶으니, 고사나 극진히 드려 보아라."[50]

조선조 유학자들은 주자학적인 이념으로 무장하여 무당을 천시함은 물론 그들이 벌이는 굿을 미신이라 하여 경계하였다. 그런데 제주목사가 바다에 제를 올리는 행위는 파격적인 일이 아닐 수 없다. 부득이한 상황에서 취할 수 있는 일이라고 해도 풍랑을 극복할 현실적인 조치를 망각한 것이기 때문이다. 여전히 관념론적인 세계관에 사로잡혀 문제를 직시하지 못하는 상황을 보인 것이다. 그러는 과정에서 제주목사는 관리로서의 체통과 위엄을 상실하고, 위기 대처능력이 전혀 없음이 만천하에 드러난다. 이것은 양반 지배층의 한계를 스스로 노정하는 것이기도 하다.

제주목사는 자신뿐만 아니라 휘하 관리와 관민 모두를 책임져야 하는 막중한 자리이다. 그것이 지배층이 감당해야 할 책무이기도 하다. 하지만 그는 절체절명의 위기에 봉착하자 우왕좌왕하면서 갈피를 잡지 못한다. 자타가 공인하는 인재로 전도유망한 관리에 임명되었음에도 불구하고 어려운 상황에 슬기롭게 대처하지 못한다. 자신의 안위만을 생각하며 전전긍긍하다 스스로 한계를 드러낸다. 이는 지배층의 무능

50) 정병욱 교주, 18쪽.

을 우의적으로 표현한 것이다.

(2) 우리(愚吏)의 의리와 한계

지배층의 우매한 처사는 자신은 물론이거니와 수많은 관민까지 역경으로 내몰게 된다. 그래서 어진 마음으로 선정하는 관리야말로 고금을 통해 존중받아 마땅하다. 하지만 관리가 만민을 생각하지 않고 권력욕에 사로잡히면 사회기강이나 윤리와 도덕이 붕괴되는 문제가 발생한다. 특히 자신의 이익과 취향만 좇다가 지탄받는 일이 얼마든지 있었다. 정남을 자처하며 허세를 부리다가 모든 사람 앞에서 창피를 당하는 것도 그중의 하나이다. 〈배비장전〉에서 그러한 역할을 맡은 인물이 바로 정비장이다. 구관사또를 보좌하던 정비장은 제주목사의 부임으로 제주도를 떠난다. 그동안 같이 지내오던 기생 애랑과 이별하는 상황에서 정비장이 보인 행동은 어리석은 관리의 전형이라 하겠다.

조선후기에 이르러서 비장(裨將)은 중간관리로 위로는 고을 수장을 모시면서 아래로는 백성들을 보살피는 일을 맡았다. 하지만 선정보다는 자신들의 출세욕을 앞세우는 경우가 비일비재했다. 이들이 새롭게 대두되는 신흥세력이라는 점에서 이것은 필연적인 현상이라 하겠다. 실제로 이들의 출신 성분은 중서층(中胥層)뿐만 아니라 문벌이나 경제적으로 몰락한 양반 출신도 더러 있었다. 어려운 처지에서 비장이 된 이들은 지방 관리로서 공익을 위한 충실도나 윤리적인 도덕률이 상대적으로 낮을 수밖에 없었다. 개인적으로 입신출세와 가문의 부귀영화를 성취하는 것이 중요했기 때문이다. 그래서 경제적으로나 도덕적으로 타락한 지배층이 사회적인 문제를 야기하곤 하였고, 그러한 계층에 대한 반감이 문학작품으로 형상화된 것이라 하겠다. 정비장이 바로 그러한 인물의 전형이라고 할 수 있다.

정비장은 무엇이 정당한지를 모르는 관리이다. 그러기에 기생 애랑에게 휘둘리며 문제적 인물로 부각된다. 그는 자신의 정체성을 망각한 채, 그리고 건전한 삶의 방식도 상실한 채 살아왔기 때문에 문제적 인물이 되었고, 그를 시정할 필요성 때문에 애랑이 그의 그릇된 인간상을 전격적으로 해부한다. 그는 그동안 모아온 모든 재물을 애랑에게 다 빼앗기고 심지어 양피(羊皮) 갖두루마기, 자신의 몸을 지키는 보검인 철병도(鐵柄刀)와 입고 있던 숙주 창의·분주(盆紬)바지 상하의복, 고의적삼, 부모님이 남겨 준 유체인 상투까지 베어준다. 거기에 자신의 앞니까지 빼어 달라는 애랑의 요청에 아무 저항도 없이 실행한다. 정비장의 모습을 통해 조선후기의 무능력하고 어리석은 관리들의 행태를 풍자한 것이라 하겠다.

실제로 정비장은 자신이 소유한 모든 것을 애랑에게 넘겨주고, 부모에게 물려받은 신체의 일부까지 애랑에게 빼앗긴다. 유교적인 측면에서 효의 근원인 신체의 일부를 훼손하면서까지 애랑을 만족시키기 위해 노력한다. 이것은 해서는 안 될 그릇된 행태, 즉 애랑에게 침혹된 문제를 부각하는 것이면서 동시에 균형감각을 잃고 허둥대는 지배층의 문제를 고발한 것이기도 하다.

> "여보 들으시오, 나으리 이곳 계실 때는 먹고 입고 살기 걱정 없이 세월을 보내더니, 인제는 뉘게다 의탁하오라고 일조 이별이 웬 일이요" "글랑은 염려 마라. 내 올라갈지라도 한동안 먹고 쓰기 넉넉하게 베짐 풀어 주고 가마. 중량 한통, 세량(細凉) 한 통, 탕건(宕巾) 한 죽, 우황(牛黃) 열 근, 인삼(人蔘) 열 근, 월자(月子) 서른 단, 마미(馬尾) 백 근, 장피(獐皮) 사십 장, 녹비(鹿皮) 이십 장, 홍합(紅蛤)·전복(全鰒)·해삼

> (海蔘) 백 개, 문어(文魚) 열 개, 삼치 서 뭇, 석어(石魚) 한 동, 대하(大蝦) 한 동, 장곽(長藿)·소곽(小藿) 다시마 한 동, 유자(柚子)·백자(柏子)·석류(石榴)·비자(榧子)·청피(靑皮)·진피(陳皮)·용(茸), 얼레·화류(樺榴) 살쩍·삼층난간 용봉장(三層難艱 龍鳳欌)·이층 문갑(二層 文匣)·가께수리·산유자(山柚子) 궤·뒤주 각 여섯 개, 걸음 좋은 제마(濟馬) 두 필, 총마(驄馬)세 필, 안장이 두 켤레, 백목(白木) 한 동, 세(細布) 세 필, 모시 다섯 필, 면주(綿紬) 세 필, 간지(簡紙)열 축, 부채 열 병(柄), 간필(簡筆) 한 동, 초필(草筆)한 동, 연적(硯滴) 열 개, 설 대 열 개, 쌍수복 백통(雙壽福 白銅)대 한 켤레, 서랍 하나, 남초(南草) 열 근, 생청(生淸) 한 되, 숙청(熟淸) 한 되, 생율(生栗) 한 되, 마늘 한 접, 생강 한 되, 나미(糯米) 열 섬, 황육(黃肉) 열 근, 후추 한 되, 아그배 한 접 애랑 주며 방자 불러…"[51]

정비장은 홀로 남게 된 애랑을 위해 백성의 고혈을 짜서 수탈한 재물을 모두 넘겨주고 만다. 이 재물은 정비장이 관리로서 혹정을 일삼았다는 증거이면서, 그렇게 모은 재산마저 관리할 수 없을 정도로 무능함을 지적한 것이기도 하다. 백성을 위한 선정에는 무관심한 채 오로지 축재에만 여념이 없었던 정비장의 그릇된 가치관을 부각한 것이라 하겠다. 그런가 하면 어리석은 관리 때문에 백성들이 도탄에 빠지고, 그 고통스러운 마음을 설원하는 차원에서 기생인 애랑이 정비장의 모든 재물을 빼앗는 것으로도 볼 수 있다. 이것은 정비장을 어리석은 관리로 그림으로써 당시 지배층의 문제점을 드러낸 것이기도 하다. 한편으로는 민중의 건전한 삶과 기득권층의 문제적인 삶을 어리석은 관리를 통해 보인 것이기도 하다.

---

51) 정병욱 교주, 21-24쪽.

(3) 가유(假儒)의 위선과 한계

한양에 사는 김경이 제주목사에 제수된다. 제주목사를 제수받은 김경은 무과에 급제하고도 벼슬을 하지 않는 배 선달(裵先達)에게 비장의 소임을 맡긴다. 비장의 소임을 맡은 배 선달은 집으로 돌아와 어머니에게 작별인사를 고한다. 옆에 있던 부인은 제주도에 미인이 많고 기생이 많아 남편인 배비장이 주색에 빠지지나 않을까 걱정한다. 그러한 부인에게 배비장은 다음과 같이 호언장담한다.

> "글랑은 염려마오. 이팔가인 체사소(二八佳人 體似酥)하니 요간장검 참우부(腰間長劍 斬愚夫)라, 수연불견 인두락(雖然不見 人頭洛)이나 암리초군 골수구(暗리招軍 骨髓구)라 하였으니, 계집은커녕 아이들 비역이나 하게 되면 가막쇠 아들일세"[52)]

제주로 떠나기 전 배비장은 자신은 주색에 빠질 리 없다고 단언하고, 선비로서 정당하게 처세할 것임을 다짐한다. 그래서 그는 위엄 있는 사대부, 지조 있는 선비, 정념을 가진 지아비의 모습으로 인식된다. 이렇게 도덕과 윤리로 철저하게 무장시킨 다음 그 가식을 폭로하여 극적 효과를 도모한 것이다.

배비장의 굳은 의지는 정비장과 애랑이 벌이는 이별 장면에서도 확인된다. 생사를 넘나드는 풍랑을 겪고 제주에 도착한 배비장은 애랑에게 모든 것을 빼앗기는 정비장을 한심하게 바라보면서 자신만큼은 그러한 일이 절대 없을 것이라고 확신한다. 정남인 자신의 의지를 재확인한 것이다. 다음의 인용문을 보자.

---

52) 정병욱 교주, 10-11쪽.

> "허랑한 자부로다. 이친척 원부모(離親戚 遠父母) 천리 밖에 와서 아녀자에 대혹(大惑)하여 저다지 애걸하니 체면이 틀리었다. 우리야 만고절색(萬古絕色) 아니라 양귀비·서시라도 눈이나 떠 보게 되면 바색의 아들일다."[53]

위의 인용문은 배비장이 애랑에게 빠져 모든 것을 잃는 정비장의 모습을 보고 자신은 그러하지 않겠다고 다짐하는 내용이다. 실제로 조선후기는 일처다부제의 특성상 다양한 첩을 둘 수 있었다. 남성 중심의 가부장제에, 남존여비의 사회적 분위기가 있어서 그러한 것이 문제되지 않았다. 하지만 그 실태를 보면 적서차별이 자심하고, 그로 인한 문제가 사회 곳곳에서 제기되었다. 특히 능력을 가진 중인(서얼)들이 문제를 제기하면서 사회기강이 복잡한 양상을 띠었다. 그래서 일견 배비장의 정남으로서의 다짐이 온당하지만, 현실은 그와 같지 못함을 역설적으로 보이기 위한 것이라 하겠다. 제도와 윤리, 그리고 관행과 현실이 부조화를 이루면서 가식적인 문사(文士)가 양산될 수밖에 없었던 구조를 보인 것이다.

> 사또와 모든 비장이 명기색기(名技色妓) 술을 부어 감홍로(甘紅露)·계당주(桂糖酒) 취케 먹고 춘흥 겨워 노닐 적에, 배비장은 가장 청고(淸高)한 척하고 송정 암상(松亭岩上)에 외면 단좌(單坐)하여 남 노는 것 비양하고 글 지어 읊으되, "천장(天長)하니 한양은(漢陽) 노천리(路千里)요, 해활(海濶)하니 영주는 파만경(波萬頃)을 여화미인(女花美人)은 간초월(看楚越)이요, 취롱강산 무한경(醉弄强酸無限景)을"[54]

---

53) 정병욱 교주, 39쪽.

54) 정병욱 교주, 49-50쪽.

제주목사와 관인들이 모두 모인 연회장은 그야말로 흥청대는 놀이이다. 그곳에 기생들이 참여하여 분위기를 고조시킨다. 하지만 정남을 자청한 배비장은 기생들이 자기 안전(眼前)에 비추면 엄곤(嚴棍)하겠다고 하달한다. 꽃 같은 미인은 자기와 아무 상관이 없다며 도덕군자처럼 자신을 내세우고 있다. 배비장의 이런 행동은 제주목사와 관인들이 위엄과 체통을 지키지 않는 인물로 비치게 했다. 자신만 정남으로서의 위치를 지키고 다른 모든 인물은 그렇지 못하다고 치부한 것이다. 이러한 내막을 알게 된 제주목사는 기생들을 소집시켜 배비장을 훼절시키기 위하여 공모한다. 정남으로서의 배비장이 실은 가식으로 가득 찬 인물임을 밝힘으로써 당시 관리의 그릇된 도덕률을 폭로하려는 것이다. 이것은 보복의 차원에서 벌이는 일이지만 실은 당시 지배층의 윤리와 도덕이 문제가 있음을 공통적으로 인식한 결과이기도 하다. 실제로 이 작품이 창작되던 시기에는 이제 더 이상 주자학적인 이상이 실현되기 어려웠다. 그래서 구습에 얽매인 계층에서는 변화하는 세태에 민첩하게 대응하지 못하다가 비판과 풍자의 대상이 되고 말았다. 그러한 사정을 극적으로 담아낸 것이 바로 〈배비장전〉이다. 신분사회를 넘어 계층사회로 나아가자 선비·유자로서의 삶이 어렵게 된 내막을 그렇게 담아낸 것이다.

2) 신분제의 극복

(1) 공모(共謀)를 통한 상하의 조화

〈배비장전〉은 양반의 가식적인 위엄과 체통을 벗겨내고 그들을 소시민의 의식과 동일하게 만들어 수직적인 사회에서 수평적인 사회로 나아가기를 소망한 작품이라 할 수 있다. 즉 근대사회로 나가기 위해 상층의 권위를 끌어내리고 하층의 능력을 제고하여 상·하층이 조화로운 삶을 지향한 것이라 하겠다. 이를 위해 이 작품에서는 상하를 막론하고 문제 해결에 동참하고 있다. 즉 구습의 권위에 얽매여 자신의 정체성을 찾지 못하는 인물에 대하여 각성을 촉구하고 있다.

이 작품에서는 상하의 조화를 이루는 방법으로 상층부의 가식을 폭로하되, 그것을 천시받던 최하층이 단행하도록 하였다. 즉 속이기를 통해 상층부가 내밀하게 감추고 있던 인간 본성이 드러나도록 했다. 그것은 현상적인 것이요, 현실적인 문제이며, 진정성과 관련된 것이다. 주자학적인 도덕률로 가린다고 덮일 수 없는 것을 과감히 펼쳐 보인 것이다. 내면을 있는 그대로 보여주고 행동하는 것이 진정한 삶을 견지하는 것으로 보았다. 속이기를 통해 배비장의 그릇된 세계관을 시정하려고 한 것도 바로 그 때문이다. 그것도 상하계층이 모두 동원되어 전격적으로 단행함으로써 시정의 효과를 극대화하였다.

이 작품에서는 정체성에 혼란을 겪는 배비장을 시정하기 위하여 상하가 동원되었는데 특히 주목되는 인물이 제주목사이다. 그가 사족층으로서 배비장을 속이는 것이 곧 자신과 관련될 수 있기 때문이다. 하지만 시선을 조금만 달리하면 배비장은 변화하는 세태를 따르지 못하는 인물이고, 제주목사는 시류에 민감하게 반응한 인물이라 할 수 있다. 그래서 제주목사는 상하가 하나 되는 것을 올바르게 인식한 반면, 배비장은 전통적인 관념론만 내세우며 변화를 철저히 외면하다가 궁지에 몰린 것으로 볼 수 있다. 사실 제주목사의 경우 자신들이 속한 사족층의 문제를 이미 제주도로 도해(渡海)할 때 인지한다. 제주도로 오는 배 안에서 태풍을 만나 위기에 처했을 때 양반의 위엄과 체통이 얼마나 하찮은 것인지 깨닫는다. 현실적인 문제를 적극적으로 해결할 수 있는 능력이 관념에서 오는 것이 아니라 현상에서 오는 것임을 인지한 것이다. 그래서 자신이 속해 있는 지배층의 가식을 벗겨야 할 필요성을 알고 그것을 실행하게 된다. 그렇게 할 때 인간애에 바탕을 둔 조화로운 사회가 가능하기 때문이다.

제주목사는 배비장의 훼절을 직접 지시하고, 그 실행 과정에서 애랑·방자의 모의를 전면적으로 후원한다. 제주목사의 지원으로 배비장에 대한 애랑의 조롱과 농락이 공식적으로 허용된다. 여기에 제주목사는 물론 제주의 관속 모두가 공모함으로써 가식에 대해 전 사회계층에서 문제 삼은 것이다. 하나의 조화로운 세계를 지향하면서 대동단결한 모습을 보이고 있다. 상하민중이 모두 모여 조선후기까지 지속되었던 양반의 권위, 가식적인 도덕률을 시정해야 할 필요성에 공감한 것이다. 그렇게 하는 데에서 상하의 신분이 조화를 이룬 근대적인 모습을 읽을 수 있다. 즉 신분의 속박을 넘어 사회의 구성원으로 동질성을 담보하는 담론이 가능하도록 한 것이다.

(2) 천롱(賤弄)을 통한 민중의 항변

천롱은 천민이 유자나 관리를 희롱하는 것을 말한다. 잘 아는 것처럼 〈배비장전〉에서는 애랑을 중심으로 하층민이 중요한 인물로 활동한다. 그것은 기층민중을 내세워 상층의 문제를 지적하기 위해서이다. 그래서 이때의 애랑은 민중을 대변하는 인물로 이해할 수 있다. 그를 내세워 그간 기득권층이 견지한 제도와 관습이 잘못되었음을 전격적으로 부각하기 때문이다. 그런 점에서 애랑은 이 작품에서 상하 대립과 갈등의 최전선에 놓인 인물이라 할 만하다. 애랑의 뛰어난 활약을 그리기 위하여 작품의 서두에서 복선을 깔고 있다.

> 산명수려한 지방에서는 사람의 성질이 순후 공근하여 약한 기운이 별로 없고, 산천이 험준한 지방에는 그대로 사람의 성질이 우준 간활하게 하는 법이라. 호남좌도 제주군 한라산은 옛적 탐라국 주산이요, 남방도 중 제일 명산이라. 험준하고 수려한 정기가 어리어서 기생 애랑이가 생겨났나 보더라.
>
> 애랑이가 비록 천기로 났을망정 색태는 월서시, 양태진을 압도하고, 지혜는 남자로 말하면 진유자에 내리지 아니하고 간교는 구미호가 환생하였던지, 호색 남자가 얽혀들면 상투 끝까지 빠져 허덕허덕하는 터일러라.[55]

이처럼 애랑은 험준하고 수려한 정기를 받고 태어나 남다른 능력을 갖추었다. 즉 출생의 환경을 들어 그녀의 재능이 남다름을 예견하고 있다. 그녀는 지혜도 뛰어날 뿐만 아니라 성격도 영악하다. 거기에 색태까지 갖추어 뭇 남성들이 그녀에게 매료된다. 이러한 기질은 조선후기 민중을 대변했던 인물과 크게 다를 것이 없다. 즉 판소리·탈춤·인형극 등에서 민중을 대변하는 인물과 다름이 없다. 그래서 그녀가 정비장이나 배비장을 풍자·기롱하는 것은 하층민이 상층민에 대한 반감을 드러내다가 합일의 세계를 지향한 것과 유사하다.

실제로 애랑은 풍자의 주체자로 적극적으로 활약한다. 정비장이 백성을 수탈하는 탐관오리이면서도 체통과 위엄만 중시하자 그가 가진 모든 것을 빼앗음으로써 민중적인 징치를 가하고 있다. 무력으로 빼앗는 것이 아니라 지혜와 계교로써 모든 것을 되찾는다는 점에서 민중적인 반발의 흔적을 확인할 수 있다. 애랑은 정비장이 관직에서 수탈한 물품을 하나도 빼놓지 않고 되찾는다. 거기에다 정비장이 입고 입던 옷도 모조리

55) 정병욱 교주, 8-9쪽.

벗겨 알몸으로 만들기도 한다. 이것은 하층민이 당했던 억울함을 문학작품에서나마 통쾌하게 설욕하는 것이라 할 수 있다. 그러는 과정에서 갈등을 넘어 조화의 세계로 나아갈 수 있다고 본 것이다.

〈배비장전〉에서 주목해야 할 또 다른 하층인물은 방자이다. 방자는 도령의 몸종으로 때로는 문사들의 어리석음을 폭로·비판하는 기능을 맡곤 하였다. 이 작품에서도 그러한 기능을 충실히 담당하고 있다. 배비장을 훼절시키는 인물은 결국 애랑이지만, 그 일을 함께 도모하는 핵심 인물이 바로 방자이기 때문이다. 방자가 있었기에 배비장이 피괘신이 되었는가 하면, 알몸으로 동헌에 내동댕이쳐지기까지 한다. 그래서 방자 또한 애랑과 같이 민중적인 저항의식을 공유한 인물이라 하겠다. 애랑이 배비장의 비속한 실체를 드러내기 위한 필요조건적인 인물이라면, 방자는 그 비속함을 풍자하고 조롱하는 수위를 결정하는 인물이라 할 수 있다.[56] 이처럼 애랑과 방자는 배비장의 훼절이라는 공통적인 목표를 갖고 공모하면서도, 애랑의 경우 정비장이나 배비장과의 관계 속에서 자신의 이익을 추구하는 현실적인 모습을 보인다. 이것은 조선후기 민중적인 생활력과 무관하지 않다. 상품경제가 일반화되자 통속문학에서는 어느 작품을 막론하고 그러한 경향이 없지 않다. 그래서 애랑은 풍자의 주체이면서도 그 풍자의 대상이 되는 태생적 한계를 갖고 있다. 이에 반해 방자는 배비장으로 대변되는 아전이나 양반 계층을 자기 마음대로 조종하고 희화화시키기 때문에 온전한 민중적인 인물이라 할 수 있다. 애랑이나 방자와 같이 민중을 대변하는 인물은 민속극이나 탈춤에서 얼마든지 찾을 수 있다. 이것은 조선후기 문학 장르 간의 횡적 영향과

56) 박일용, 앞의 책, 398쪽.

무관하지 않아 보인다.

애랑·방자와 마찬가지로 말뚝이와 홍동지도 적극적인 풍자를 일삼는 인물이다. 양반의 하인으로 등장하여 자신의 상전인 양반을 신랄한 독설로 조롱하기 때문이다. 그는 중세 신분사회의 어두운 단면을 폭로하고, 양반 계급의 무능과 부패, 허세 등에 야유를 보낸다. 이것은 기존질서를 거부하고 새로운 가치관을 요구하는 민중의식을 대변하는 것이라 하겠다. 따라서 민중문학에 투영된 애랑, 방자, 말뚝이, 홍동지는 근대사회로 변화하는 인물군상이라 하겠다. 그래서 〈배비장전〉에 등장하는 애랑과 방자가 문학사적으로 의미가 있다.

애랑과 방자는 가장 천한 신분의 위치에서 말뚝이·홍동지처럼 상층부의 가식을 폭로하고 관념론적인 세계관의 허상을 지적한 인물이다. 이것은 신분제에서 오는 문제를 타파하고 새로운 질서를 소망했던 민중의 의식이 반영된 결과이기도 하다. 그런 점에서 애랑과 방자는 민중의 진정을 담아 항변했던 인물이라 하겠다. 그들의 항변은 양반 계층의 허위와 위선을 폭로·비판하는 데서 그치는 것이 아니라 이를 통해 전환기와 결부되어 새로운 사회를 지향하고자 하였다.[57] 이러한 항변의 결과가 상하의 신분을 넘어 수평의 인간관계를 형성하는 밑거름이 될 수 있었다.

4. 신분제의 비판과 공동체의식

조선을 지탱해온 성리학은 조선후기 산업의 발달과 유산계층의 대두로 더 이상 지배이념을 제공하지 못한다. 특히 유산계층으로 부상한

57) 김종철, 『판소리의 정서와 미학』, 역사비평사, 1996, 148쪽.

하층민의 각성으로 신분제가 크게 동요하게 된다. 납속책과 공명첩 등이 모두 경제에 기반을 두면서 신분제의 붕괴를 촉발하였기 때문이다. 그러기에 조선후기가 신분적으로 상·하층 모두가 갈등과 조화를 모색하던 때라 하겠다.

상층민들이 신봉하는 주자학은 더 이상 현실에 부합되지 않는 면이 있었고, 그로 인해 주자학적인 삶만 추구하면 현실에서 도태되는 문제가 있었다. 이에 반해 실용노선을 선택한 중·하층민들 중에는 부를 축적하여 새로운 지주로 성장하는 계급이 생겨난다. 그러면서 상·하 간의 신분 와해와 극복이 가능할 수 있었다. 이것이 근대를 지향하는 원천인 동력이었음은 물론이다. 〈배비장전〉은 바로 이러한 변혁기의 사정을 적절히 포착한 작품이라 할 수 있다. 이 작품은 속이기라는 독특한 서사기법을 통해[58] 특권적 양반 관료의 향락적 생활 및 경직된 중세적 윤리 전체를 풍자하면서 한편으로는 상·하 계층 간의 신분이 따로 없음을 드러내고 있다. 신분제의 와해, 나아가 신분제의 극복을 통해 근대의식을 적절히 반영한 것이라 하겠다.

〈배비장전〉처럼 사대부와 기녀가 공모하여 문제를 가진 기득권층을 훼절하는 작품은 조선 말기에 오면 일반화되는 경향이 없지 않다. 그것은 최하층에서 최상층을 공격함으로써 극적 효과를 강화하는 한편으로 상하 조화의 필요성을 강조한 것이기도 하다. 특히 천민 출신이 풍자의 주동자로 자주 등장하는 것은 양천제가 일반화되면서 신분적인 속박을 강하게 받던 계층에서 문제를 제기한 것으로 볼 수 있다. 한편으로는 가부장제의 억압에서 벗어나고픈 여성들의 의식이 반영된 결과이기도

58) 송주희, 「고전소설에 나타난 속이기의 서사기법적 연구」, 충남대학교 석사학위논문, 2008, 25-31쪽.

하다. 그러한 사정을 〈배비장전〉은 물론 〈오유란전〉과[59] 〈종옥전〉[60] 등에서도 확인할 수 있다. 이들 작품은 공시적으로 확장되면서 당시의 제도나 관습의 문제를 예리하게 지적하고 있다.

전체적으로 이들 작품은 양반의 위엄과 권위의 한계를 드러냄과 동시에 신분제 극복의 필요성을 말하고 있다. 즉 풍자와 용서라는 구도를 통해 상·하층의 조화를 모색한 것으로 볼 수 있다. 〈배비장전〉은 주자학적인 이념으로 무장된 양반들의 한계를 지적하고 있다. 그래서 속이기라는 해학적 요소를 통해 양반들의 가식적인 모습을 드러내는 한편으로 신분을 벗어던질 때 새로운 시대로 나아갈 수 있음을 일깨워 주고 있다. 따라서 〈배비장전〉은 〈오유란전〉·〈종옥전〉과 더불어 중세에서 근대로 넘어가는 과도기적 상황에서 주자학적인 이념을 버리고 상하의 협력과 조화를 통한 근대적인 사고를 지향한 작품이라 할 수 있다. 그런 점에서 중세문학을 넘어 근대로 나아가는 지점에서 그 역할을 충실

59) 〈오유란전〉의 김생과 이생은 죽마고우이자 지기지우 관계이다. 김생이 평안감사가 되어 내려가면서 공부만 하던 이생을 데리고 간다. 김생은 부임해서 날마다 기생들과 풍류를 즐기다가 하루는 독서에만 열중하는 이생을 위해 주연을 베푼다. 하지만 이생은 그 자리에서 주연이 음탕한 놀음이라며 자리를 박차고 나가 동참한 모든 사람들로부터 조소를 받는다. 감사인 김생은 명기인 오유란에게 이생을 훼절시키라고 한다. 오유란은 상부(喪夫)하고 수절하는 여염집 아낙으로 변장을 하여 이생을 훼절시키는 데 성공한다.

60) 〈종옥전〉은 김성진이 원주목사로 부임하면서 조카인 종옥을 데리고 간다. 등제하기 전에는 혼인하지 않겠다는 종옥을 훼절시키기 위해 기생 향난과 공모한다. 향난은 나이 16세에 재색을 겸비하고 시가에 능하다. 향난은 유인(遊人)·호사(豪士)들이 천금으로 유혹해도 움직이지 않는다. 향난은 자신이 기녀가 된 것은 자신의 의지와는 무관한 것임을 종옥에게 이야기한다. 그러면서 자신은 여느 기녀와는 다르다며 연정을 받아 주기를 간곡하게 청한다. 이러한 그녀의 유혹에 종옥이 넘어간다. 종옥 부친의 숙환이 재발하여 상경했을 때 향난이 죽은 것처럼 꾸며 가묘를 만든다. 종옥이 돌아오는 길에 향난의 묘를 발견하고 슬퍼하며 인간적인 모습을 보인다. 마침내 종옥은 모든 것이 속아서 벌어진 일임을 안다. 작은아버지인 김성진은 종옥과 향난이 실제로 화락한 생활이 가능하도록 한다.

히 수행한 작품이 바로 〈배비장전〉이라 할 수 있다.

5. 맺음말

조선후기 사조의 전환점에서 조선왕조를 지탱해왔던 신분제의 변화는 사회·경제적으로 많은 변화를 초래하였다. 양반의 권위와 위엄은 변화하는 시대와 함께 추락해 갔고, 어리석은 관리는 일반 백성들에게 풍자와 조롱의 대상이 되었다. 이러한 사회적 현상 속에서 특권적 사대부들의 타락한 삶과 사대부들이 고수하려는 중세적 윤리의식의 허위성을 보다 강하게 드러내어 풍자한 소설들이 다수 등장하게 되었다. 그중에 대표적인 작품이 바로 〈배비장전〉이다. 〈배비장전〉은 지나치게 외설적인 내용으로 인해 판소리 실창의 이유로 많이 언급되어 왔지만, 본고에서는 이 작품이 권위와 위엄만 내세우는 양반의 모습을 왜 그토록 외설적으로 풍자했는지, 어리석은 관리를 조롱하면서까지 추구하고자 했던 지향의식이 무엇인지 살펴보고자 했다. 지금까지 논의한 것을 요약하면 다음과 같다.

첫째, 조선후기의 신분제와 〈배비장전〉의 창작배경을 살펴보았다. 조선후기 양반층의 신분 분화로 권력층과 몰락양반이 양극화되면서 신분은 양반이지만 실생활에서는 무능한 계층이 양산되었다. 이들은 신분을 강조하며 위엄과 권위를 내세웠지만, 하층민들은 그러한 계층에 대해 인정하지 않는 풍토가 생긴다. 그래서 그들을 풍자·조롱하는 문화가 생겼고, 그것이 이야기문학으로 형상화되기에 이른다. 기롱설화(妓弄說話), 발치설화, 미궤설화 등이 바로 그것이다. 조선후기에 상·하층이 공모하여 가식적인 양반을 훼절시키는 소설이 유행하였던 근원도 바로 여기에 있다. 이것은 신분제도의 모순을 극복하고 근대의식을 추수(追隨)하여 나타난 결과라 하겠다.

둘째, 〈배비장전〉에 나타난 신분의 한계와 극복 양상을 살펴보았다. 〈배비장전〉에 나타난 관료들은 권위를 내세우며 군림하지만 실제에 있어서는 무능한 계층이라 할 수 있다. 그러기에 제주목사가 제주도로 갈 때 풍랑을 만나 안절부절못하다가 바다에 제를 올리기까지 한다. 이는 현실 문제를 타당하게 극복할 방안이 없음을 보이는 것으로 결국은 제주목사 일행의 무능을 부각한 것이기도 하다. 실제로 이들은 신분에 따른 권위를 내세울지라도 어리석은 관리에다 가식적인 유자에 지나지 않는다. 그러한 모습을 제주목사는 물론이거니와 정비장이나 배비장을 통해 확인할 수 있다. 그것이 현실 적응력이 떨어지는 중세적인 이념의 한계라 할 수 있다. 그래서 제주목사가 하층민을 동원하여 위선적인 인물의 가식을 벗기기로 한다. 이는 양반의 위엄과 권위의 한계를 인식하고 하층민을 주동자로 하여 상·하의 조화를 모색한 것이라 할 수 있다. 평등의 세계로 나아가고자 하는 인식의 전환을 확인할 수 있는 지점이다.

셋째, 〈배비장전〉에 나타난 신분의 한계와 극복이 갖는 의미를 문학사적으로 조망해 보았다. 이 작품에서는 관리로서 무엇이 정당한지를 모르는 정비장과 가식적인 인물인 배비장을 가장 천한 신분인 기생과 방자가 동참하여 풍자·조롱하고 있다. 이것은 이들이 민중을 대변하는 위치에서 강력하게 항변한 것으로 볼 수 있다. 상층 신분의 가식을 끌어내리고 민중의 진정성을 보여줌으로써 중세에서 근대로 전환될 수 있었는데, 그러한 사정을 적절히 수렴한 작품이 바로 〈배비장전〉이다.

따라서 이 작품은 중세에서 근대사회로 넘어가는 과도기에 주자학적인 이념을 버리고 근대적인 사고를 적절히 수렴한 것으로 볼 수 있다. 이는 중세에서 근대로의 전환기에 신분의 한계를 극복하고 상하의 조화를 이루려는 민중의식이기도 하다. 그래서 이 작품이 중세적인 이념과 근대적인 인식이 교차하는 지점의 사정을 적절히 형상·표출화한 것으로 평가할 수 있다.

〈춘향전〉의 권력비판과 절행담론

1. 머리말

일반적으로 공간은 사물이 존재할 수 있는 자리를 뜻하거나 삶의 공간을 채워가는 영역을 이른다. 하지만 공간이 소설이라는 장르에 자리잡게 되면 소설 미학의 중요한 영역으로[61] 상징적이고 심미적인[62] 의미를 지닌다. 즉 소설에서 공간은 인간의 삶을 의미 있는 것으로 고양시키는 인식의 대상이 된다.[63] 따라서 소설의 공간은 사물이 존재하는 정적 공간이 아닌 변화무상하게 의미를 찾아가는 사유의 공간으로 작용한다.

〈춘향전〉의 공간은 변화무상하다. 크게 기자 치성의 희원(希願)공간, 절개를 함축한 결연(結緣)공간, 인간의 감정과 본능이 극대화된 애정공간, 절개의 고귀함이 빛나는 시련공간으로 변하면서 내면의 상징적인 의미를 공간을 통해 부여하고 있기 때문이다. 서사적인 측면에서 살펴보면, 〈춘향전〉의 전반부는 신분을 초월한 젊은 남녀의 사랑 이

---

61) 현길언, 「운명적 공간과 선택적 공간」, 『한국언어문학』 18, 한국언어문화학회, 2000, 323쪽.

62) 신태수, 「고소설의 공간에 대하여」, 『한민족어문학』 28, 한민족어문학회, 1995, 215쪽.

63) 김종욱, 『한국 소설의 시간과 공간』, 태학사, 2000, 22-23쪽.

야기로 시작되지만, 작품의 후반부는 춘향이 지키려는 절개를 중심에 두고 그녀가 겪는 고난과 부패한 관리의 탐욕을 대비시켜 사회를 비판하는 민중의 의식도 고스란히 담고 있다. 이런 점에서 〈춘향전〉의 각각의 공간에서 펼쳐지는 다양한 사건은 절개와 인간의 자유와 가치라는 주제로 집약된다.

〈춘향전〉은 그동안 인물 연구를 비롯하여[64] 수용 양상에 대한 논의가 축적되었다.[65] 또한 작품의 비교연구,[66] 번역 양상[67] 등 다양한 방면에서 연구가 이루어진 바 있다. 이러한 논의 가운데 〈춘향전〉의 공간에 관심을 가진 연구를 살펴보면 다음과 같다. 먼저 김현화는 〈춘향전〉의 공간이 해원(解願)공간과 반속적(反俗的) 공간성의 문예적 특질을 선사한다고 보았다. 해원공간은 외연적으로 청유와 거절의 연쇄구조를, 내포적으로 주정적(主情的) 세계와 제도적(制度的) 세계의 갈등 구조를 취하는 이중구조로 해석하였다. 또한 반속적 공간성은 자성(自省)과 복원(復元)의 동화적(同和的) 인물 실현의 문예적 특질로 보았다. 나아가 〈춘

64) 장순희, 「춘향전의 인물과 독자의 욕망 구조」, 『한국문학논총』 55, 한국문학회, 2010; 최재우, 「보조인물의 성격으로 본 '춘향전' 이본 간의 특성 차이: 〈남원고사〉와 84장본 〈열녀춘향수절가〉를 중심으로」, 『열상고전연구』 33, 열상고전연구회, 2011.

65) 서보영, 「영화 〈춘향전〉의 〈춘향전〉 수용 양상과 이본으로서의 특징」, 『문학치료연구』 45, 문학치료학회, 2017; 정유정, 「대중가요 음반 속 〈춘향전〉의 수용과 변개 양상, 『국문학연구』 34, 국문학회, 2016; 박상란, 「21세기 〈춘향전〉 수용의 양상과 의미」, 『우리어문연구』 26, 우리어문학회, 2006.

66) 이걸, 「〈춘향전〉과 〈서상가〉의 비교연구」, 『돈암어문학』 30, 돈암어문학회, 2016; 성아사, 「세책 〈춘향전〉과 〈춘향전〉의 공시적 비교연구」, 『열상고전연구』 39, 열상고전연구회, 2014.

67) 전상욱, 「〈춘향전〉 외연의 한 양상: 한문본 〈春香新說〉 및 일본어본 〈鷄林情話春香傳〉을 중심으로」, 『열상고전연구』 34, 열상고전연구회, 2011; 이상현, 「〈춘향전〉 소설어의 재편과정과 번역: 게일 〈춘향전〉 영역본(1917) 출현과 그 의미」, 『고소설연구』 30, 한국고소설학회, 2010.

향전〉의 다양한 공간은 인간의 존엄성을 우위에 두고 인습과 제도에 묶이지 않으려는 개성적 자아가 자리하고 있으며, 수직적 소통 방식에서 벗어나 수평적 소통 방식을 꾀하고자 했던 당대인의 소망을 담은 것이라고 하였다.[68)]

신태수는 〈춘향전〉의 공간 유형을 감정 이입의 공간, 감정 약화의 공간, 감정 배제의 공간으로 구분 짓고, 공간 유형에 따라 서술자와 독자의 관계가 달라지는 점을 밝혔다. 감정 이입의 공간에서는 독자가 인물을 통해 정보를 얻어내기 때문에 판단할 수 있는 폭이 아주 좁고, 감정 배제의 공간에서는 독자가 인물뿐만 아니라 서술자를 통해 정보를 얻어내기 때문에 판단할 수 있는 폭이 아주 넓으며, 감정 약화의 공간에서는 독자가 판단할 수 있는 폭이 두 유형의 중간쯤 된다고 보았다. 이러한 원인은 서술자가 시공간의 제약을 받지 않고 인물의 역할을 대신하기 때문에 일어난다고 해석하였다.[69)]

손동국은 〈열녀춘향수절가〉의 사랑가와 이별가 대목을 중심으로 공간적 서사 양상을 살폈다. 〈열녀춘향수절가〉의 공간은 극중인물이나 독자의 내면의식 속에 형성되는 일종의 심리적인 공간으로, 사랑가에서 이별가로 이어지는 대목을 작품 전체에서 공간적 국면이 두드러지는 구간 중 하나로 보았다. 이 두 대목은 서사 단계의 지나친 축약으로 인해 춘향과 몽룡의 감정을 충분히 독자에게 설명되지 못하고 있다고 하였다. 그러한 이유는 사랑가 대목이 공간 안에서 두 사람이 갖는 사랑

68) 김현화, 「고전소설 공간성의 문예적 연구」, 충남대학교 박사학위논문, 2012, 242-263쪽.

69) 신태수, 「고소설의 공간에 대하여」, 『한민족어문학』 28, 한민족어문학회, 1995, 229-230쪽.

의 서사적인 개연성이나 정당성보다는 사랑의 감정이 부풀어지는 그 자체에 비중을 두고 있기 때문으로 보았다. 또한 이별가 공간에서는 두 사람 사이의 이별에 대한 서사적 인과성보다는 춘향의 서러운 감정이 장면화를 통해 한껏 부풀려져 독자가 그 설움에 동참할 수 있도록 하기 위한 것으로 사랑과 이별의 감정의 지속성을 위한 의도로 그 이유를 설명하였다.[70] 이상의 논의에서 보듯이 〈춘향전〉의 공간에 대한 연구는 다양한 시각에서 해석되고 있다.

이 논문은 이상의 논의를 확대하여 〈춘향전〉이 갖는 공간의 의미가 비교적 잘 나타나 있고, 춘향이 이상적인 인물로 형상화된 완판 84장본 〈열녀춘향수절가〉를 중심으로[71] 공간의 양상과 활용에 대해 살펴보고자 한다. 완판 84장본은 〈춘향전〉 전체를 대표하는 작품으로, 각각의 공간과 절개가 갖는 상징성을 조명해 봄으로써 〈춘향전〉이 드러내고 싶었던 궁극적인 의미를 이해하는 계기가 되기를 기대한다.

---

70) 손동국, 「공간적 서사로서의 〈열녀춘향수절가〉 읽기」, 『한국고전연구』 31, 한국고전연구학회, 2015, 254-270쪽.

71) 〈춘향전〉은 이본이 120여 종이 된다. 완판 84장본을 제외한 대부분의 이본은 춘향이 기생임을 강조하고 있으며, 이몽룡의 부름에 흔쾌히 응하고 있다. 완판 84장본은 춘향의 기생 이미지를 지워버리고 이상적인 인물로 형상화하기 위해 새로 첨가된 화소가 많다. 그중 대표적인 것이 춘향이 비천한 출신이 아닌 점을 강조하기 위해 춘향의 신분을 양반의 서녀로 설정하고 있으며, 월매의 태몽을 구체적으로 묘사하고 있다. 또한 이도령과 춘향이 만나는 시점이 봄에서 단오로 바뀌었으며, 춘향과 이몽룡이 사려 깊은 인물로 변화였다. (전상욱, 「방각본 춘향전의 성립과 변모에 관한 연구」, 연세대학교 박사학위논문, 2006, 151-158쪽.)

2. 공간의 양상과 활용

〈춘향전〉은 남녀의 사랑 이야기를 비롯하여 사회 비판적인 내용을 담고 있는 작품으로 현실에서 일어날 수 있는 이야기로 전개된다. 하지만 그 이면을 자세히 들여다보면 비현실적인 요소들이 결합해 사건을 이끌어 가고 있다. 그러한 역할을 공간이 담당하고 있다. 이러한 점을 감안하여 〈춘향전〉의 공간 양상과 활용에 대해 살펴보도록 하겠다.

1) 희원(希願)공간 – 고귀한 인물 탄생 암시

고전소설은 태몽을 통해 인물의 영웅성을 부각하거나 고귀함을 드러내기도 하며 주인공이 앞으로 겪게 될 사건의 징조로 작용하거나 그것을 상징적으로 예시하는 기능을 갖는다.[72] 〈춘향전〉에서 성참판과 월매가 자식을 얻기 위해 치성을 드리는 공간은 희원공간으로 볼 수 있다. 실제로 춘향이 현실에서는 기생의 신분으로 태어나지만, 희원공간을 통해 춘향이 고귀한 인물임을 드러내고 있다. 춘향의 고귀함을 드러내는 간접적 제시는 성참판과 월매가 기자 치성을 드리러 가는 여정의 길에서 시작된다.

> 이 날부텀 목욕지계 졍이 ᄒᆞ고 명산승지 차져갈 졔 오적교에 썩 나셔셔 좌우산쳔 둘너보니 셔북의 교룡산은 술힉방을 마거 잇고 동으로난 장임슙풀 깁푼 고ᄃᆡ 션원사는 은은이 보이고 남으로난 지리산이 웅장한ᄃᆡ 그 가온ᄃᆡ 요쳔슈난 일ᄃᆡ장강 벽파되야 동남으로 둘너스니 별류건곤

72) 경일남, 『고전소설의 창작기법 연구』, 아세아 문화사, 2007, 14쪽.

> 여긔로다 청임을 더우잡고 산슈을 발바 들러가니 지리산이 여기로다 반야봉 올나셔셔 사면을 둘너보니 명산ᄃᆡ천 완연ᄒᆞ다 상봉의 단을 무어 제물을 진셜ᄒᆞ고 단하의 복지ᄒᆞ야 쳔신만고 비럿더니 산신임의 덕이신지 잇ᄯᅢ는 오월 오일 갑자라[73]

인용문을 통해 알 수 있듯이 성참판과 월매가 치성을 드리기 위해 향하는 여정의 공간은 신선들이 산다는 별유건곤의 선경세계와 같은 이미지로 묘사된다. 마치 천상세계를 연상케 하는 광경은 웅장함과 신비함으로 가득 차 있다. 이러한 신비감은 한 생명의 잉태를 기원하는 신성한 공간으로의 의미를 부여하고 있을 뿐만 아니라, 간절한 염원이 이루어지기를 원하는 순수한 마음으로 집약된다. 치성공간이 갖는 신성함은 바로 태몽으로 이어진다.

> 한 ᄭᅮᆷ을 어든니 셔긔 반공ᄒᆞ고 오ᄎᆡ 영농하더니 일위션녀 쳥학을 타고 오난ᄃᆡ 머리에 화관이요 몸의난 ᄎᆡ의로다 월ᄑᆡ 소ᄅᆡ 징징ᄒᆞ고 손의난 계화 일지를 들고 당의 오르며 거슈장읍ᄒᆞ고 공슌이 엿자오ᄃᆡ 낙포의 ᄯᆞᆯ일넌니 반도 진상 옥경 갓다 광한젼의셔 젹송자 맛나 미진 졍회ᄒᆞ올 차의 시만ᄒᆞ미 죄가 되야 상졔 ᄃᆡ로하사 진퇴의 ᄂᆡ치시ᄆᆡ 갈 바을 몰나더니 두유산 실영계셔 부인ᄯᆡᆨ으로 지시ᄒᆞ기로 왓사오니 어엽비 여기소셔 ᄒᆞ며 품으로 달여들 ᄉᆡ 학지고셩은 장경고라 학의 소ᄅᆡ 놀ᄂᆡ ᄭᆡ니 남가일몽이라[74]

월매는 천상의 선녀가 하강해 자신의 집으로 오는 태몽을 꾸게 된다. 현실에서 춘향은 기생이라는 비천한 신분으로 태어나지만, 월매의

---

73) 김진영 외, 『춘향전 전집』 4, 박이정, 1997, 300쪽.

74) 김진영 외, 앞의 책, 300쪽.

태몽을 통해 춘향이 평범한 인물이 아닌 고귀한 신분임을 드러내고 있다. 춘향이 선녀가 하강한 인물이라는 점에서 춘향의 탄생은 영웅소설 속 주인공의 출생담과 흡사함을 알 수 있다.[75)]

희원공간에 나타난 춘향의 천상신분은 춘향의 고귀함을 드러내는 가운데, 춘향의 절개를 형상화하기 위한 예비적 공간의 기능을 갖는다. 이러한 공간의 활용은 신분제도에서 벗어날 수 없었던 기생에게 천상의 신분을 부여함으로써 춘향이 신분제도의 굴레를 벗어나 정렬부인의 반열에 오르는데 당위성을 부여하고 있는 공간으로 활용되고 있다 하겠다.

나아가 희원공간에 나타난 '오월 오일 갑자'는 춘향과 몽룡이 만나는 단옷날과 연결되면서 춘향의 절개를 암시하는 공간으로 이어진다. 즉 희원공간은 기생인 월매의 태몽을 통해 앞으로 태어날 인물이 고귀한 인물임을 예고하고 있으며, 사건을 이끌어 가기 위한 예비공간의 기능적 역할을 하고 있다.

2) 결연(結緣)공간 – 절개의 상징적 기능

조선시대는 남녀유별이 엄격했던 만큼 여성의 바깥출입이 자유롭지 못했다. 하지만 단옷날은 여인들이 집 밖으로 나와 그네를 타는 등 바깥출입이 자유로운 유일한 날이었다. 〈춘향전〉은 단옷날이라는 시간적 배경을 통해 춘향과 몽룡의 만남에 개연성을 부여하고 있을 뿐만 아니라, 춘향과 몽룡이 만나는 광한루의 풍경을 통해 두 사람의 결연이 기생과 양반 도령의 만남이 아닌 고귀한 만남임을 간접적으로 드러내고 있

75) 신동흔, 「〈춘향전〉 주제의식의 역사전 변모양상」, 『판소리연구』 8, 판소리학회, 1997, 240쪽.

다. 결연공간은 다른 공간과 달리 춘향의 고귀한 신분을 광한루의 배경을 통해 간접적으로 드러내는 가운데 단오라는 시간적 배경을 더해 춘향의 절개를 상징화 하는 공간으로 활용된다.

> 광한누 셥젹 올나 사면을 살펴보니 경ᄀᆡ가 장니 조타 젹셩 아침날의 느진 안ᄀᆡ 씌여 잇고 녹슈의 져문 봄은 화류동풍 둘너 잇다 자각달노분조회요 벽방금젼싱영농은 임고ᄃᆡ를 일너 잇고 요현기구하쳐외는 광한누을 일의미라 악양누 고소ᄃᆡ와 오초 동남슈는 동졍호로 흘너지고 연지 셔북의 핑튁이 완연한ᄃᆡ ᄯᅩ 한 곳 ᄇᆞ리보니 빅빅홍홍난만즁의 잉무 공작 나라들고 산쳔경ᄀᆡ 둘너보니 에구분 반송솔 ᄯᅥᆨ갈입은 아쥬 춘풍 못 이기어 흔늘흔늘 폭포유수 셰ᄂᆡ가의 계변화는 뱅긋뱅긋 낙낙장송 울울ᄒᆞ고 녹음방초승화시라[76]

인용문을 통해 알 수 있듯이 몽룡이 광한루에 올라 바라본 풍경은 따뜻한 봄기운에 모든 것이 아늑하고 평화로운 분위기를 자아낸다. 몽룡이 '고명오작션이요 광한옥계누'[77]라 할 만큼 광안루는 희원공간과 같은 천상세계를 옮겨놓은 듯한 아름다운 풍경으로 묘사되고 있다. 평화롭고 아늑한 광한루 공간은 춘향이 갖는 천상신분을 환기시키는 공간이자 춘향의 고귀함을 드러내기 위한[78] 공간으로 춘향과 몽룡의 결연이 기생과 양반 도령의 결연이 아닌 고귀한 인물들의 결연임을 공간

76) 김진영 외, 앞의 책, 303쪽.

77) 김진영 외, 앞의 책, 304쪽.

78) 설성경에 의하면 〈춘향전〉의 공간인 삼청동(三淸洞)의 삼청과 광한루(廣寒樓)의 광한은 도교의 핵심공간인 인 삼청관(三淸官)과 광한전(廣寒殿)을 뜻하며, 춘향이 머무르는 남원의 한 樓名이며 道令이 머무르는 서울의 한 동명(洞名)이라고 하였다. (설성경, 「춘향전의 계통연구」, 연세대학교 박사학위논문, 1980, 116-167쪽; 김용범, 「조선조 소설의 서사공간 연구」, 『한국학논집』 5, 한양대학교 한국학연구소, 1984, 134쪽, 재인용.)

을 통해 드러내고 있다.

다음으로 결연공간은 시간적 배경인 단옷날을 통해 춘향의 절개를 상징적으로 함축하고 있다. 〈춘향전〉의 여러 이본에는 춘향과 몽룡이 봄에 만나는 것으로 묘사되어 있지만, 완판 84장본은 춘향과 몽룡이 단옷날에 만나 부부의 인연을 맺는 것으로 변화된다. 이러한 변모는 단오의 숨은 의미를 통해 춘향의 절개를 상징적으로 나타내기 위한 의도로 해석할 수 있다.[79] 실제로 단오는 한국의 민속 중 하나로 그 유래에 대해서는 여러 가지 학설이 많다. 그중 전국시대 초나라의 충신으로 유명한 굴원의 고사에서 비롯된 설은 절개와 관련된다. 굴원은 초나라 사람으로 유배 중 초나라가 진나라에게 멸망하자 이를 듣고 분개하여 기원전 음력 5월 5일 62세를 일기로 호남의 멱락수에서 투신자살한 인물이다.[80] 굴원의 이야기에서 비롯된 굴원 고사는 단오의 유래 중 충절의 의미를 담고 있다 하겠다. 즉 〈춘향전〉에 나타난 단오는 굴원의 충절을 단오에 빗대어 만남공간에서 춘향의 절개를 간접적으로 드러내고 있다. 희원공간에서 나타난 '오월 오일 갑자'일이 춘향과 몽룡이 만나는 단옷날로 이어지고 있는 이유이다.

요컨대 결연공간은 춘향과 몽룡이 만나 두 남녀의 사랑이 시작되는 공간이자, 춘향이 절개를 지킬 인연을 만나는 공간으로 사건의 발단이 시작되는 공간적 기능으로 활용되고 있다.

---

79) 단오는 다양한 유래설을 가지고 있다. 그중 하나가 굴원설이다. 굴원설은 중국 초나라 회왕 때 굴원이라는 신하가 간신들의 모함에 자신의 지조를 보이기 위하여 멱라수라는 강에 몸을 던져 스스로 목숨을 끊는 날인 5월 5일에서 유래되었다는 설이다. 해마다 굴원의 영혼을 위로하기 위해 제사를 지내게 되었는데, 이것이 우리나라로 전해져서 단오가 되었다고 전해지는 설이다.

80) 이명련, 「한·중 세시풍속 연구」, 부산외국어대학교 석사학위논문, 2006, 50-51쪽.

3) 애정공간 – 사건 전환의 기능

춘향과 몽룡이 부부의 인연을 맺는 공간은 춘향의 집, 즉 가옥공간이라 할 수 있다. 가옥공간은 춘향과 몽룡이 부부로 연을 맺는 공간인 동시에 이별을 맞이하는 공간으로 사랑과 이별이 이루어지는 애정공간이다. 두 사람이 첫날밤을 보내는 춘향의 방은 유명한 명필과 이태백의 그림, 엄자릉의 그림 등 고사인물도나 고소설도로 장식되어 있다. 여염집 여인의 방 못지않은 춘향 방의 풍경은 춘향의 품격을 간접적으로 드러내는 역할뿐만 아니라 춘향과 몽룡이 부부의 연을 맺는 공간의 품위를 더하는 기능으로 활용된다.

> 춘향과 도련임과 마조 안져 노와쓰니 그 이리 엇지 되깃난야 사양을 바드면셔 삼각산 졔일봉 봉학 안자 춤츄난 듯 두 활기를 예구부시 들고 춘향의 셤셤옥슈 바드드시 검쳐잡고 으복을 공교하게 벽기난듸[81]

> 춘향이가 침금 속으로 달여든다 도련임 왈칵조차 들어 누어 져고리을 벅겨닉여 도련임 옷과 모도 한틔다 둘둘 뭉쳐 한 편 구셕의 던져두고 두리 안고 마조 누워슨니 그듸로 잘 이가 잇나 골십닐 졔 삼승이불 춤을 추고 …[82]

또한 가옥공간은 사랑과 이별의 감성이 극대화되는 공간이다. 조선시대 유교사회에서 남녀의 사랑 행위를 직접적으로 드러내는 것은 불가능한 일이었다. 위의 인용문을 통해 알 수 있듯이 가옥공간에서 춘향과 몽룡이 첫날밤을 보내는 공간에서 서로 주고받는 사랑가는 유교사회에

---

81) 김진영 외, 앞의 책, 322쪽.

82) 김진영 외, 앞의 책, 322-323쪽.

서 자유롭게 표출되지 못했던 인간의 본능과 성적인 감정을 진솔하게 담아내고 있다. 이런 점에서 〈춘향전〉은 제도에 얽매어 표현하지 못한 인간의 감성을 그대로 담아내고 있는 작품이라 할 수 있다. 그러한 사정은 같은 공간에서 펼쳐지는 춘향과 몽룡의 이별의 상황에서도 드러난다.

〈춘향전〉의 가옥공간은 사랑의 감정이 극대화되는 공간이기도 하지만, 이별의 감정을 극대화하는 공간으로 활용되고 있다.[83] 몽룡은 부친이 남원 부사의 임기를 마치고 한양으로 갈 수밖에 없는 상황에 이르자 춘향을 두고 한양으로 가기로 한다. 이러한 사실을 알게 된 춘향은 슬픈 감정을 억누르지 못해 이성을 잃은 행동을 서슴지 않는다. 춘향과 몽룡의 사랑가를 통해 알 수 있듯이 가옥공간은 사랑의 감정도 슬픔의 감정도 숨기지 않은 채 인간 본연의 감정을 있는 그대로 표출하고 있는 공간이다.

두 남녀의 사랑과 이별이 동시에 이루어지는 가옥공간은 사건의 연속적 공간이자 사건 전환의 구심점 역할을 하는 기능을 수행하고 있다. 이별이라는 사건을 계기로 장면 전환의 기능과 함께 사건 전개의 본격적인 역할을 하는 공간으로 활용되고 있기 때문이다.

---

83) 춘향이 이 말을 듯더니 고닥기 발연 변식이 되며 요두절목으 불그락 푸르락 눈을 간잔조롬하게 쓰고 눈섭이 쏙쏙하여지면서 코가 발심발심ᄒᆞ며 이를 샛도독 샛도독 갈며 온 몸을 쑤신입 틀덧 하며 ᄆᆡ 쉥차난 듯ᄒᆞ고 안썬이 허허 이게 웬 말이오 왈칵 쒸여 달려들며 최ᄆᆡ자락도 와드득 좌루욱 씨져 바리며 머리도 와드득 쥐어 쓰더 싹싹 비벼 도련임 압푸다 던지면서 무이시 엇져고 엇제요 이것도 쓸 듸 업다 명경 체경 산호죽절을 두르쳐 방문 박그 탕탕 부듯치며 발도 동동 굴너 손벽치고 도라안자 자탄가로 우난 마리 셔방업난 춘향이가 세간사리 무엇하며 단장하여 뉘 눈의 괴일고 몹슬 연으 팔자로다 (김진영 외, 앞의 책, 332쪽.)

4) 시련공간 – 절개와 충절의 상징

춘향이 현실에서 기생 신분임에도 불구하고 희원공간, 결연공간, 애정공간에 이르기까지 고귀한 인물임을 드러내 왔다. 춘향이 고귀한 인물됨은 시련의 상황에서 절개를 지키려는 춘향의 행동과 인식에서 두드러지게 나타난다.

춘향의 시련은 새로 부임해 오는 변사또와의 갈등에서 시작된다. 남원 부사로 부임하는 변사또는 한양에서부터 춘향의 미색을 듣고 남원에 도착하자마자 기생 점고를 핑계로 춘향에게 수청을 들라는 명령을 내린다. 춘향은 변사또의 수청을 거부하고 옥에 갇히게 된다. 춘향이 시련을 겪는 동헌공간과 옥중공간은 위기의 공간으로 전환되면서 긴장감을 고조시키는 공간으로 활용되고 있다. 그뿐만 아니라 이 두 공간은 춘향의 절개와 부패한 관리의 행태가 대비되는 공간으로 유교 윤리의 이념이 충돌하는 공간으로 활용된다. 변사또가 한 고을의 책임자로 백성의 안위를 생각하고 공명정대함을 보여야 하지만 실상은 절개를 지키려는 한 여인의 지고지순한 행동을 폄하하면서 오히려 자신의 권력을 이용해 부당한 요구를 하고 있기 때문이다.

즉 동헌공간이나 옥중공간은 유교윤리의 기강이 되는 기생의 절개가 오히려 관리에게 조롱의 대상이 되는 이율배반적인 공간이라 할 수 있다. 이 두 공간은 성리학의 질서에 위배되는 부패한 관리와 절개를 지키려는 기생이 대립하면서 사회비판적인 공간으로 활용되고 있다. 나아가 기생이라도 절개를 지키면 칭송받기 마땅하지만, 나라의 관리가 백성의 안위를 생각하지 않고 부정한 짓을 저지른다면 지탄받기에 마땅하다는 것을 드러내고 있는 공간이기도 하다.

춘향이 시련을 겪는 동헌과 옥중공간은 부패한 기득권의 행태가 기생의 절개나 충절보다 못하다는 것을 간접적으로 드러내는 사회비판적 공간으로 활용되는 가운데 〈춘향전〉의 또 다른 단편적인 주제의식을 드러내고 있는 공간이기도 하다.

> 잇ᄯᆡ춘향이 하 기가 막켜 천연히 안자 엿ᄌᆞ오되 충효열여 상하 잇소 자상이 듯조시오 기ᄉᆡᆼ으로 말합시다 충효열여 업다ᄒᆞ니 낫낫치 알외리다 ᄒᆡ셔 기ᄉᆡᆼ 농션이는 동셜영으 죽어 잇고 셔쳔 기ᄉᆡᆼ 아히로되 칠거학문 들어 잇고 진쥬 기ᄉᆡᆼ 논ᄀᆡ는 우리 나라 충열노셔 충열문의 모셔 놋코 쳔추힝사 하여 잇고 쳥쥬 기ᄉᆡᆼ 화월리난 삼칭각의 올나 잇고 평양 기ᄉᆡᆼ 월션이도 충열문의 드려 잇고 안동 기ᄉᆡᆼ 일지홍은 ᄉᆡᆼ열여문 지은 후의 정경가자 잇싸온니 기ᄉᆡᆼ ᄒᆡ폐 마옵소셔[84)]

기생은 신분상 천민이기 때문에 변사또의 입장에서 춘향의 절개는 여염집 여인들의 절개와는 다르게 생각했을 것이다.[85)] 하지만 춘향에게 있어 절개는 지아비를 섬기는 일편단심의 열(烈)을 넘어 충절로 이어지는 굳은 절개로, 변사또와 같은 부패한 관리가 실현할 수 없는 것과 같은 것이었다. 인용문에 나타난 것처럼 논개나 월선은 기생의 신분에서 나라를 위해 자신의 목숨을 바치는 충절에 버금가는 절개를 실행에 옮긴다. 춘향은 변사또의 사리사욕이 기생이 지키려는 절개보다 못함을 지적하면서 자신이 지키려는 절개가 숭고한 것임을 강조한다.

무엇보다 시련공간은 작품의 초반부에서 춘향의 고귀함을 공간을 통해 간접적으로 드러낸 이유를 해명하는 공간이기도 하다. 희원공간에서

84) 김진영 외, 앞의 책, 348쪽.

85) 너갓튼 창기ᄇᆡ게 수절이 무어시며 졍절이 무어신다 구관은 젼송하고 신관 사ᄯᅩ 연접하미 법젼으 당연하고 사레으도 당당커든 고히한 말 ᄂᆡ지 말아 너의 갓턴 쳔기ᄇᆡ게 츙열이ᄯᆞ 왜 잇시랴 (김진영 외, 앞의 책, 348쪽.)

가옥공간에 이르기까지 간접적으로 제시되어왔던 춘향의 고귀함이 절개로 승화되는 공간이기 때문이다. 또한 춘향의 절개는 꿈속 인물에 의해 더 칭송받기에 이른다.

> 비몽사몽간으 호졉이 장주되고 장주가 호졉되야 셰우갓치 나문 혼ᄇᆡᆨ 바람인 듯 구름인 듯 한 곳슬 당도한이 …(중략)… 젼면을 살펴보니 황금ᄃᆡ자로 만고정열황능지묘라 두려시 붓쳐거늘 심신이 황홀하야 ᄇᆡ회터니 쳔연한 낭자 셔이 나오난ᄃᆡ 셕숭의 ᄋᆡ쳡 녹쥬 등농를 들고 진쥬기ᄉᆡᆼ 논ᄀᆡ 평양 기ᄉᆡᆼ 월션이라 춘향을 인도하야 ᄂᆡ당으 드려가니 당상에 ᄇᆡᆨ의한 두 부인이 옥수를 드러 쳥하거늘 사양하되 진셰간 쳔첩이 엇지 황능묘을 오르잇가 부인이 기특이 네겨 ᄌᆡ삼 쳥하거늘 사양치 못하야 올나가니 좌을 주워 안친 후의 네가 춘향인다 기특하도다[86]

춘향의 꿈속에 나오는 인물은 녹주를 비롯하여 논개와 월선, 아황과 여영으로 이들 인물은 절개와 충절을 지킨 인물이다.[87] 꿈속 인물은 기생의 신분으로 오직 한 남성을 위해 목숨을 바쳐 절개를 지키거나, 나라를 위해 목숨을 바친 인물들로 춘향의 절개를 드높이는 인물로 상징화된다. 무엇보다 논개와 월선이 기생의 신분으로 나라를 위해 목숨을 바친 인물이라는 점에서 이들의 절개는 충절로 보아야 할 것이다. 이런

---

86) 김진영 외, 앞의 책, 355-356쪽.

87) 석숭은 중국 역사상 가장 호사스러웠던 인물로 전한다. 사마륜의 측근이었던 손수가 석숭의 애첩인 녹주의 미색을 탐해 녹주를 원하자 석숭은 이를 거절한다. 이에 앙심을 품은 손수는 석숭이 누각에서 잔치를 벌이던 날, 석숭을 제거하기 위해 군사를 보낸다. 석숭이 손수에게 체포되자 녹주는 절개를 지키기 위해 누각 아래로 몸을 던져 죽는다.
한편, 월선은 임진왜란 때 왜장의 첩이 되어 김응서와 계획해 적장인 고시니를 죽이고 자결한 인물이다. 논개 또한 임진왜란 때 진주성이 함락되자 왜장을 유인하여 남강에 빠져 산화한다. 월선과 논개는 나라를 위해 자신의 목숨을 바친 인물로 의기(義妓)로 추앙받고 있다.

점에서 시련공간은 기생의 절개를 충절로 승화시키는 상징적 공간이라 할 수 있다.

3. 공간을 통한 비판양상

〈춘향전〉의 공간을 크게 희원공간, 결연공간, 애정공간, 시련공간으로 나누어 살펴보았다. 각각의 공간에서는 한 생명의 탄생을 염원하는 부부의 소망, 두 청춘 남녀의 만남, 그리고 사랑과 이별, 한 여인의 시련까지 다양한 사건들이 펼쳐진다. 다음은 각각의 공간에서 펼쳐지는 사건을 중심으로 공간이 갖는 서사적 기능에 대해 살펴보고자 한다.

1) 천상신분과 절개를 통한 신분상승의 의미부여

조선후기에 이르면 사회적으로 양인의 수가 부족하게 되자 양인을 증가시키려는 방법으로 노비종모법이 시행된다. 춘향의 모(母)인 월매는 기생 신분이었기에 춘향은 노비종모법에 따라 기생 신분으로 살아갈 수밖에 없었다. 조선시대는 여성의 정절을 중요시했기 때문에 춘향이 사대부 규수였다면 정절을 지키기 위한 노력은 당연히 평범한 것으로 평가되었을 것이다.[88] 하지만 춘향이 어염집 여인이 아닌 기생 신분이었기에 그녀의 절개가 높이 평가되고 있다. 그 공로로 춘향은 정렬부인의 반열에 오르게 되는데, 이는 현실에서 불가능한 일을 문학적으로 승화시키고 있다. 〈춘향전〉은 그 역할을 공간이 담당하고 있다.

---

88) 정하영, 『춘향전의 탐구』, 집문당, 2005, 59쪽.

〈춘향전〉의 초반부는 연속적으로 공간을 통해 춘향이 고귀한 인물임을 간접적으로 드러내고 있음을 살필 수 있었다. 이러한 의도는 춘향이 기생 신분에서 정렬부인에 이르는 신분상승에 당위성을 드러내기 위한 전략이라 할 수 있다. 영웅소설이 앞으로 태어날 인물의 영웅성을 부각하기 위해 태몽을 통해 인물의 비범함을 제시하고 있다면, 〈춘향전〉은 월매의 태몽에 앞서 치성을 드리러 가는 여정의 공간을 천상의 이미지로 형상화하고 있다. 이러한 공간 활용은 앞으로 태어날 인물이 범상치 않은 인물임을 간접적으로 드러내기 위한 장치로 볼 수 있다. 또한 춘향과 몽룡이 결연하는 가옥공간에서는 춘향이 여염집 여인에 뒤지지 않는 교양과 품위를 갖춘 여인임을 비유적으로 드러내기 위해 춘향의 방을 기생의 이미지가 아닌 정숙한 여인의 방으로 묘사하고 있다.

> 방중을 둘너보며 벽상을 살펴보니 …(중략)… 도션의 유명한 명필 글시 붓쳐 잇고 그 식이에 붓친 명화 다 후리쳐 던져두고 월션도란 기림 붓쳐쓰되 월션도 졔목이 이럿턴 거시엿다 상졔고거강졀초의 군신 조회 밧던 기림 쳥연거사 이틱빅이 황학젼 숙러안져 황졍경 익던 기림 빅옥누 지은 후의 자기 불너 올여 상양문 짓난 기림 칠월칠셕 오작교의 견우 직여 만나난 기림 광한젼 월명야의 도약하던 항아 기림 칭칭이 붓쳐씨되 찰난하야 살난한지라 또 한 곳 바릭보니 부춘산 엄자릉은 간의틱후 마다하고 빅구로 버슬 삼고 원학으로 이웃삼아 양구를 썰쳐 입고 추동강 칠이탄으 낚슈줄 던진 경을 영역키 기려 잇다 방가위지선경이라 군자호귀 놀딕로다[89]

인용문을 통해 보듯이 춘향의 방은 유명한 인물이 쓴 명필 글씨와

89) 김진영 외, 앞의 책, 317-318쪽.

군신의 모습이 담긴 그림과 견우와 직녀가 만나는 장면, 추동강에서 낚시를 즐기는 평화로운 모습들이 담긴 그림들로 꾸며져 있다. 공간을 통해 드러나는 춘향의 방은 여염집 여인의 방에 뒤지지 않는다. 희원 공간에서 춘향의 방에 이르기까지 다양한 공간에서 드러내고자 했던 춘향의 천상신분과 고매함은 춘향이 양반인 몽룡과 부부의 연을 맺는 데 부족함이 없는 인물이라는 것을 제시하기 위한 공간 활용의 묘미라 할 수 있다. 이러한 공간 활용은 기생 신분이 훗날 정렬부인의 자리에 오르는 데 대한 당위성을 부여하기에 충분한 요소로 작용한다.

〈춘향전〉은 춘향이 절개를 지켜 정렬부인이라는 파격적인 신분상승을 이룩한 것처럼 치부될 수 있으나,[90] 면밀히 살펴보면 희원공간에서 옥중공간에 이르기까지 춘향의 고귀함을 간접적으로 제시하면서 독자로 하여금 기생인 춘향이 정렬부인의 자리에 오르는 것을 당연한 것으로 인식하게 만들어 버린다. 무엇보다 춘향의 절개가 강하게 인식되면서 절개를 지킨 여인의 신분상승은 당연한 것으로 치부된다. 이러한 문학적 기법은 판소리계 소설이 갖는 특징 중 하나로[91] 현실에서 도저히 이룰

---

90) 정하영은 춘향의 신분상승의 요인으로 〈춘향전〉의 작자 군이 춘향에 대한 사랑의 표시로 춘향을 기생에서 정렬부인까지 높여주었다는 점, 억눌리고 핍박받으며 살아야 했던 민중과 하천민이 춘향의 운명에 공감하며 춘향의 행복이 자신의 행복으로 받아들여 하천민 자신들의 신분 이동에 대한 욕망의 표출로 작용하였다. 한편으로 신분제도가 철폐되고 인간의 평등사상이 싹트게 된 시대적 배경 상황과 신분의 매매가 이루어지는 상황에서 춘향의 신분적 이동이 현실 가능한 점을 들었다. (정하영, 『춘향전의 탐구』, 집문당, 2005, 73쪽.)

91) 〈심청전〉의 경우 심청은 몰락한 양반의 봉사의 딸로 태어나 아버지에 대한 '효'를 다해 황후로 신분상승한다. 〈심청전〉이나 〈춘향전〉에서 판소리계 소설은 표면적으로 충, 효와 같은 유교적 윤리규범을 내세우고 있는 듯하지만, 이면에는 당대 현실에 대한 비판의식이 강하게 투영되어 있다. 판소리계 소설에 초월적인 존재의 개입은 모습은 현실 문제를 다루기 위한 보조 장치의 역할을 하고 있다. (이상택 외, 『한국 고전소설의 세계』, 돌베개, 2005, 211쪽.)

수 없는 소망을 문학적으로나마 민중의식을 표출한 것이라 하겠다.

춘향은 기생 신분에서 일반 여성으로서 가장 높은 위치인 정렬부인의 자리까지 오르는 수직적 신분상승을 이룬다. 이러한 신분상승은 신분제가 급속하게 변화되는 사회적 현상을 반영한 것으로 양반과 평민이 다르지 않다는 인간 본연의 가치를 알아가는 민중의식의 성장이라 할 수 있다. 한편으로는 신분 구조가 와해되는 상황에서 고난의 보상을 신분상승의 욕구와 불의에 거역하고 탈계층을 지향하는[92] 사회현상과 맞물려 가능한 일이라 할 수 있다.

2) 절개와 부패의 이중적 대비를 통한 사회비판

〈춘향전〉은 남녀의 사랑 이야기를 통해 열녀(烈女)라는 당대의 윤리 도덕을 지향하면서도 부패한 관료사회를 고발하는 사회 비판적인 성격을 담고 있다.[93] 절개를 지키려는 기생과 지아비를 둔 기생에게 수청을 요구하는 지배층의 대립을 통해 수기치인(修己治人)의 인품을 갖춘 지도자를 갈망하는 민중의식을 담고 있기 때문이다.

지배층으로 대표되는 변사또는 춘향에게 '너갓튼 창기빅게 수졀이 무어시며 정졀이 무어신다'[94]라며 춘향의 절개를 업신여긴다. 사회적으로 여인에게 지조와 절개를 강요하면서도 춘향이 '유부겁탈하난 거슨

---

92) 이상택, 『한국고전소설의 세계』, 돌베개, 2005, 212쪽.

93) 〈춘향전〉은 단일한 주제에서 벗어나 열녀의 교훈, 신분의 제약에서 벗어난 인간해방, 불의에 거역하고 탈계층을 지향하는 사회성의 추구 등 작품의 주제를 당시의 주도적 이념인 유교의 규범 속에서 파악하는가, 아니면 작품 자체의 이야기에 의미를 두고 파악하는가, 당시의 변화하는 시대 정신과 연관지어 파악하는가에 따라 달라진다고 하였다. (이상택, 『한국고전소설의 세계』, 돌베개, 2005, 212-213쪽.)

94) 김진영 외, 앞의 책, 348쪽.

죄 안이고 무어시오'[95]한 것처럼 지배계층은 사회 윤리에 어긋나는 행동을 서슴지 않으며 민심을 잃어가고 있다.

> 잇쎄 남원부 할양이며 남녀노소 업시 묘와 구경할 제 좌우의 할양더리 모지구나 모지구나 우리 골 원임이 모지구나 져런 형벌리 웨 잇시며 져런 ᄆᆡ질리 웨 잇솔가 집장사령놈 눈익켜 두워라 삼문 밧 나오민 급살을 주리라 보고 듯난 사람이야 뉘가 안이 낙누하랴[96]

> 업젓던 형방 퇴인 고ᄀᆡ 드러 눈물 씃고 ᄆᆡ질하던 져 사령도 눈물 씃고 도라셔며 사람으 자식은 못하건네 좌우의 구경하난 사람과 거힝ᄒᆞ는 관속드리 눈물 씃고 도라셔며 춘향이 ᄆᆡ맛는 거동 사람 자식은 못 보것다 모지도다 모지도다 춘향 정절리 모지도다 출천열여로다 남녀노소 업시 셔로 낙누하며 도라설 졔[97]

변사또가 자신의 권력을 이용해 춘향의 절개를 꺾으려 할수록 백성들은 춘향을 향한 동정심이 더해지고 있다. 백성들의 고단한 삶은 변사또의 생일날 관중을 향해 던지는 '금준미주는 천인혈리요 옥반가효는 만셩고라 촉누낙시밀누락이요 가셩고쳐원셩고라'[98]는 암행어사인 몽룡의 말에 집약되어 있다. 암행어사의 시각에서 본 백성들의 삶은 처참하기 그지없었다. 근대로 이행하고 있는 과도기적 상황에서 지배계층의 부정부패가 성리학적 질서와 충돌하면서 고달픈 삶을 살아가야 했던 사람들은 백성들이었다.

---

95) 김진영 외, 앞의 책, 349쪽.
96) 김진영 외, 앞의 책, 350쪽.
97) 김진영 외, 앞의 책, 352쪽.
98) 김진영 외, 374쪽.

〈춘향전〉은 춘향의 시련을 통해 백성의 고단한 삶을 드러내는 가운데 백성을 덕으로 다스려야 한다는 것을 비유적으로 강조하고 있다. 내 몸을 먼저 깨끗하게 닦고 남을 다스리는[99] 지도자, 즉 수기치인의 인성을 갖춘 지도자의 염원을 공간을 통해 담아내고 있다 하겠다.

3) 기생의 충절과 여성에 대한 인식의 변화

〈춘향전〉은 춘향의 절개, 신분상승, 사회비판 등 다양한 시각에서 논의되어왔다. 그만큼 〈춘향전〉은 보는 시각에 따라 주제의식이 달라질 수 있는 작품이다. 〈춘향전〉의 다양한 주제의식을 함축할 수 있는 배경에는 여성 인물에 대한 인식의 변화에 있다. 〈춘향전〉이 기생인 춘향에게 신분의 제약을 허물고 인격을 부여하고 있다는 점에서 그런 변화를 엿볼 수 있다. 앞서 살펴보았듯이 춘향은 현실에서는 기생의 신분이지만 탄생 이전부터 고귀한 인물로 형상화되며 품위를 갖춘 여염집 여인처럼 살아간다. 나아가 절개 있는 강인한 여인으로 변화되면서 부패한 관리에 맞서 자신의 의지를 굽히지 않는 영웅적인 면모도 보인다. 이러한 결과로 춘향은 정렬부인의 자리에까지 오르며 신분상승을 이룬다.

춘향의 인물 설정은 신분에서 벗어날 수 없는 사회제도 속에서 신분을 과감히 허물고 그 굴레에서 벗어나고픈 당대 민중의 욕망을[100] 반영하고 있다. 이러한 가운데 기생의 신분에게 온전한 인격을 부여하고 절개를 지킬만한 인물로 형상화한 데에는 여성에 대한 민중의식의 성장이 있었기에 가능한 일이다. 이러한 인식의 변화로 〈춘향전〉은 춘향의 절개를

99) 네이버 지식백과, Basic 고교생을 위한 윤리 용어사전 참고.

100) 장순희, 「춘향전의 인물과 독자의 욕망 구조」, 『韓國語文論叢』 55, 한국문학회, 2010.

통해 신분제 사회에서 불가능한 신분상승에 대한 민중의 염원을 담아냈을 뿐만 아니라 나라를 위해 목숨을 바친 기생의 죽음을 충절로까지 승화시켰다.

〈춘향전〉은 춘향의 절개를 통해 사회에서 천대받는 기생을 새로운 인식의 대상으로 변화시켰다는 점에서[101] 그 의미가 남다르다 할 수 있다. 실제로 논개나 월선의 절개를 충절로 극대화하면서 새로운 여성상을 정립하였기 때문이다. 논개는 임진왜란 당시 진주성을 함락시킨 왜장을 끌어안고 진주 남강에 투신한 기생이다. 논개의 죽음은 유교적 의리와 정렬로 칭송받았으며 민족 정서를 대변한 행동으로 존중받아 마땅하다.[102] 월선 또한 조선시대 가장 낮은 신분에서 천대받으며 살았던 기생이지만 나라가 위기에 처하자 자신의 목숨을 과감히 바친 인물이다. 나라를 위해 목숨을 바친 기생의 숭고한 정신은 기생 신분인 춘향의 절개를 통해 드러난다. 이런 점에서 〈춘향전〉은 춘향의 절개를 통해 나라를 위해 희생한 기생의 죽음을 숭고한 충절로 승화시킨 작품으로 볼 수 있다.

---

101) 실제로 조선의 기생은 관청에 소속된 관기로 국가 공식 행사의 연예를 맡기기 위하여, 또 국내외 사신을 접대할 수 있도록, 변방 군사의 근무를 위해 두었으며 관기와의 사통은 용인될 수 없었다. (정병설, 『나는 기생이다』, 문학동네, 2007, 366쪽.)

나라에서 정한 기생의 공식적인 역(役)에는 남성에 대한 성적 접대가 포함되어 있지 않았다. 하지만 상대적으로 약자의 위치에 있던 기생이 권력자의 수청 요구를 받을 때 그 요구를 거절하는 것이 매우 어려웠다. 한편으로 일부 기생이 남성의 환심을 사기 위해 성적 요구를 받아들이기 시작하여 기생의 역에 성적 행위가 관행적으로 개입되기도 하였다. (박영민, 「정의의 관점에서 기생의 삶을 이해하기」, 『고전문학연구』 54, 한국고전문학회, 2018, 166쪽.)

102) 박현주, 「논개: 논개 순국 정신을 중심으로」, 우석대교육대학원 석사학위논문, 2004, 28-29쪽.

4. 비판을 통한 절행의식의 고취

조선후기 사회적으로 가장 큰 변화는 신분제도의 붕괴라 할 수 있다. 사회 전반적으로 기득권층과 비기득권층의 수직적인 신분 관계가 모호해지면서 기득권층에 대한 인식이 변해가고 있었다. 무엇보다 인간 본연에 대한 인식이 싹트면서 가부장제 안에서 억압받던 여성에 대한 인식도 변해가던 시기였다.[103] 〈춘향전〉은 사회의 가장 낮은 신분인 기생을 통해 억눌렸던 사랑이라는 감정을 과감히 드러내면서 자신의 확고한 의지를 실현해 나가는 강인한 여성상을 반영하고 있다.

또한 〈춘향전〉은 인간의 숭고한 사랑을 절개로 승화시켜 유교 사회에서 강조해 온 연인의 덕목을 실천하면서 사회에서 천시받던 기생의 절개를 재평가할 수 있는 기반을 마련하였다는 점에서 문학사적으로도 큰 의미를 둘 수 있다. 나라가 위기에 처하고 탐관오리가 백성의 삶과 안위를 책임지지 않을 때 나라를 위해 기꺼이 자신의 목숨을 바친 기생의 숭고한 정신을 타락한 관료의 행태와 비교하며 충절로 승화시키고 있기 때문이다. 실제로 월선과 논개의 충절이 판소리와 판소리계 소설에 등장하는 것은 그녀들의 충절이 춘향이 드러내려는 정절보다 더 큰 의미를 보여주고 있다고[104]해도 과언이 아니다. 이러한 역할을 〈춘향전〉은 공간 활용을 통해 춘향의 절개는 물론 기생의 충절까지 이끌어내고 있다.

한편, 조선후기는 근대이행기로 접어드는 과도기적 상황이있다. 이 시기는 인간에 대한 탐구와 평등을 지향하고 있었지만 여전히 신분의

---

103) 신효경, 「판소리계 소설의 기녀의 양상과 서사적 기능」, 『어문연구』 93, 어문연구학회, 2017, 93-121쪽.

104) 지성호, 「"판소리 '춘향전'에 진주 기생 논개 등장"」, 『연합뉴스』, 2015.05.20.

상하관계는 남아있었다. 춘향이 갖는 기생 신분을 극복하기 위해서는 태몽뿐만 아니라 현실에서도 그녀의 신분에 색다른 요소를 입힐 필요가 있었다. 그것은 공간을 통해 춘향의 고귀함을 나타내는 것이었다. 또한 춘향이 비록 기생 신분이었지만 절개를 지키려는 확고한 의지는 부패한 관리의 행태보다 고귀한 행위였으며, 나아가 충절을 보여 준 기생들의 희생을 값진 것으로 승화시키기에 충분했다. 즉 〈춘향전〉의 공간은 인물이 갖는 신분보다는 인간은 누구나 고귀하다는 것을 드러내는 것으로 활용되며, 그 고귀함은 기생의 절개뿐만 아니라 나라를 위해 희생한 기생의 죽음을 숭고한 죽음으로까지 승화시켰다는 점에서 큰 의미를 둘 수 있다.

궁극적으로 〈춘향전〉은 사회적으로 외면당하고 관심받지 못했던 기생의 죽음을 충절로 승화시켜 인간의 진정한 자유와 가치가 무엇인지 일깨워 주고 있다는 점에서 문학적으로나 문학사적으로 그 의미가 남다르다 할 수 있으며 이것이 〈춘향전〉이 갖는 주제의식이라 할 수 있다.

5. 맺음말

조선후기는 중세에서 근대진입기의 과도기적 상황에 놓여 있었던 만큼 신분제의 변화 속에 인간의 근본적인 탐색이 이루어지고 있는 시기였다. 사회적으로 여전히 유교 이념이 강하게 남아있어 여성이 지녀야 할 정조나 절개 등 도덕적 이념들은 중시되고 있었다. 〈춘향전〉은 여성이 지녀야 할 정조나 절개를 표면적으로 드러내면서 공간을 통해 인간의 존엄성과 가치를 강조하고 있다. 다른 공간 안에서 펼쳐지는 사건은 각기 다른 주제의식을 드러내기도 한다. 이를 바탕으로 이 연구에서 다룬 내용을 정리하면 다음과 같다.

첫째, 〈춘향전〉에 나타난 공간의 양상과 활용이다. 〈춘향전〉은 사건의 이동에 따라 다양한 공간이 나타난다. 먼저 희원공간은 고귀한 인물의 탄생을 알리는 공간으로 사건을 이끌어가기 위한 예비적 공간으로 활용되고 있으며, 결연공간은 단오라는 민속을 통해 절개를 상징화하는 공간으로 형상화되어 사건 발단의 공간으로 활용되고 있다. 애정공간은 두 주인공의 사랑과 이별이 이루어지는 공간으로 연속성을 가지며 이별을 계기로 갈등으로 전환되는 기능을 수행하는 공간으로 활용되었다. 시련공간은 절개와 충절을 상징하는 공간으로 춘향의 절개와 부패한 기득권의 행태를 대립시켜 사회 비판적 공간으로 활용되면서 기생의 절개를 충절로 상징화하는 공간으로 확대시켜 나갔다.

둘째, 〈춘향전〉의 서사적 기능을 살펴보았다. 〈춘향전〉은 공간을 통해 천민인 기생에게 천상의 신분과 고귀함을 부여하고, 절개라는 윤리도덕을 앞세워 기생이 정렬부인의 자리에 오를 수 있는 신분상승의 당위성을 부여했다. 나아가 불의한 지배층의 행태에 저항하는 민중의식을 대변하였다. 이러한 상황은 조선후기가 근대를 지향하면서 신분구조가 와해되고 신분상승의 욕구와 더불어 불의에 거역하는 사회현상과 맞물려 가능한 일이라 할 수 있다.

셋째, 공간 활용을 통해 본 문학사적 의의에 대해 조망해 보았다. 〈춘향전〉은 사회의 가장 낮은 신분인 기생을 통해 가부장제 안에서 억눌렸던 사랑이라는 감정을 과감히 드러내면서 자신의 확고한 의지를 실현해 나가는 강인한 여성상을 반영하였다. 그것은 기존의 윤리규범을 준수하되 부당한 것에 대해 항거할 수 있는 정신적 성장이라 할 수 있다.

그래서 〈춘향전〉은 인물이 갖는 신분보다는 인간은 누구나 고귀하다는 것을 공간을 통해 간접적으로 드러내며 기생의 절개뿐만 아니라, 나라를 위해 희생한 기생의 죽음을 숭고한 충절로까지 승화시킬 수 있었다. 이것이 〈춘향전〉이 갖는 문학사적 의미라 할 수 있다.

〈춘향전〉은 근대이행기로 접어든 조선후기 과도기적 상황을 적절히 수렴하고 있다. 이 시기에는 여전히 신분의 상하관계가 남아있었지만, 인간에 대한 탐구가 이루어지고 평등을 지향했던 시기로 〈춘향전〉도 그러한 시대적 상황을 반영하고 있다. 그래서 각각의 공간 안에서 신분 상승이나 부조리한 사회를 비판할 수 있었다.

궁극적으로 〈춘향전〉은 사회적으로 외면당하고 관심받지 못했던 기생에게 고귀한 인격을 부여하고 있으며, 유교 윤리라는 사회제도 안에서 인간이 지녀야 할 도덕적 규범을 제시하고 있다. 이를 통해 〈춘향전〉은 인간의 자유와 가치에 대해 재고해 볼 수 있는 작품이라 할 수 있다.

〈옹고집전〉의 경제비판과 윤리담론

1. 머리말

윤리란 사람으로서 마땅히 행하거나 지켜야 할 도리를 말한다.[105] 우리나라는 예로부터 '해 뜨는 동방의 예의지국' 또는 '군자국(君子國)'으로 일컬어 왔을 만큼 예의를 중시하였다. 삼강오륜을 준수한 사람은 칭송의 대상이 되지만, 그것을 저버리면 지탄의 대상이 되었다. 그런데 근대로 이행되는 조선후기에 오면 인간의 도덕적 규범보다는 물질을 우선시하는 풍조가 자리잡게 된다. 이러한 현상은 조선후기에 와서 중인과 상민이 부를 축적하면서 그 심각성은 더해만 갔다. 물질만 우선시하는 계층이 성장하자 윤리의식의 부재에서 오는 문제가 곳곳에서 야기된다. 경제적 이익만 좇고 전통의 윤리관을 폄시(貶視)하는 계층에 대한 부정적인 인식이 팽배해진 이유도 여기에 있다. 그러한 문제를 야기한 계층을 강렬하게 풍자한 소설이 바로 〈옹고집전〉이다.[106]

105) 네이버, 어학사전 참고.

106) 〈옹고집타령〉은 송만재의 〈관우희〉의 짤막한 소개 이후 내용이 전하지 않았다. 창마저 끊겼다가 1950년 김삼불의 교주본 〈옹고집전〉이 나오면서 내용이 알려지게 되었다. 본고는 1974년 정병욱이 교주한 신구문화사 간행본을 텍스트로 삼았다.

〈옹고집전〉의 그간의 연구를 살펴보면 다음과 같다. 먼저 최천집은 조선후기 소설의 유형적 특성을 사실의 진가 확인형과 가치의 진가 확인형으로 분류하였다. 그중에서 〈옹고집전〉을 가치의 진가 확인형 유형으로 보고, 이 유형의 인간은 올바른 가치를 추구하느냐 그렇지 않느냐에 따라 인간의 판단 기준이 달라져야 한다고 해석하였다. 즉 올바른 가치를 추구하면 진짜라고 보고 올바르지 못한 가치를 추구하면 가짜라고 보았다.[107] 최혜진은 〈옹고집전〉이 불건전한 가장의 행태를 묘사·비판하면서 책임 있고 성실한 가장으로 복귀시키려고 하는 소망과 현실적 가족의 문제를 직시하고 새로운 가족상을 모색하는 조선후기의 사회상과 인식을 반영한다고 논하였으며,[108] 김종철은 〈옹고집전〉의 배경이 조선후기 농민층의 분해와 부농층의 등장이라는 역사적 현실에 입각하여 옹고집의 부의 성격을 조선후기 양반 지주가 아닌 당시 신흥하던 요호부민으로 해석하였다.[109] 박윤선은 〈옹고집전〉을 미성숙한 자아의 옹고집이 가짜 옹고집을 통해 자기를 객관화하는 인식의 과정으로 보았으며,[110] 정상진은 〈옹고집전〉에 수용된 변신모티브가 배불론자인 옹고집을 징치하여 불심을 촉발시키는 표면적 의미와 함께, 그 바탕에는 적대세력인 실세 양반층에 대한 서민들의 저항의식이 깔려 있다고 보았다.[111] 〈옹고집전〉은 그 밖에 근원설화 연구를 비롯하여 작품의 구조와

107) 최천집, 「조선 후기 진·가 확인형 소설의 형성기반과 서사 세계」, 경북대학교 박사학위논문, 2006, 78쪽.

108) 최혜진, 「판소리계 소설에 나타난 가족의 형상과 그 의미」, 『여성문학연구』 13, 한국여성문학회, 2005, 32쪽.

109) 김종철, 「〈옹고집전〉 연구–조선후기 요호부민의 동향과 관련하여」, 『한국학보』 20, 일지사, 1994, 126쪽.

110) 박윤선, 「〈옹고집전〉에 나타난 개인의 형성과 그 의미」, 『고전문학과 교육』 26, 한국고전문학교육학회, 2013, 173쪽.

의미, 이본 계통에 대한 연구가 거듭되어 왔다.[112)]

〈옹고집전〉은 불효와 불교 탄압 등 인간의 도리를 저버린 채 물질만 추구하는 반사회적 인물로 옹고집을 등장시켜 구조화한 작품이다. 또한 비윤리적인 행위를 고발·시정함으로써 상층부의 유교적 이상주의와 하층부의 불교적 효사상의 조화를 추구하기도 했다. 〈옹고집전〉은 무엇보다 옹고집을 무력으로 징치하지 않고 스스로 잘못을 깨닫는 과정을 통해 다시 공동체의 일원이 되도록 했다. 이것은 상하를 전제한 가운데 조화로운 사회질서를 모색한 것이라 하겠다. 이를 감안하면 〈옹고집전〉은 가족공동체가 해체되는 상황에 놓인 현대인들에게 가족윤리, 사회 규범을 생각하게 하는 작품이라 하겠다.[113)]

이에 본고에서는 조선후기의 사회·경제상황과 관련시켜 〈옹고집전〉에 나타난 윤리의식의 부재를 살펴보고, 윤리의식 부재의 극복방안과 한계를 검토하는 과정에서 이 작품이 갖는 문학사적 의의가 부각되도록

---

111) 정상진, 「〈壅固執傳〉의 庶民意識과 판소리로서의 失傳考」, 『문창어문논집』 23, 문창어문학회, 1986, 169쪽.

112) 인권한, 「한국학의 쟁점1/전기소설의 제문제; 옹고집전의 불교적 고찰: 근원설화와 주제를 중심으로」, 『민족문화연구』 28, 고려대학교 민족문화연구원, 1995; 정선화, 「〈장자못 전설〉의 수용양상 및 교육적 의의에 관한 연구」, 아주대교육대학원 석사학위논문, 2003; 정인한, 「〈옹고집전〉의 설화 연구」, 『문화와 융합』 1, 문학과언어연구회, 1980; 장석규, 「〈옹고집전〉의 구조적 통일성과 서술 원리」, 『국어교육연구』 22, 국어교육학회, 1990; 정충권, 「〈옹고집전〉의 이본의 양상과 그 의미」, 『판소리연구』 4, 판소리학회, 1993; 최래옥, 「〈옹고집전〉의 이본고」, 『국어국문학』 84, 국어국문학회, 1980; 최혜진, 「〈옹고집전〉의 이본과 변모 양상 연구」, 『판소리연구』 36, 판소리학회, 2013.

113) 〈옹고집전〉은 '장자못 전설', '쥐설화', '金慶爭主說話', 이항복의 〈유연전〉을 근간으로 성립되었다. 비록 창이 실전되면서 판소리로는 널리 불리지 못했지만, 필사본 형태의 소설이 큰 인기를 얻었던 관계로 다른 실전 판소리 일곱 마당 작품 가운데 비교적 잘 알려져 있는 작품이다. 그래서 문학사적으로도 큰 의미가 있다 하겠다. (정상진, 〈壅固執傳〉의 庶民意識과 판소리로서의 失傳考」, 『문창어문논집』 23, 문창어문학회, 1986, 159쪽.)

하겠다.

2. 경제상황과 작품의 형성 배경

1) 조선후기의 사회·경제상황

조선은 유교적 이상주의를 바탕으로 건국되었으나 임병양란을 겪으며 사회·경제적으로 많은 혼란을 초래한다. 이로 인해 조선초기 양인과 천민으로 구분되던 신분제가 흔들리기 시작한다. 더욱이 조선후기의 경제성장은 신분의 이동이 가능해 서민의식을 촉발하기도 했다. 실제로 조선후기는 천민을 제외하고 누구나 자유롭게 과거를 응시하거나 경제적 활동에 종사할 수 있었다. 당시의 과거제도는 생각보다 개방성을 가지고 있었다. 그러한 점을 윤휴·유형원을 통해서 확인할 수 있다.

윤휴는 과거제 개혁을 통해 고정된 신분제의 모순을 바로 잡고자 했다. 과거가 소수 가문에 의해 장악되면서 세무(世務)에 능한 인물을 등용하지 못하는 상황을 지적하면서 그 타개책으로 귀천을 불문하고 인재 등용의 폭을 넓혀야 한다고 보았다. 즉 하급관료나 초야에 묻힌 인물, 군졸이나 비천한 신분으로까지 확대해야 한다고 했다. 유형원도 상하·귀천·존비 등의 생래적(生來的)인 것보다 인품·자질의 높고 낮음이나 현우(賢愚)에 주목해야 한다고 보았다. 인품과 능력을 바탕으로 하는 새로운 사회관계의 실현을 위해 관리 선발과정에서 사농(士農)의 지위를 동등하게 인정하는 것이라서 커다란 변화라 하겠다. 그것이 세습적인 신분 차등제가 아니라 개인의 능력을 본위로 한 신분관계의 지향이라는 점에서 더욱 큰 의미를 지닌다.[114)]

이들의 주장은 당시 상황에서 수용하기 어려운 사회의 운영원리였다. 실제로 지방에서는 과거를 통한 사회적 지위보다는 경제력이 그 지역을 장악하는 일이 비일비재했다. 잘 아는 것처럼 조선후기는 농업과 상업을 통해 부를 축적한 하층민이 납속(納粟)·원납(願納) 등을 통하여 점차 하급양반으로 성장하였다. 특히 행정실무를 담당한 이들이 점차 향권을 장악하자, 때로는 그에 만족하지 못하고 정치자금을 제공하는 등의 방식으로 중앙정계로 진출하려 하였다.[115] 그래서 권문세가를 중심으로 부를 축적하여 군림하는 계층이 나타날 수 있었다. 여기에 중인이나 상민이 상거래와 교역을 통해 부를 축적한 유산계층으로 부상하기도 하였다. 문제는 경제의 집중과 부패로 사회질서가 어지럽게 되자 서민들에 대한 착취는 더욱 심해져 갔다. 토지공유제도가 무너지면서 관가·관아·군영 등에 의한 토지 매점이 늘어났고, 이에 따라 권신이나 세도가들이 권력을 이용한 민전(民田)의 점탈이 횡행하였다. 그래서 서민들은 생활 근거지조차 잃는 상황을 맞는다. 뿐만 아니라 조세부담의 책임을 소작인에게 전가시킴은 물론, 대동법의 실시로 토산물 대신 미곡을 징수하여 어려움이 가중되었다. 균역법 실시로 군포의 공납은 반감되었으나 그 일부가 전세화됨으로써 서민들의 생활은 도탄에 빠지게 된다.[116]

조선후기의 정치현실, 경제현실, 그리고 사회제도는 지배계층에 대한 피지배 서민층의 부정적인 비판의식을 증폭시켰다. 그러한 과정에서 소시민적인 자아각성으로 근대를 지향하게 된다.[117] 퇴폐적인 정치·경

114) 오영교, 「조선후기 체제변동과 속대전」, 혜안, 2005, 400-402쪽.
115) 이호철, 「조선후기의 사회경제적 발전과 그 성격」, 『경제논집』 35, 서울대학교 경제연구소, 1996, 411쪽.
116) 한탁근, 『한국통사』, 을유문화사, 1970, 330-331쪽.
117) 인권환, 『판소리 창자와 실전 사설 연구』, 집문당, 2002, 113쪽.

제·사회 상황으로 어려움을 겪던 서민들은 물질만 우선시하는 옹고집과 같은 인물을 철저히 응징할 수밖에 없었다. 〈옹고집전〉은 조선후기의 경제와 윤리의 문제를 복합적으로 엮어, 경제발전으로 인해 부를 바탕으로 양반의 신분을 얻은 사람들이 물질만 우선시 하고 사람의 도리를 저버리는 사회상을 반영하고 있는 작품이라 할 수 있다.

2) 작품의 형성 배경

조선의 지배층은 건국 초부터 숭유억불이라는 기치(旗幟) 아래 불교를 탄압하였다. 불교는 일찍이 삼국시대에 전래되어 민족의 기틀을 다지는 수단으로, 고려시대에 와서는 국난극복의 동력으로 작용하였다. 그래서 불교는 종교 그 이상의 기능을 발휘하며 민족의 정신적 지주로 자리 잡았다. 이러한 이유로 조선시대 숭유억불 정책에도 불구하고 불교는 사대부가의 부녀자들이나 피지배층에게 신앙의 대상이었다. 그렇게 된 데에는 불교의 사상적 기반이 민중의 정서에 부합했기 때문이다. 대표적인 것 중의 하나가 바로 효사상이다. 효사상은 유교윤리의 사상으로 인식되어 왔다. 하지만 불교에서도 효사상은 시공을 초월하여 중요시하였다. 불교의 효사상은 부모에 대한 은혜를 단지 현세의 물질적·정신적인 봉양으로 끝나는 것이 아니라, 윤회 속의 고통과 괴로움을 종식시켜 깨달음으로 인도하는 데 있다.[118] 〈옹고집전〉에서 도승을 내세운 이유도 조선사회가 추구하는 유교적 이념과 서민들의 사상적 기반인 불교의 이념이 다르지 않음을 내세운 것이다. 옹고집이

118) 정수동, 「유교와 불교의 효사상」, 『동아시아불교문화』 7, 동아시아불교문화학회, 2011, 260-261쪽.

불교를 탄압하고 도승을 핍박하는 행위는 불교의 배척보다는 불교를 사상적 기반으로 한 하층민에 대한 억압으로 이해할 수 있다. 옹고집이 풍년들기를 싫어하는 것은 흉년이 들 때를 이용하여 자기가 보유하고 있는 곡식을 팔아 부를 축적해 보겠다는 속셈에서 비롯되었다. 또한 가옹과 진옹을 가리기 위한 고을 수령의 판결에서 호적상고보다 가옹의 부력을 기준으로 삼은 것은 금력과 권력이 밀착되어 있는 관료사회의 일면을 고발한 것이다.[119] 이처럼 옹고집의 반사회적 행동, 부패한 관료의 행태는 서민들에게는 비난과 질타의 대상이 되기에 충분하다.

〈옹고집전〉은 옹고집이 행하는 비윤리적인 행위를 가옹을 통해 통렬하게 인식하게 한다. 가옹이 행하는 일련의 행위를 보고 바람직한 인격을 갖춘 사람은 어떠해야 하는지를 인식하는 것이다. 이런 과정은 인간이 어떤 자세를 갖추어야 하는지를 강조하기 위한 것이기도 하다.[120]

〈옹고집전〉을 통해 물질만능주의의 병폐, 그로 인한 윤리의식의 부재와 극복방안을 살펴보는 것이 중요하다. 조선의 기반이었던 유교윤리가 무너지자 그것을 복구할 필요성이 대두되었다. 그러한 문제를 〈옹고집전〉에서는 옹고집의 비윤리적 행태에 대해 신통력을 가진 학대사가 등장하여 초월적으로 해결하고 있다. 학대사는 민중의 대변인으로 윤리의식의 부재를 해결하면서 상하층의 조화를 모색하는 인물로 볼 수 있다. 학대사는 옹고집을 징치하기 위해 가옹을 만드는데, 가옹 또한 진옹의 잘못을 깨닫게 해주는 민중의 대변인이라 할 수 있다.

옹고집은 시주하러 온 학대사에게 불교의 폐단에 대해 지적한다. 옹

119) 정상진, 162-164쪽.

120) 최천집, 앞의 논문, 97쪽.

고집의 비윤리적인 행위, 불교의 폐단 등은 조선후기에 서로 갈등을 빚고 있는 의식을 대변한다 하겠다. 민중의 대변인인 학대사는 가옹을 통해 조선후기의 잘못된 사회구조와 도리를 저버리는 세태를 강하게 풍자한다. 이것은 윤리의식의 부재를 극복하고 상층부와 하층부가 조화를 이루어 새로운 사회로 나아가기 위한 민중의 저항의식이라 할 수 있다. 곧 근대로 나아가는 사정을 대중문학으로 형상화한 것이라 할 수 있다.

3. 경제관에 따른 윤리의식의 부재비판

1) 윤리의식의 부재 동인과 실태

(1) 윤리의식 부재의 동인

조선후기로 접어들면서 농업과 상업을 통해 부를 축적한 하층신분은 신향층(新鄕層)으로 성장해 갔다. 특히 행정실무를 담당한 이들은 향권을 장악한 후 정치자금을 제공하는 등의 방식으로 중앙정치로 진출하려 하였다. 이렇게 새롭게 성장한 신향층과 뒤섞여 점차 평범한 신분으로 변해간 기존의 양반층은 지역사회에서도 주도권을 상실하여 반상의 구별조차 곤란한 상황이 되었다. 그 상황을 다음에서 확인할 수 있다.

> 문장(文章)은 귀천(貴賤)을 표시하는 것인데 무슨 까닭인지 근년 이래로 의복(衣服)이 문란하여 져서 소민(小民) 천례(賤隷)가 갓을 쓰고 도포(道袍)를 입는 것이 마치 조관사부(朝官士夫) 모양과 같으니 진실로 한심하기 짝이 없습니다. 심지어 시전(市廛)의 상인들과 행오(行伍)의

역(役)을 지는 상민들까지도 서로 양반이라 호칭합니다. 양반의 칭호는 동서반(東西班)의 역(役)을 이르는 것인데 어찌 조관도 아니요, 사부(士夫)도 아니면서 양반 칭호를 모점(冒占)할 수 있겠습니까.[121]

근래 시정의 겸종여대(傔從與儓)와 하천(下賤)의 무리가 모두 도포를 입고 당혜(唐鞋)를 신으며 백정이나 군문의 포수들도 모두 창의(氅衣)를 입고 총모를 씁니다. 그들이 사사로이 출입할 때는 모두 사자(士子) 출신의 모양을 하기 때문에 길에서 정말 사부나 출신을 만나더라도 입고 있는 옷이 같으므로 바라보는 중에도 스스로 같은 체하며 혹 읍하고 같이 이야기하기도 하고 혹 모른 체 지나치기도 합니다. 이 때문에 사치하는 마음은 날로 심해지고 참란된 뜻이 점차 자라서 비천한 자가 존귀한 자를 욕보이고 천민이 능멸하는 습속이 금할 수 없는 지경이 되었습니다.[122]

상천이 사부를 욕하고 노비가 상전을 배반하는 일이 상습화되었으며 외방에서는 향품천류(鄉賤類)들이 모두 사족에 항례(抗禮)를[123] 하거나

---

121) 『日省錄』, 194, 正祖 10年 丙午 1月 22日 丁卯 武兼 徐泰修所懷: 前揚 『正祖丙午所懷謄錄』 216, 武臣兼宣傳官 徐泰修所懷 …

文章所以表貴賤 而夫何近年以來 衣服紊亂 小民賤隷 驄帽道袍 有若朝官 士夫貌樣 固已萬萬寒心 而甚至於市廛之民 行伍之類 相呼以兩班 夫班之稱 謂其東西班之職也 豈有非朝官非士夫 而冒占兩班之名有哉 名分由此而掃地 上下由是而無別 伏望痛禁此弊以爲勵風化之地焉 …(정석종, 『朝鮮後期社會變動硏究』, 일조각, 1983, 254-255쪽.)

122) 『日省錄』, 194, 正祖 10年 丙午 1月 22日 丁卯 武兼洪采疇所懷 前揚 『正祖丙午所懷謄錄』 武臣兼宣傳官 洪采疇所懷.

…… 臣窃伏見 近來 市井傔從輿儓下賤之類 皆着道袍 而履唐鞋 鼓刀鼎俎軍門砲手之輩盡衣氅衣 而看驄帽 凡其松行出入 皆是士子出身之貌樣 路逢相識之眞箇士夫及出身 則以其所看之相似 便欲自同於瞻視之中 或揖而與語 或避而過去 以此侈心日滋 濫意漸長 卑而侮尊賤而凌貴之習至 是莫可禁制 名分烏可以正 紀綱焉得以立乎 ……(정석종, 앞의 책, 254-255쪽.)

123) 『日省錄』 131, 正祖 7년, 癸卯 6月 20日 庚辰 飭京外正名分.

持平申耆啓言 挽近以來 名分墜地 街巷之人 斥呼宰相 巾井之徒 互稱兩班 騣帽朝士之巾而史隷著之無難 道袍儒生之衣 而商儈服之如常 常賤之詬叱士夫 奴碑之背叛上典 看作例習

> 수령이 토민(土民)을 두려워하기가 소민(小民)이 수령을 두려워하는 것보다 오히려 심하게 되었다.[124]

위에서 알 수 있듯이 신분제의 변화는 상하의 구별을 무너뜨리고 윤리의식의 부재로 이어진다. 이와 같은 행위가 가정에서는 물론이고 사회적으로는 약자에 대한 횡포로 확대되었다.

또한 조선후기 경제발전은 물질이 정신을 지배하는 사회로 변해가고 있었다. 자연스럽게 전통적인 윤리의식은 물론 공동체문화를 거부하는 지경에 이르러 오로지 자신만의 안위를 위해 축재하는 일이 빈발하였다. 옹고집이 이와 같은 세태를 잘 반영한 전형적인 인물이다.

> 성벽(性癖)이 고약하여 풍년(豐年)을 좋아 아니하고, 심술이 맹랑하여 매사를 고집으로 하더라. …(중략)… 팔십당년(八十當年) 늙은 모친 병들어 누웠는데, 닭 한 마리 약 한 첩도 봉양(奉養)은 아니하고 조반석죽(朝飯夕粥) 대접하니, 냉돌방(冷突房에) 홀로 누워 …(중략)… 팔십 당년 우리 모친 오래 살아 쓸데없네. 수즉다욕(壽則多辱) 우리 모친 뉘라서 단명(短命)하리. 도척(盜跖)이 같은 몹쓸 놈도 천추(千秋)에 유명ㅎ거든, 무슨 시비 말할손가.
>
> 이놈 심사 이러한 중에, 또한 불도(佛道)를 능멸(凌蔑)하여 무죄한 중 곧 보면 결박하여 귀 뚫기와 어깨타고 뜸질하기 유명하더라. 이놈 욕심 이러하니, 옹가집 근처에는 동냥중이 갈 수 없다.[125]

至於外方 則鄕品賤類 皆欲抗禮於士族 六軍子侄初不趨拜於階庭 ……(정석종, 앞의 책, 254-255쪽.)

124)『日省錄』128, 正祖 7년 4月 25日 乙酉 命文川發地收利 分付道臣區處.

判府事鄭弘淳啓言一路民恨 何能採得於暫時去來 而民俗頑悍 殆不知有官長一有作爲 輒發怨恣 以是之故 守令之畏士民 反有甚於小民之畏守令 ……(정석종, 앞의 책, 254-255쪽.)

125) 정병욱 교주,『배비장전·옹고집전』, 신구문화사, 1974, 94-98쪽.

옹고집처럼 물질이 정신을 지배하는 사회적 의식구조는 부모에 대한 불효는 물론 사회적으로 해악을 일삼으며 하층민을 탄압하기까지 한다. 옹고집은 늙은 모친이 병들어 누워있는데도 닭 한 마리 약 한 첩 봉양하지 않고 구박만 일삼아 '효'의 부재를 가장 먼저 지적했다. 공자는 효(孝)와 제(悌)가 확대한 것이 곧 나라를 다스리는 일이라고 했다. 국가는 결국 한 가정을 크게 확대한 것이고, 그런 국가를 다스리는 일은 곧 가정을 다스리는 일과 다를 것이 없기 때문이다. '가화만사성(家和萬事成)', '수신제가치국평천하(修身齊家治國平天下)' 등의 유교적 대명제는 바로 효제(孝悌)에서 출발하는 것으로, 이 효제가 바로 설 때 사회와 국가, 그리고 인류의 평화가 조화롭게 유지될 수 있다.[126] 이러한 기저의식을 가지고 창작한 작품이 바로 〈옹고집전〉이라 할 수 있다.

(2) 윤리의식 부재의 실태

〈옹고집전〉에 나타난 윤리의식의 부재는 한 개인의 문제가 아닌 사회문제로 보아야 한다. 물질만을 좇는 배금주의 사상은 부모에 대한 불효는 물론이고 사회적으로 관리의 부정과 부패로 이어졌기 때문이다. 그래서 〈옹고집전〉의 윤리의식의 실태는 가정문제에서 시작해 사회문제로 확대해서 살펴보아야 한다.

우선 옹고집은 한 집안의 가장으로 부모에게 불효한다. 호화로운 집에서 부유한 삶을 살면서도 병든 팔순 모친을 위해 약 한 첩도 쓰지 않고 냉돌방에 방치해 죽기만 바란다. 모친은 옹고집을 금이야 옥이야 하며 온갖 사랑으로 키웠는데 극진한 효도는 못할망정 불효를 하느냐고

126) 정수동, 264-265쪽.

핀잔하자, 옹고집은 사람이 칠십 세를 살기가 어려운데 팔십 넘어서까지 살고 있다며 구박한다. 심지어 사람이 욕을 많이 먹으면 오래 산다고 하는데 모친이 어떻게 단명할 수 있겠냐며 불효의 극치를 보여준다.

옹고집의 불효는 불승 학대로 이어지고 있는데, 이는 가정문제에서 사회문제로 확대되고 있다. 옹고집이 좌수라는 사회적 위치에서 하층민을 학대하고 있기 때문이다. 하층민의 사상적 기반이 불교라는 관점에서 보면 불승은 하층민의 대변인이라 할 수 있다. 이런 점에서 옹고집과 학대사 간의 대립은 상층부와 하층부의 갈등으로 해석할 수 있다. 조선의 양반층은 건국 초부터 숭유억불을 유지해왔다. 옹고집은 철저한 배불론자로 무죄한 중을 결박하거나 귀를 틀며 어깨타고 뜸질하는 행위를 서슴지 않는다. 옹고집이 불교를 불신하는 이유는 시주하러 온 학대사에게 불교의 폐단에 대해 이야기하는 내용을 통해 확인할 수 있다.

> 가소롭다, 네 말이여. 천생만민(天生萬民) 마련할 제 부귀빈천(富貴貧賤), 유무자손(有無子孫), 복불복(福不福)을 분별하여 내었거늘, 네 말대로 하려기면 가난할 이 뉘 있으며, 무자(無子)할 이 뉘 있으리. 진속에 일렀으되『인중말(人中末)은 중이라』너의 마음 고이하여 부모 은혜 배반하고 삭발위승(削髮爲僧) 부처의 제자되어 아미타불(阿彌陀佛) 거짓 공부, 어른 보면 동냥 달라, 아이 보면 가자하고, 불충불효(不忠不孝) 너의 행실 내 이미 알았으니, 동냥 주어 무엇 하리.[127]

조선 초는 불교를 정비하는 데 주력하여 정책이 제대로 시행되지 못하는 가운데 승려들의 폐단은 계속되어 갔다. 사원에서 일반인의 땅을 옛날 사찰 땅이라고 속여 강탈하기도 하고, 승려들이 걸식하면서 동네

---

127) 정병욱 교주, 100-101쪽.

를 돌아다니다가 아이들을 보면 공부를 시킨다거나 아이에게 재액이 있다며 멋대로 삭발시켜 노비처럼 부리기도 하였다. 유교윤리를 문제 삼는 가운데 한편으로는 서민들의 사상적 기반인 불교의 타락을 고발하기도 한 것이다.

하지만 학대사의 입장에서 보면 구도를 위해 불교를 택한 승려들의 삶은 무척 힘들었다. 옹고집의 불교 비난에 학대사는 다음과 같이 억울함을 호소하고 있다.

> 청룡사(靑龍寺)에 축원하여 만고영웅(萬古英雄) 소대성(蘇大成)을 낳아 갈충보국(竭忠報國)하여 있고, 천수(千手) 공부(工夫) 고집하여 주상전하(主上殿下) 수만세(壽萬歲)를 조석으로 발원(發願)하니 갈충보국 아니오며, 부모보은(父母報恩)아니리까? 그런 말씀 마옵소서.[128]

숭유억불정책으로 승려들은 각종 노역에 동원되어야만 했고, 도첩이 없는 중은 군대에 가야 했다. 임진왜란 중에는 의병활동에 나서지만 전란이 끝나자 다시 각종 노역에 동원되었다. 또한 일반인보다 더 큰 군역을 져야 했으며 사찰은 각종 물품을 만들어 바쳐야 하는 처지였다. 영조대에는 승려의 도성 출입이 금지되었고 국가의 안정을 해치는 좀과 같은 처지가 되어 천민과 다를 바가 없었다.[129]

상층부와 하층부의 사상적 대립을 옹고집과 학대사를 통해 유교윤리의 타락과 불교의 폐단을 드러내 놓고 있다. 이는 서로의 문제점을 지적하고 시정해 나감으로써 상하층간의 조화를 모색하기 위한 과정으로

---

128) 정병욱 교주, 101쪽.

129) 신병주·노대환, 『고전소설 속 역사여행』, 돌베개, 2002, 187-190쪽.

해석할 수 있다. 한편으로는 유교든 불교든 모두 관념론에 빠져 현실을 올바로 직시하지 못하는 문제를 전격적으로 고발한 것이기도 하다.

〈옹고집전〉은 옹고집의 가문을 내세워 양반을 풍자하기도 한다. 이는 가정사로 시작하지만 실은 양반과 관료의 문제를 다루었기에 사회문제로 볼 수 있다. 먼저 옹고집의 집안 내력은 다음에서 확인할 수 있다.

> 자아골 김등네 좌정시(坐定時)에 민의 아비가 좌수로 거행(擧行)하올 적에, 백성을 애휼(愛恤)한 공으로 하여금 연호잡역(煙戶雜役)을 삭감하였기로 경내(境內) 유명하오니, 옹돌면 제일호 유학(幼學)의 옹고집이라. 고집의 연(年)이 삼십 칠이요, 부 학생(父學生)이 옹송이오니 절충장군(折衷將軍)이옵고, 조는 상이오나 오위장(五衛將)하옵고 … [130)]

위의 인용문에서 알 수 있듯이 옹고집의 집안은 지방의 실세 가문임을 알 수 있다. 하지만 조상이 쌓아놓은 공덕은 옹고집에 와서 온데간데없다. 고을 수령 또한 재물에 집착하는 관리로 부정부패를 일삼으며 백성들의 삶을 고단하는 인물이다. 고을 수령은 백성의 억울함을 잘 살펴야 하는 직책이지만, 진실을 밝히기 위해 찾아 온 진옹의 진술은 들으려 하지 않고 가옹의 부력만을 믿고 가옹을 진옹이라 판결한다. 더욱이 가옹을 당상에 올려놓고 기생을 불러 술판을 벌이기까지 하는데, 이는 관료들의 부정부패와 물질만 우선시하는 세태를 잘 부각하고 있다.

---

130) 정병욱 교주, 113-114쪽.

2) 윤리의식 부재의 극복 방안

(1) 바꿔 살기와 대리 만족

조선후기 양반의 신분은 경제력 앞에서 위세를 발휘하지 못하였다. 경제력만 있으면 양반의 신분을 사고 팔 수 있었기 때문이다. 재물을 축적한 계층에서는 더 이상 다른 사람들을 의식하지 않아도 삶에 불편함이 없었다. 오히려 자신이 가진 것을 남에게 빼앗길까 걱정하고, 풍년을 좋아하지 않는 옹고집처럼 남들이 자신처럼 여유롭게 사는 것을 못마땅하게 생각하였다. 더욱이 몰락한 양반의 경우 그들이 중시해오던 체통이나 선비로서의 위상은 먹고 사는 문제를 해결해 주지 못하였다. 경제력을 바탕으로 대사회적인 영향력을 행사할 수 있는 위치에 있으면서도 제 구실을 못하는 인물에 대해 시정할 필요가 있었다. 그 시정의 방법으로 선택한 것이 바로 바꿔 살아보기이다. 이른바 상하가 전도된 삶을 모색한 것이라 할 수 있다. 항상 시달리던 자신들도 상층과 같은 삶이 가능하기를 소망한 것이라 하겠다.

옹고집과 같이 부유한 삶을 살기 위해서는 옹고집이 될 수밖에 없다. 그래서 학대사는 진짜보다도 더 진짜 같은 가짜 옹고집을 만든다. 가짜 옹고집이 진짜 옹고집의 삶을 살게 되는 것이다. 이러한 사실을 모르는 진옹은 가옹의 등장으로 인생역전의 순간을 맞는다. 가옹의 등장으로 그동안의 부도덕한 행동이 만천하에 드러나게 되는데, 민중은 가옹의 행위를 통해 대리만족을 느끼게 된다.

두 명의 똑같은 옹고집의 등장으로 노복들이며 며느리, 부인 모두 진짜 옹고집이 누구인지 가리지 못한다. 가장 먼저 부인은 대경실색하며 옹고집의 부도덕한 행동을 질타한다.

> 애고 애고, 이게 웬 말이냐? 너의 좌수님이 중을 보면 결박하고 악한 형벌 무수(無數)하고. 불도를 능멸하며 팔십 당년 늙은 모친 박대한 죄 없을소냐? 지신(地神)이 발동(發動)하고 부처님이 도술(道術)하여 하늘이 주신 죄를 인력(人力)으로 어이하리[131)]

다양한 방법으로 진짜와 가짜를 가릴 방법을 동원하지만 진옹은 자신이 진짜임을 믿어주지 않는 노복들이며 가족들이 원망스럽기만 하다. 자신이 하고 싶은 말을 모조리 가옹이 대신하는 광경을 보고 억울함이 더해만 간다. 옹고집은 자신과 가장 친한 김 별감을 부르지만 김 별감도 진짜 옹고집이 누구인지 구별하지 못한다. 김 별감은 관가에 송사하자며 두 옹을 데리고 관가로 향한다.

> 애고 저 놈 보소. 내가 할 말 제가 하네. 애고 애고, 이 일을 어찌하리. 새악아, 내 얼굴 자세히 보아라. 네 시 아비는 내 아니냐?[132)]
>
> 애고 애고, 허옹가는 제 아비 삼고, 실옹가는 구박하네. 기막혀 나 죽겠네. 내 마음 설운 원정(原情) 뉠더러 하여 볼까?[133)]

진옹은 자신이 진짜임을 알리고 싶었지만, 책임의식이 없는 사또의 허술한 판결과정은 두 옹의 호적조사에서 나타난다. 사또는 진옹의 호적 내용을 들으며 어수선하여 갈피를 잡을 수 없다는 식으로 옹송만송하다며 무시한다. 하지만 가옹의 집안 내력과 재산 목록을 세세히 듣고는 더 이상의 조사도 없이 가옹이 진짜 옹고집이라고 판결한다. 사또의

131) 정병욱 교주, 106쪽.
132) 정병욱 교주, 108쪽.
133) 정병욱 교주, 109쪽.

판결로 옹고집으로 인정받은 가옹은 진옹의 삶을 살 수 있게 되었다. 소송에서 이기고 돌아온 가옹은 진옹의 아내와 자식을 낳으며 진옹의 삶을 살게 된다.

가옹을 통해 진옹의 삶을 살게한 것은 상층부에게 항상 시달리던 하층민도 상층과 같은 삶이 가능하기를 소망한 것이다. 가옹이 진옹을 쫓아내고 상층의 삶을 살게 함으로써 하층부의 대리만족을 염두에 둔 것이다.

(2) 개과천선과 전통질서 회복

〈옹고집전〉은 옹고집의 불효와 삐뚤어진 윤리의식을 바로 잡기 위해 하층부에서 가옹을 등장시켜 옹고집을 내쫓는 징치로만 끝나지 않는다. 옹고집을 개과천선 시켜 공동체의 일원으로 다시 수용했기 때문이다. 옹고집은 관가에서 자신이 가짜 옹고집으로 판결받자 그제서야 자신의 잘못을 뉘우친다.

> 답답하다, 내 일이야. 꿈이냐 생시냐. 어찌하여야 옳단 말이냐? 차소위낙미지액(此所謂落眉之厄)이로다. 무지한 고집이놈 인제는 개과(改過)하여 애통(哀痛)하는 말이, 나는 죽어 마땅한 놈이거니와, 당상학발(堂上鶴髮) 우리 모친 다시 봉양하고지고. 어여쁜 우리 아내 월하(月下)의 인연 맺어 일월(日月)로 본증(本證) 삼고 천지로 맹세하여 백년종사(百年從事) 하렸더니, 독숙공방 적막한데 임 없이 홀로 누워 전전반측(輾轉反側) 잠 못 들어 수심으로 지내는가? 슬하(膝下)의 어린 새끼 금옥같이 사랑하여 어를 제, 섭마둥둥 내 사랑, 후두둑 후두둑, 엄마·아빠 눈에 암암 나 죽겠네. 아마도 꿈인가 생신가? 꿈이거든 깨이거라.[134]

---

134) 정병욱 교주, 118쪽.

민중은 가진 자를 끌어내려 하층부의 삶, 더 나아가 떠돌이로 살게 하여 현실을 제대로 인식하도록 유도했다. 가족은 물론 자신과 친분이 있는 김 별감도 진짜를 알아보지 못한 것을 서러워하면서 그동안의 부유한 삶을 다 앗아간 현실을 인정하기에 이른다. 이러한 과정은 진옹을 개과시켜 그로 하여금 상하질서를 새롭게 모색할 기회를 주기 위해서이다. 즉 가진 자들을 윤리적으로 재무장시킴으로써 바람직한 사회가 될 수 있다고 판단한 것이다. 이것이 이 작품의 한계이기도 하다. 즉 중세적인 이념으로 회귀하고 말아 풍자와 비판의 의미가 반감되고 말았다.

오갈 데 없는 진옹이 깊은 산골짜기로 들어가 도사를 만남으로써 그는 새로운 인간으로 변한다. 옹고집이 자신의 잘못을 깨닫고 용서를 구하는 과정에서 하층부와 조화할 필요성을 인식한다. 옹고집이 집으로 돌아가 도승의 술법을 탄복하고 모친께 효성하고 불도를 공경하여 개과천선한 것은 전통질서를 회복한 것으로 볼 수 있다. 조선이 유교사회였지만 유교에서 추구하는 효와 불교에서 추구하는 효는 같다고 할 수 있다. 즉 상층부와 하층부가 추구하는 이념이 다르지 않음을 일깨워준 것이다. 그러기에 옹고집을 징치하는 것으로 끝내지 않고 개과천선시켜 공동체 일원으로 복귀시킨 것이다.

4. 경제의식의 한계와 윤리담론

조선후기는 신분제의 변화와 시민의식의 성장으로 반상(班常) 간의 갈등이 심화되었다. 이러한 시기에 경제력을 내세운 계층에서 유교윤리를 무시한 채 오로지 물질만 추종하기에 이른다. 옹고집이 가족윤리를 저버리고 불도를 능멸하면서도 아무런 죄의식을 느끼지 못하는 이유가 여기에 있다. 윤리불감증에 걸린 옹고집을 징치해야 할 필요성이 그래서 대두된 것이다.[135)]

〈옹고집전〉은 비판의식을 드러냈지만 징치과정에서 윤리담론의 한계점을 드러내고 있다. 〈옹고집전〉이 민중의 의식을 표출하면서 근대를 지향했지만 그 가치관만은 여전히 중세에 머물러 있었기 때문이다. 사회구조상 하층부에서 기득권을 징치하는 것은 결코 쉽지 않은 일이다. 그래서 가진 자의 횡포에서 벗어나고자 하는 서민들의 꿈을 학대사가 초월적인 방법을 동원하여 펼치고 있다. 약한 자들은 진짜보다 더 진짜 같은 가옹이 진옹으로 행세할 때 통쾌함을 느끼게 된다. 그러면서도 판타지를 통한 우회적인 방법으로 그 뜻을 이루는 것은 상하질서가 엄연한 현실을 감안한 조치라 하겠다. 한편으로는 중세질서를 추수하여 옹고집을 제자리에 돌려놓기도 한다. 우회적인 방법으로 비판하다가 결국은 문제적 인물을 제자리로 돌려놓아, 이 작품은 개혁의지를 드러내다가 중도에 포기하고 마는 한계를 보이고 있다. 더욱이 쫓겨난 진옹이 어떠한 노력도 기울이지 않고 도사가 준 부적에 힘입어 공동체로 귀환한 것은 이 작품이 근대를 모색했음에도 결국은 중세에 머물고 만 사정을 대변한다 하겠다. 결국 〈옹고집전〉은 처음에는 개혁적인 의지를 드러내다가 작품의 결말에서는 중세적인 사회질서, 즉 유교적인 사회로 복귀하고 만다. 이것이 이 작품이 근대를 지향하면서도 과거를 떨

135) 조선후기는 무너져 가는 효를 바로 세우고 인간으로서 지켜야 할 마땅한 도리를 바로 잡아 공동체 안에서 타인과 함께 살아갈 필요가 있었다. 그러한 점을 적절히 다루면서 윤리적인 지표를 제시한 작품이 〈옹고집전〉이다. 이러한 점에서 이 작품은 문학사회적인 측면에서 나름의 가치를 지니고 있다. (김영호, 「옹고집전의 근원설화 재고」, 『동양학』 58, 단국대학교 동양학연구소, 2015, 17쪽.)

치지 못한 한계라 할 수 있다.

〈옹고집전〉은 문학사적으로도 남다른 의미가 있다. 그것은 이 작품이 조선 말기의 사정을 사실적으로 형상화했기 때문이다. 즉 당시의 문예현상을 가감 없이 수렴함으로써 문학사가 중세에서 근대로 지향했던 사정을 적절히 포착하고 있다. 이 작품은 완성도 면에서 다른 판소리계 소설에 비해 부족하다는 평가를 받고 있다. 하지만 역사적인 문제, 사회의 모순 등을 고민하며 문제를 제기하고 이를 극복할 대안을 모색했다는 점에서 문학사적인 가치가 충분하다.

문학은 현실을 대변하는 특성이 있다. 그중에서도 소설은 현실문제를 가장 리얼하게 형상화한다. 조선후기 판소리계 소설의 대부분은 사회문제를 첨예하게 다루고 있다. 그것은 이들이 그만큼 현실 문제를 의미있게 다룬 것이라 하겠다. 〈옹고집전〉도 당시의 경제와 제도 등의 문제를 집중적으로 다루고 있다. 그것도 변화하는 시대, 즉 중세를 벗어나 근대를 모색하던 때의 사회상을 민감하게 형상화하였다. 그런 점에서 이 작품은 조선후기의 문학현상, 나아가 문예현상을 사실적으로 드러냈다는 점에서 의의가 있다. 이것은 이 작품이 중세에서 근대로 넘어가는 문학사의 접점을 집약해서 보인 것이기도 하다. 그래서 이 작품을 통해 신구 문학의 특성을 동시에 읽어낼 수도 있다. 중세적인 것과 근대적인 것의 혼효가 그것을 대변하는 것으로 보아도 좋다.

5. 맺음말

조선후기 경제발전은 서민의식의 성장과 함께 중세에서 근대로 나아가는 발판이 되었다. 하지만 그 이면에는 물질을 우선시하는 그릇된 행태가 자리하고 있었다. 경제적 이익만 좇고 전통의 윤리관을 무시하는 계층을 더 이상 두고 볼 수만은 없었다. 그렇게 해서 등장한 작품이 〈옹고집전〉이다. 이 작품은 윤리의식의 부재를 문제 삼으면서 그것을 극복하는 방안을 제시하고 있다. 하지만 회복된 윤리가 현재적 관점에서 온당한 것인지에 대해서는 회의적인 면이 없지 않다. 이 논문에서는 그러한 문제를 집중적으로 조망해 보았다. 지금까지 논의한 것을 결론 삼아 요약하면 다음과 같다.

첫째, 조선후기 사회·경제상황과 작품의 형성 배경에 대해 살펴보았다. 조선후기는 농업과 상업을 통해 부를 축적한 하층민이 납속(納粟)·원납(願納) 등을 통하여 점차 하급양반으로 성장하였다. 특히 행정실무를 담당한 이들은 향권을 장악한 후 정치지금을 제공하는 등의 방식으로 중앙정계로 진출을 모색했다. 그래서 권문세가를 중심으로 부를 축적하여 군림하는 계층이 있었고, 중인이나 상민이 상거래와 교역을 통해 부를 축적한 후 유산계층으로 행세하는 경우도 있었다. 경제가 한쪽으로 집중되자 부정부패가 만연한 것은 자연스러운 현상이었다. 문제가 심화되자 피지배계층은 지배계층에 대한 불만을 토로하며 자의식을 키웠다. 이것은 비판의식의 함양과 함께 근대의식을 드러낸 것이기도 하다. 〈옹고집전〉은 이처럼 물질이 주자학적인 이념보다 유용하다는 사고가 작동하여 형성된 작품이라 하겠다.

둘째, 윤리의식의 부재와 극복방안에 대해 살펴보았다. 조선후기 유산계층이 대두되면서 옹고집과 같이 재물에 대한 집착이 강화된다. 자연스럽게 전통윤리는 물론 공동체문화를 거부하는 지경까지 이르게 된다. 오로지 자신의 안위를 위해 축재하는 일이 벌어지게 된다. 윤리적 부재가 심화되자 그를 시정·징치하려는 의식이 강화된다. 그렇게 해서 나타난 것이 바꿔 살아보기이다. 전도된 삶을 통해 하층은 상층의 부귀영화를, 상층은 하층의 고통을 엿볼 수 있게 한 것이다. 특히 하층에서 상층과 같은 삶이 가능하기를 소망한 것이라 하겠다. 결국은 가진 자를 끌어내려 하층부의 삶, 더 나아가 떠돌이로 살게 하여 현실을 제대로 인식하도록 한다. 가진 자들을 윤리적으로 재무장시킴으로써 바람직한 사회가 되기를 바란 것이다.

셋째, 윤리담론의 한계와 문학사적 의의를 조망해 보았다. 조선후기는 다양한 방법으로 신분상승을 기할 수 있었다. 옹고집도 신분이 상승한 재력가로 볼 수 있다. 그러한 옹고집이 불효·배불·물질숭배를 일삼다가 지탄의 대상이 된 것이다. 잘못된 것을 시정하여 바람직한 가정과 사회가 되기를 소망하면서 이 작품을 창작한 것으로 볼 수 있다. 하지만 옹고집에 대한 징치의 방법이 현실적이지 못하고, 그것도 마지막에 이르러 관용으로 모두 용서하면서 기존의 제도를 추수하고 만다. 이것은 개혁이나 비판의식 중세의 틀을 넘어서지 못했다는 점에서 이 작품의 한계로 지적할 수 있다. 결국 개혁적인 이념을 드러냈다가도 작품의 결말에서는 중세적인 사회질서, 즉 유교적인 상하제도의 사회로 복귀하고 만다. 이것이 이 작품이 근대를 지향하면서도 과거를 떨치지 못한 한계라 할 수 있다. 이 작품은 문학사적인 측면에서도 주목할 만하다. 이 작품이 창작된 조선 말기는 중세를 청산하고 근대를 모색하던 때이다. 그래서 중세와 근대적인 것이 혼효되어 나타나게 된다. 이 작품은 그러한 실태를 비교적 적절히 수렴하여 문학사적으로 유의미하다. 즉 중세의 주자학적 이념과 근대의 실용노선 병치가 그것인데, 옹고집이 근대적인 인물로 환치되지 못하고, 중세적인 인물로 회귀하는 것은 가치관의 혼란을 보이는 것이라 하겠다. 이것은 변혁기의 혼란을 현상 그대로 수렴한 것이라 할 수 있다. 따라서 이 작품은 중세와 근대의 접점 양상을 적절히 포착하여 중세와 근대의 과도기문학사를 대변하고 있다. 그것이 문학사의 흐름에서 이 작품이 갖는 의의라 할 수 있다.

〈심청전〉의 현실비판과 욕망담론

1. 머리말

2018년 6월, 한국의 산사 일곱 곳이 탁월한 보편적 가치와 개별유산의 진정성과 완전성을 인정받으며 유네스코 세계유산에 등재되었다.[136] 한국의 전통사찰 세계문화유산 등재는 우리나라 불교문화재가 문화유산으로서의 가치가 있음은 물론, 세계인들에게 한국의 문화를 선양할 수 있는 기회라는 점에서[137] 그 의미가 남다르다 하겠다. 문화유산은 세대와 종교를 넘어 모두가 함께 가꾸고 보호해야 할 자산이다.[138] 문화유산을 과거의 산물로 여긴다면 한국 전통사찰의 세계유산 등재는 무의미해질 수 있다. 우리 모두가 가꾸고 함께 향유하면서 그 가치를 제고할 때 더 빛을 발할 수 있다.

---

136) 2018년 6월 30일, 양산 통도사, 영주 부석사, 안동 봉정사, 보은 법주사, 공주 마곡사, 순천 선암사, 해남 대흥사가 한국의 13번째 유네스코 유산이 됐다.

137) 홍광표, 「한국사찰의 세계문화유산 등재를 위한 전략」, 『한국교수불자연합학회지』, 한국교수불교자연합회, 2010, 42쪽.

138) 문화유산은 나라의 이념과 정신, 전통이 고스란히 담겨있기에 사회와 집단의 지속가능한 발전을 가능하게 하는 원동력이 된다. (허권, 「유네스코 세계문화유산의 문화콘텐츠화 방안 연구」, 한양대학교 석사학위논문, 2010.)

〈떳다, 물에가 풍〉은[139] 전통사찰의 문화유산을 활용하여 만든 창작 판소리극이라는 점에서 주목된다. 이 작품은 판소리계 소설 〈심청전〉에[140] 김제 금산사 국보 제62호인 미륵전의 설화를 삽입하여 만든 작품으로, 고전소설과 판소리, 불교의 문화유산이 함께 어우러져 남다른 의미가 있다. 〈심청전〉은 그동안 다양한 형태로 각색되어 대중에게 공연되었다. 대표적인 작품으로 창극 〈청〉과 뮤지컬 〈인당수 사랑가〉를 들 수 있다. 1970년대부터 2000년대에 이르기까지 창극은 국립창극단을 중심으로 발전해왔다. 〈심청가〉, 〈효녀 심청〉, 〈청〉은 국립창극단의 대표적인 창극이다. 1989년 공연된 〈심청가〉와 1997년 공연된 〈효녀 심청〉은 전통적인 '효' 사상과 '권선징악'이라는 주제의식을 작품에 담았다. 이러한 주제의식은 2011년 공연된 〈청〉에 이르러 '효'보다는 이야기의 주인공인 '심청'이라는 인물이 지니는 개인적인 고뇌와 고독에 초점을 두게 된다.[141] 〈심청전〉의 본질인 '효' 사상을 하위에 둔 시도는 새로운 창극의 가능성을 열었다는 평가를 받았다.

뮤지컬 〈인당수 사랑가〉의 경우 2002년부터 2007년까지 7년 동안 수정과 보안을 거듭하며 기존 창극과는 전혀 다른 시도로 대중에게 선보였다. 〈인당수 사랑가〉는 〈춘향가〉와 〈심청가〉를 접합시켜 심춘향이라는 새로운 인물을 탄생시켰으며,[142] 사랑을 지키기 위해 죽음을 선택하

---

139) 본고에서는 안선우 작가의 텍스트를 자료로 삼았다.

140) 〈심청전〉은 80여 종의 필사본, 판각본, 활자본이 전한다. 수십 종의 이본중 경판본은 작품 전체가 효를 강조하는 유교적 이념과 숙명론적 운명관이 지배적인 반면, 완판본은 경판본보다 다양한 등장인물과 사건을 담고 있다. 본고에서는 완판본 71장을 텍스트로 삼았다.

141) 고광영, 「국립창극단 창극 〈심청가〉 연구」, 고려대학교 석사학위논문, 2015, 46-58쪽.

142) 최승연, 「고전의 해체와 뮤지컬적 감성의 내장 - 뮤지컬 키드의 전통 활용 방식에 대한고찰」, 『한국문학이론과 비평』 63, 한국문학이론과 비평학회, 2014, 365-367쪽.

는 비극적 결말의 파격적인 구성을 통해 〈심청전〉을 색다른 방향으로 끌어냈다.[143] 〈심청전〉을 텍스트로 한 창작극이 대중을 끌어들일 수 있는 이유는 〈심청전〉 내에 다양한 요소가 내재되어 있기 때문으로 볼 수 있다.[144]

〈떳다, 물에가 풍〉은 〈심청전〉의 '효'보다는 작품의 내면에 자리잡은 인간의 탐욕과 물질만능주의에 초점을 두었다는 점에서 차별화를 가진다.[145] 무엇보다 그것도 기층의 사찰문화와 접맥되었다는 점에서 주목할 만한 작품이라 하겠다.[146] 실제로 〈떳다, 물에가 풍〉은 사회문

---

143) 정명문, 「음악극 〈인당수 사랑가〉 연구」, 『우리어문연구』 39, 우리어문학회, 2011, 620-623쪽.

144) 서유경은 〈심청전〉 내에 대중성 추구가 가능한 속성으로 심청이 겪는 이별과 슬픔이 주는 눈물, 가난이라는 동정할 수밖에 없는 상황, 돈 문제라는 세태와 관련되는 서사를 들었다. (서유경, 「20세기 초 〈심청전〉의 대중성」, 『판소리연구』 42, 판소리학회, 2016, 302쪽.)

145) 〈심청전〉의 연구는 〈심청전〉의 인물연구를 비롯하여 창극을 비롯한 현대적 수용양상 등 다양한 시각에서 논의되어 왔다. 이러한 논의는 모두 〈심청전〉을 이해하고 전승하는데 유용한 성과라 할 수 있다. 주형예, 「19세기 판소리계 소설 〈심청전〉의 여성재현 - 공감과 불화의 재현 양식」, 『한국고전여성문학연구』 14, 한국고전여성문학회, 2007; 최기숙, 「효녀 심청의 서사적 탄생과 도덕적 딜레마 - 감성적 포용과 전향의 맥락」, 『고소설연구』 35, 한국고소설학회, 2013; 신호림, 「〈심청전〉에 대한 현대적 상상력과 스토리텔링 전략 - 영화 〈마담뺑덕〉(2014)을 대상으로」, 『동양고전연구』 66, 동양고전학회, 2017; 하경숙, 「뺑덕어미의 인물형상과 현대적 변용양상」, 『동양문화연구』 19, 동양문화연구원, 2014; 최상민, 「최인훈의 '심청' 재현과 의미」, 『한민족어문학』 49, 한민족어문학회, 2006; 장혜전, 「〈심청전〉을 변용한 현대희곡 연구」, 『기전어문학』 12-13, 수원대학교 국어국문학회, 2000; 유영대, 「창극의 전통과 새로운 무대: 국립창극단의 창극〈청〉을 중심으로」, 『판소리연구』 27, 판소리학회, 2009; 김예숙·윤필상, 「국립창극단 〈심청가〉의 비극적 표현양상 연구」, 『한국학연구』 55, 2015; 김용범, 「국가 브랜드로서의 창극의 새로운 가치에 대한 연구」, 『한국언어문화』, 한국언어문화학회, 2004; 권기성, 「잡극 〈심청왕후전〉의 계열 추정과 개작의 의미」, 『어문논집』 61, 중앙어문학회, 2015; 김기형, 「국립 창극단 공연 '창극 대본'의 현황과 특징」, 『판소리연구』 38, 판소리학회, 2014; 서연호, 「창극 발전의 새로운 방향과 방법 재고」, 『판소리연구』 2, 판소리학회, 1991; 서유경, 「근대시기 〈심청전〉 극적 변용의 두 양상」, 『고전문학과 교육』 33, 한국고전문학교육학회, 2016.

제를 풍자할 수 있는 색다른 인물을 탐색하고, 〈심청전〉에 내재되어 있는 참된 개안의 의미에 초점을 두되 현대적 시각에서 새롭게 모색했다는 점에서 관심을 가질 만하다. 본고에서는 이러한 점에 주목하여 〈심청전〉을 변용한 창작 판소리극 〈떴다, 물에가 풍〉의 문학적 실태와 지향의식을 고찰해 보고자 한다.

2. 〈심청전〉의 변용배경

문화재청은 문화유산의 가치 확대를 위해 대중이 참여하고 즐기는 문화유산 보호 활동 정책을 펼치고 있다.[147] 대대로 계승되는 국보와 보물을 잘 보존하여 후손에게 물려주는 것은 물론, 문화재 활용을 통해 모두가 참여하여 즐기는 것이 최대의 보존 가치로 보고 시민과 함께 향유하는 다양한 문화재 체험프로그램을 운영하고 있다. 2018 전통산사 문화재는 전국의 사찰을 중심으로 역사적·예술적·학술적·경관적 가치를 활용한 새로운 문화재 향유 프로그램이다. 한국의 전통산사에 계승되는 인문학적 유산을 대중화·세계화하여 전통산사의 가치와 우수성을 널리 알리고, 다채로운 체험 활동으로 산사 문화재에 친근하게 다가갈 수 있도록 의도한 것이다. 김제 금산사에서 공연한 〈떴다, 물에가 풍〉은

146) 우한용은 창극이 관객에게 다가가기 위해서는 현대 관객의 언어와 기대를 고려한 과감한 변형과 재창조가 필요함을 강조하면서 해석의 다양성을 보장하는 창극을 모색할 필요가 있다고 강조하였다. (우한용, 「창극의 소통구조와 언어미학」, 『국어국문학』 145, 국어국문학회, 2007, 11쪽.)

147) 문화재청은 궁중문화축전, 문화재 야행, 생생문화재, 전통산사문화재, 살아 숨 쉬는 향교·서원 등 문화재를 중심으로 다양한 문화유산 프로그램을 운영하고 있다.

그중의 하나이다.

〈떴다, 물에가 풍〉은 2018 전통문화재 활용 사업의 일환으로 전북지역에서 활동하는 젊은 소리꾼들에 의해 창작되고 공연되었다.[148] 이 작품은 판소리 다섯마당 중 불교적 색채가 짙은 〈심청전〉에 김제 금산사 미륵전 설화를 삽입하여 진정한 자유는 육체적 개안이 아니라 마음의 개안을 통해서만 구현할 수 있음을 보여주고자 했다. 이 작품에 담긴 김제 금산사 미륵전 설화의 내용을 정리하면 다음과 같다.

> 옛날에 미륵전이 세워지기 전에 이곳에 큰 연못이 있었는데, 연못을 메우고 금산사를 세워야 했다. 이 연못을 메우기 위하여 전국적으로 몹쓸 병에 걸린 사람들에게 숯을 가지고 와서 연못에 넣어 메우면 병이 낫는다 하여 병에 걸린 사람들이 모여들어 그렇게 했다. 그런 다음 여기에 미륵전을 세웠다.[149] … ①
>
> 김제 금산사의 미륵전에는 미륵불상 밑으로 가마솥처럼 생긴 연화좌대가 있다. 이 연화좌대에 손을 얹고 소원을 빌면 소원이 이루어진다는

148) 창작 판소리극 〈떴다, 물에가 풍〉은 연출 송봉금, 극본 안선우, 심봉사 정보권, 심청 진은영, 안봉사 민석준, 월매 김혜련이 맡았다.
이 작품을 쓴 안선우 작가는 문화예술공작소 대표 극작가로 활동 중이며, 2005년 단편영화 〈새장 속에 새는 궁금하지 않다〉, 판소리극 〈화용도〉, 2018 전주한옥마을 〈왕과의 산책〉 등을 썼으며, 2016년 국립무형유산원 '전통공연 연출가 발굴공모전'에서 최우수작품상을 수상하였다.

149) 금산사의 미륵전은 우리나라 사찰 건물 중 유일한 3층 건물로, 1층 대자보전, 2층 용화지회, 3층 미륵전의 층별로 다른 편액을 달았다. 미륵전 안에 모셔져 있는 미륵불은 12m로 동양 최대라 한다. 전설에 의하면 원래는 숯으로 메운 연못 한가운데다가 연꽃 모양을 조각한 큰 바위를 세웠으나, 무슨 조화인지 석련대(石蓮臺)는 밤사이에 20여 미터나 떨어진 위치(현재 석련대가 있는 위치)로 옮겨져 버렸다고 한다. 이때 진표율사의 꿈에 미륵이 현몽하여 돌은 불에 들어가면 튀는 법이므로 솥을 걸고 그 위에 부처님을 세우면 바로 서리라고 하여 무쇠솥을 걸고 그 위에다 우물 정(井)자 형태의 나무 받침목을 얹은 다음 철로 된 미륵불상을 세웠다고 한다. (문화재청, 「미륵보살 만지면 소원성취한다」, 『호남 문화유산 이야기 여행』, 2011, 562쪽.)

전설이 전해온다. … ②

①의 내용은 미륵전이 세워지게 된 경위를, ②의 내용은 연화좌대에 얽힌 설화의 내용이다. ①, ②의 내용을 구체적으로 살펴보면 다음과 같다.

> 전설에 따르면 옛날 금산사 터에 용이 아홉 마리 살고있는 용추라는 깊은 연못이 있었다고 한다. 백제 때 진표율사가 절을 중창하려고 와서 보니 깊은 연못 한가운데 바위도 둥둥 떠오르게 할 만큼 힘찬 물줄기가 끊임없이 용솟음쳐 올라오고 있었다. 진표율사는 그 연못을 흙과 돌로 메꾸고 절을 지으려고 했다. 하지만 연못에 흙과 돌을 갖다 퍼부어도 연못이 깊어 메꿔지지 않았다. 진표율사는 승려들을 시켜 용추 연못에 숯을 던지고 몸을 씻으면 온갖 질병이 낫고 우환이 없어지며 재수 좋은 일이 생긴다는 소문을 냈다. 그 소문을 듣고 백 리 밖에서 많은 사람들이 몰려와 연못에 숯을 던졌다. 많은 사람들이 와 연못에 숯을 던져 연못은 모두 숯으로 메워졌으나 연못 한가운데 있는 물이 용솟음쳐 올라오는 곳은 숯으로 덮을 수 없었다. 진표율사는 돌로 연화대를 깎아 물이 용솟음치는 곳을 막아 뚜껑으로 삼고 미륵불상을 떠받칠 수 있는 연화좌대를 만들었다. 그런데 한밤중에 별안간 벼락이 치는 듯한 소리가 나면서 물 구멍을 막아두었던 연화좌대가 솟구쳐 수십 미터나 떨어진 마당 귀퉁이에 떨어졌다. 진표율사는 다시 구리로 큰 가마솥을 만들어 용천수가 올라오는 구멍을 막고 그 위에 미륵불상을 세웠다.[150)]

금산사 미륵전에는 질병에 시달리거나 현실의 삶이 힘든 이들이 연못에 숯을 던지고 몸을 씻으면 질병과 우환이 없어지며, 미륵불을 받치고 있는 연화좌대에 손을 얹고 소원을 빌면 그 소원이 이루어진다는

150) 이야기 자료 제공, 최진규(59세), 서울 종로구 평창동.

설화가 전해진다. 〈떳다, 물에가 풍〉은 심봉사, 심청과 같이 어려운 현실을 살면서 희망을 바라는 민중의 소망을 금산사 미륵전 설화를 통해 담아냈다. 뿐만 아니라 심청의 탄생과 심봉사의 개안에 개연성과 상징적 의미를 부여하는 것도 금산사 미륵전이다.

> (안봉사) 한번은 심봉사, 곽씨 부인과 함께 이곳 금산사에 온 일이 있었소. 이 미륵전 안에는 미륵불상이 있는데, 그 밑에 가마솥처럼 생긴 연화대라는 것이 있다오. 그 연화대에 가만히 손을 얹고 소원을 딱 한 가지만 빌면 그 소원이 이루어진다고 하더이다. 심봉사, 연화대에 손을 얹고 부디 귀한 자식 하나 점지 해주십사~ 정성스럽게 빌고 또 빌었제.[151]

심청은 기자 치성으로 태어난 인물로 심봉사의 개안을 위해 마음과 정성을 다한다. 효심이 강한 심청은 금산사의 연못물로 아버지의 눈을 씻기며 아버지의 개안을 간절히 바란다. 심청의 효심이 현실적 요소라면 금산사의 연못물은 상징적 의미를 지닌다. 물은 영원한 생명력의 상징이자 더러운 것을 깨끗하고 맑게 하는 속성을 가지기 때문이다. 심청은 인당수 물을 통해 새로운 삶을 얻게 되고, 심봉사는 금산사 연못물로 눈을 씻고 자기 깨달음을 통한 마음의 눈을 뜬다.

〈떳다, 물에가 풍〉은 심청의 효심과 물의 상징성에 큰 의미를 두고 창작되었다. 물의 상징은 자신의 마음을 정화하고 더 나아가 현대사회의 물질만능주의를 경계하는 범위까지 확대된다. 이 작품은 해학적으로 물

151) 명산딕찰 영신당과 고뫼층사 셩황사며 졔불보살 미력임과 칠셩불공 나흔불공 졔셕불공 신중마지 노구마지 탁의시주 인등시주 창오시주 갓갓지로 다 지닉고…(김진영 외, 『심청전전집』 3, 박이정, 1998, 213쪽.) 〈심청전〉에서도 심봉사와 곽씨부인이 미륵불에게 기자 치성을 드리는 내용을 확인할 수 있다.

질만능주의 사회를 풍자하고 있지만, 심청의 출생, 심청과 아버지의 만남, 심봉사가 깨달음을 통해 가는 과정을 통해 중생구제는 물론, 물질만능주의의 풍토가 정화되기를 바라고 있다. 이러한 관점에서 〈떴다, 물에가 풍〉은 〈심청전〉에서 중시하는 효의 의미를 되새기고, 현대적인 문제를 해결할 방안을 금산사 미륵전 설화를 활용하여 모색한 것이라 할 수 있다.

3. 〈떴다, 물에가 풍〉의 구성과 인물

〈심청전〉은 윤리적으로는 심청의 효를 바탕에 두고 있으며, 효의 실현을 통해 심청의 신분상승과 심봉사의 개안이라는 민중의 염원을 담아냈다. 〈심청전〉은 시대의 변화에 따라 사회적 분위기를 반영하며 사건과 인물의 성격이 다양하게 패러디되어 왔다.[152] 그러한 전통에 따라 〈떴다, 물에가 풍〉에서도 전체 구성과 인물의 성격에 변화를 주었다. 따라서 극적 구성과 인물의 변용에 대하여 살펴보고자 한다.

1) 극적 구성

〈심청전〉과 〈떴다, 물에가 풍〉 두 작품 모두 곽씨부인의 죽음, 심봉사의 신체적 결함, 심청의 인제수가 동일하다. 먼저 작품의 이해를 위

---

152) 1970년대 최인훈이 발표한 희곡 〈달아 달아 밝은 달아〉 또한 효녀 심청을 창녀로 형상화하여 70년대 산업화 속에서 빚어지는 인간의 물욕 등 당대 사회의 사회 부조리를 보여주고자 했다. (김미영, 「〈심청전〉의 현재적 변모 양상에 대한 연구」, 『한중인문학』 14, 한중인문학회, 2005, 138쪽.)

해 두 작품의 줄거리를 제시한다. 먼저 〈심청전〉의 서사구조를 편의상 넷으로 나누고 각기 개조식으로 정리하면 다음과 같다.

탄생과 봉양

① 심봉사와 곽씨부인의 치성으로 심청이 태어난다.
② 심청이 태어나자 곽씨부인이 죽고, 심봉사가 심청을 동냥으로 키운다.
③ 심청이 자라 동냥으로 심봉사를 봉양한다.

시주와 이별

④ 심봉사가 개천에 빠져 몽운사 화주승에게 구출되고 공양미 삼백 석의 시주를 약속한다.
⑤ 심청이 남경상인에게 제수로 몸을 팔아 공양미 삼백 석을 마련한다.
⑥ 심청이 제수로 인당수에 빠져 용궁으로 인도된다.

변신과 탐부(探父)

⑦ 심봉사가 딸을 잃고 슬퍼하는 가운데, 뺑덕어미를 첩으로 들인다.
⑧ 심청이 꽃 속에 담겨 환세한다.
⑨ 심청이 황후가 된 후 아버지를 찾는다.

재회와 개안

⑩ 심청이 황후가 되어 맹인잔치를 연다.
⑪ 심봉사는 가산을 탕진하고 맹인잔치에 참여하기 위해 황성으로 향한다.
⑫ 심봉사와 심청이 상봉하고 심봉사가 눈을 뜬다.

〈심청전〉의 전반부는 심청의 탄생, 곽씨부인의 죽음으로 심봉사와 심청의 고난이 그려진다. 심청이 성장하여 아버지를 봉양하게 되면서 안정을 되찾지만, 부녀의 행복은 오래가지 못한다. 심봉사와 몽운사 화주승과의 만남으로 사건이 전환되기 때문이다. 심봉사의 욕심이 불러온 공양미 삼백 석의 약속으로 심청이 인당수 제물로 팔려가게 되어, 결국 심청과 심봉사는 이별을 맞이한다. 아버지가 공양미 삼백 석의 시주로 개안하고 끼니 걱정 없이 잘 살기를 바랐던 심청의 염원과는 달리 심봉사는 뺑덕어미를 첩으로 들여 재산을 모두 탕진하고 고향을 떠난다. 반면 심청은 인당수에 빠졌지만 천우신조로 황후가 되어 새로운 삶을 산다. 황후가 된 심청은 맹인잔치를 열어 그토록 꿈꾸었던 아버지를 만나고 심봉사 또한 반가움에 개안하여 행복한 결말을 맺는다. 이를 도식화하면 다음과 같다.

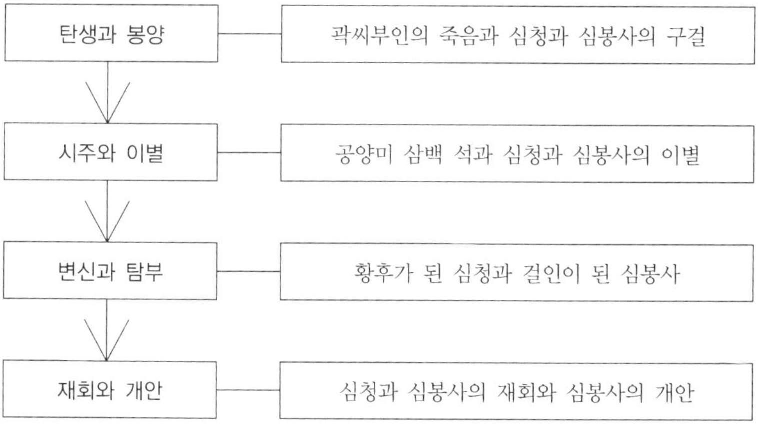

위에서 보듯이 〈심청전〉은 크게 네 단계로 나눌 수 있다. 이러한 네 단계에 부속적인 사건이 배치됨으로써 서사적인 묘미를 발휘하는 것이 이 작품의 특징이다. 물론 그 근저에는 심청의 효행이 깔려 있지만 출생에 의한 만남, 시주에 의한 이별, 잔치에 의한 만남으로 기본적인 줄거리를 확보하고 있다. 이 기본 줄기를 바탕으로 다른 부속적인 것들이 가미되거나 탈락되면서 심청의 이야기는 지속적으로 재 가공되어 왔다. 그러한 사정을 잘 보이는 것 중의 하나가 바로 〈떳다, 물에가 풍〉이다.

다음으로 〈떳다, 물에가 풍〉의 전체적인 내용을 살펴보고자 한다. 연극에서 공연된 희곡이라는 점에서 장이 구획되어 있기에 그 기준에 따라 내용을 정리해 본다. 이는 자연스럽게 극적 구성을 확인하는 것과 상통한다. 네 개 장의 줄거리를 역시 개조식으로 요약하면 다음과 같다.

– 1장 –

① 안봉사와 월매는 심봉사를 찾아 금산사에 도착한다.
② 안봉사는 월매에게 심봉사와 금산사의 관계에 대해 이야기를 들려준다.
③ 월매는 안봉사에게 심청이 덕분에 잘 먹고 잘살게 되었다고 자랑한다.
④ 안봉사는 월매에게 허구한 날 돈타령만 한다고 나무란다.
(안봉사와 월매 퇴장, 심봉사 등장)
⑤ 심봉사, 보자기에 싼 갓난아기를 안고 좋아한다.
⑥ 맑은 연못처럼 깨끗한 마음을 가지고 살라는 의미에서 아이의 이름을 심청이라 지어준다.
⑦ 삼신제왕께 심청이 건강하고 행복하게 자라달라고 빈다.

– 2장 –

① 안봉사는 심봉사의 집을 찾아 곽씨부인의 안부를 묻는다.
② 심봉사는 곽씨부인을 불러 보지만 곽씨부인은 심봉사가 약을 지러 간 사이 숨을 거둔다.
③ 심봉사는 어린 청이를 안고 자신이 잘 키울 것을 다짐한다.

(심봉사가 창을 부르는 사이 심청이 자라 연못에서 물을 뜨며 등장한다.)

④ 심청은 금산사의 연못물이 아버지의 눈을 뜨게 해 줄 것이라 믿고 심봉사의 눈을 씻겨준다.

⑤ 한편 심봉사는 화주승에게 공양미 삼백 석을 약속한 일로 답답해 한다.

⑥ 심청은 심봉사에게 공양미 삼백 석을 받고 자신이 남경상인에게 인당수 제수로 몸을 팔았다고 말한다.

⑦ 심청은 행선 날 심봉사와 이별한다.

– 3장 –

① 안봉사는 반나절 전에 심봉사가 미륵전을 다녀간 사실을 확인한다.

② 월매는 돈을 아껴 심봉사를 놓친 것이라며 안봉사를 구박한다.

③ 안봉사는 돈만 중시하는 월매를 나무란다.

④ 안봉사와 월매는 다시 심봉사를 찾으러 길을 떠난다.

– 4장 –

① 심청은 황후가 되어 아버지를 그리워한다.
(심청의 퇴장과 안봉사, 월매의 등장)

② 안봉사와 월매는 심봉사가 맹인잔치에 참여하였는지 확인한다.

③ 심청이 나타나자 월매와 안봉사는 몸을 숨긴다.

④ 심청은 심봉사를 보고 처자유무와 가세 형편을 고하도록 명한다.

⑤ 심청은 심봉사의 이야기를 듣고 아버지임을 확인한다.

⑥ 심봉사는 심청이 살아있음을 확인하고 눈을 뜨지만 여전히 앞을 못본다.

⑦ 심봉사는 앞을 볼 수 없으나 심청을 위로하고 마음의 눈을 떴다며 기뻐한다.

⑧ 한편 월매는 심봉사에게 잘못한 일이 많아 안봉사와 도망간다.

⑨ 심봉사는 심안으로 진정한 세상을 볼 수 있게 되었다며 기뻐한다.

이처럼 〈떳다, 물에가 풍〉도 총 4장으로 구성되어 있다. 1장은 심청의 탄생에 미륵전의 설화를 가미하여 심청이 태어난 사연을 부연하였다. 2장은 곽씨부인의 죽음, 심청이 아버지의 개안을 위해 애쓰는 모습과 인당수 제물로 팔려가는 내용이 그려지며, 3장은 〈심청전〉에 내재되어 있는 물질만능주의에 대한 사회적 분위기를 현대적 관점에서 비판하고 있다. 4장은 심청과 심봉사의 부녀 재회가 이루어지지만, 심봉사의 개안은 이루어지지 않고 마음의 눈만 뜬다. 이상의 내용을 앞에서처럼 도식화하면 다음과 같다.

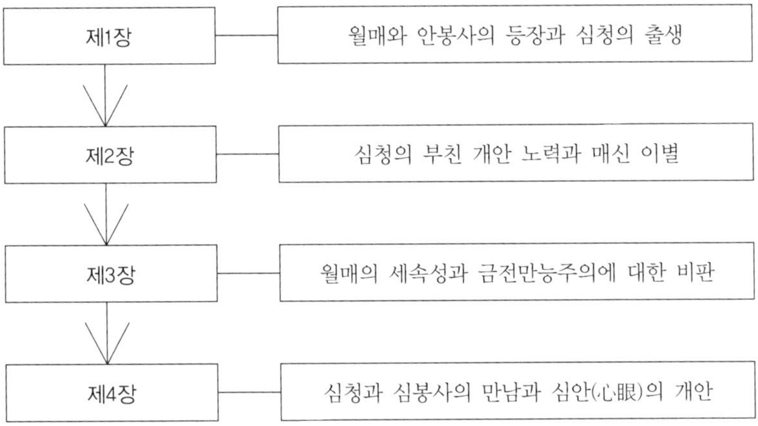

이상에서 보듯이 이 작품도 크게 네 개의 단계로 구획될 수 있다. 첫 장면에서는 내레이터와 같은 입장에 있는 월매와 안봉사가 심청의 출생 내력을 안내하고 있다. 심청이 금산사 미륵전과 관련되어 있음을 제시하면서 그녀의 특이한 출생을 강조한다. 이 첫 장면은 기존의 〈심청전〉 작법에서 크게 벗어나 있다. 그것은 작품 후반에나 나올 안봉사와 월매가 등장하여 〈심청전〉을 소개하는 듯한 작법을 구사했기 때문이다.

이것은 기존의 〈심청전〉을 낯설게 함으로써 수용의 묘미를 더한 것으로 볼 수 있다. 익히 아는 것에 변화를 주어 생경함과 함께 신선함을 제공하기 위함이라 하겠다.

두 번째 장에서는 개안을 위한 노력을 금산사와 연계시키고 있다. 심봉사의 개안을 위해 심청이 기울이는 노력이 금산사의 연못물로 눈을 씻기는 것이기 때문이다. 그래서 기존의 작품에다 공연의 주체이면서 장소인 금산사의 설화를 개입시켜 자사(自寺)의 선양은 물론, 기존 작품을 일신하여 수용하는 효과를 거두고 있다. 단순히 기존 작품을 공연하는 것은 전통의 계승이라는 강점은 있지만 현실과 괴리되는 내용이 문제일 수 있다. 또는 기존의 것을 그대로 활용하면 공연의 목적에 부합되지 않을 수 있다. 그러한 문제를 극복하는 방안으로 기존의 작품을 새롭게 해석하고, 그곳에 새로운 내용을 덧보태 전통을 변용하는 것이다. 이 작품도 그러한 일환으로 금산사의 설화를 적극적으로 활용하였다. 어차피 〈심청전〉이 기존의 몇몇 설화를 엮은 구조물임을 상기하면 이러한 방법도 전통을 계승하는 일환이라 하겠다. 그러한 점에서 2장의 희곡적 각색이 의미를 갖는다 하겠다.

세 번째 장은 파격적인 인물에다 세속성을 가미하여 현대적인 관점에서 경각심을 갖도록 했다. 〈심청전〉의 뺑덕어미는 아주 세속적인 인물로 경제적인 이익에 따라 행동한다. 그리한 인물을 〈춘향전〉에서 동등하게 기능하는 월매로 개명하였다. 그것은 〈심청전〉을 계승하면서 〈춘향전〉을 생각할 수 있도록 하는 중의적인 뜻에다가 '월매'와 '얼마'의 비슷한 발음을 통해 돈만 추구하거나 물질만 탐하는 인물을 경계한 것이기도 하다. 이 3장은 기존의 작품과는 다르게 형상화한 데다 오로지 금전의 문제만을 집중적으로 다루었다는 점에서 배금사상에 대한 문제를 전격적으로 풍자한 것이라 하겠다. 〈심청전〉에서 이면에 자리했던 것을 표면에 내세워 집중적으로 다룬 것은 세태비판적인 희곡을 지향하며 나타난 것이라 하겠다.

네 번째 장은 새롭게 태어난 심청이 심봉사를 만나는 대목이다. 이곳에서는 그간 관찰자로서, 또는 심봉사에 대한 가해자로서 활약했던 월매가 도망하는 것으로 퇴장하고 그녀와 동행했던 안봉사도 함께 사라진다. 심청을 만난 심봉사는 반가운 마음에 마음이 들떠 눈을 뜨지만 그것은 말 그대로 심안이다. 물리적으로 눈을 뜰 수 없다고 생각하여 마음을 바꾸는 것으로 개안을 대신한 것이다. 현대를 살면서 알게 모르게 자행했던 그간의 잘못을 마음의 눈을 뜸으로써 극복하도록 한 것이다. 심봉사의 암흑적인 삶은 곧 현대인의 복잡한 심리상태를 상징하는 것이라 하겠다. 그래서 그 마음의 눈을 떠야 진정한 광명을 찾을 수 있음을 보인 것이다. 기존의 〈심청전〉에다 파격을 주어 현대적으로 유용한 텍스트가 되도록 한 것이다.

2) 인물의 양상

(1) 심청

〈심청전〉 대부분의 이본에서는 심청의 성품을 맹인 아버지의 개안을 위해 스스로 목숨을 바치는 효녀로 그려진다.[153] 하지만 현대에 들어와서 심청의 희생 행위를 효로 보아야 할 것인가를 두고 의문을 제기한다.[154] 이러한 의문은 심청의 무조건적인 희생과 심봉사의 개안에 대

153) 유귀영, 「심청전에 나타난 인물 형상화 연구」, 경북대학교 석사학위논문, 2008, 25쪽.
154) 김병임, 「〈심청전〉의 패러디 연구」, 숙명여자대학교 석사학위논문, 2001, 67-79쪽.

한 욕망, 뺑덕어미의 이기주의 성향에 바탕을 두고 있다. 〈떴다, 물에가 풍〉은 이기주의와 물질만능주의의 세태를 풍자하고 있지만, 〈심청전〉의 원작 그대로 심청의 효를 아버지에 대한 무조건적인 사랑으로 승화시킨다.

> (심청) 여기 동네사람들 하는 말이, 이 금산사 연못에 숯을 넣고 그 물로 눈을 씻으면 눈병이 절로 낫는다 하더이다.
> (심봉사) 이 금산사 연못물로 씻는다고 내 눈이 떠질까?
> (심청) 아버지 그런 말씀 마세요. 혹시 또 모르죠! 이 물로 정성스레 눈을 씻고 씻으면 하늘이 감동해서 그 눈이 번쩍 떠질지도!

심청은 금산사 연못물로 아버지의 눈을 세 번 씻겨드리면 아버지가 개안할 것이라는 희망을 갖는다. 심청의 믿음은 미륵이 도솔천에 하행하여 세 번 설법하면 중생을 구제할 수 있다는 신앙에 근거하며, 한편으로는 금산사 미륵전의 영험을 배경으로 한 것이다. 심봉사는 심청의 목숨과 맞바꾼 공양미 삼백 석을 시주하지만, 육체의 개안이 아니라 마음의 개안을 통해 참된 삶의 의미를 깨닫게 된다. 심청이 아버지를 위한 간절한 염원이 〈떴다, 물에가 풍〉에서는 금산사의 연못물에 담겨 있다. 이때 금산사 연못물은 중생을 구제하는 생명수로 작용한다. 곧 심청이 아버지를 위해 행하는 참된 효는 심봉사가 마음의 개안을 통해 참된 행복을 얻는 미륵의 중생구제로 이어진다. 〈떴다, 물에가 풍〉은 심청을 영원히 변하지 않는 진정한 효를 실현하는 인물로 형상화하되, 그 방법에서는 기존과 차별화를 두었다.

(2) 심봉사

〈심청전〉의 심봉사는 신체적 결함을 가진 비운의 인물이자, 다양한 시각에서 비속하고 희화화된 인물이다. 그의 신체적 결함으로 심청이 아버지 생계를 위해 동냥을 해야 했다. 끼니를 걱정하는 삶 속에서 심봉사는 자신의 개안을 위해 어떠한 노력도 간절한 소망도 갈구하지 않으며 순간의 욕심으로 몽운사 화주승에게 공양미 삼백 석을 약속한다. 심봉사 개인의 욕망은 끝내 심청을 죽음으로 몰아간다. 하지만 〈떴다, 물에가 풍〉에서는 마음의 눈이 열리는 것으로 제시하면서 심봉사를 새롭게 해석하고 있다.

> (월매) 심봉사 그 양반 … 돈만 많았지, 차므로 답답한 양반이었제. 닫힌 눈 맹키로 입도 꽉 닫혀서는 … 맨날 한숨만 푹푹 쉬어쌌고 … 내가 더 이상은 폭폭시라 못살겠다 싶더러고.

인용문을 통해 알 수 있듯이 〈떴다, 물에가 풍〉의 심봉사는 〈심청전〉의 심봉사와는 다른 면모를 보인다. 〈떴다, 물에가 풍〉의 심봉사는 자신의 욕망에서 벗어난 인물로 탐욕적이고 비속한 인물이 아니다. 오히려 그는 자신을 위해 죽은 심청을 그리워하며 하루하루를 죄책감으로 살아가는 순수한 아버지의 모습을 보인다. 또한 맹인잔치를 향해 가는 여정에서도 알 수 있듯이 〈심청전〉의 심봉사는 뺑덕어미에게 버림받고 동네 아낙들을 농락하는 비속한 인물로 그려지지만,[155] 〈떴다, 물에가 풍〉의 심봉사는 오로지 심청을 그리워하는 인물로 형상화된다.

---

155) 심봉사의 탐욕과 비속함은 방아타령을 통해 알 수 있다.

가장 큰 변화는 〈심청전〉의 심봉사가 딸을 만난 기쁨과 놀라움에 육체적 개안을 했다면, 〈떴다, 물에가 풍〉의 심봉사는 마음의 개안을 했다는 점이다.

(심청) 아버지 … 보이시지도 않으시면서 왜 자꾸 보인다 하십니까 …
(심봉사) 두 눈으로 보이지 않아도 볼 수 있는 것이 이리 많았는데 … 오늘에야 알았어. 눈은 너의 어미를 닮아 초롱초롱 별을 박은 듯 빛이 나고, 코는 샐쭉하니 곧게 뻗은 것이 꼭 나를 닮았다. 청아. 이제 애비는 눈으로 보지 않아도 네가 보여.
(심청) 아버지 … 대체 그것이 무슨 말씀이신지요.
(심봉사) 내가 보려고 한 것들, 내가 보려고 한 세상말이다. 눈으로 모든 걸 볼 수 있을 줄로만 알았다. 눈이 안 보이기에 아무것도 볼 수 없다 여겼다. 내가 내 마음의 무명에 스스로 갇혀있었음을 너로 하여 알았다.
(심청) 아닙니다. 아버지 … 아버지 … 결국 제 효심이 부족한 것이지요.
(심봉사) 허허, 아니래두. 오늘에야 이 애비는 마음의 눈을 뜬 것이야.

인용문을 통해 알 수 있듯이 〈떴다, 물에가 풍〉의 심봉사는 자신의 욕망에서 벗어나 스스로 만족함을 아는 인물로 형상화되었다. 이러한 새로운 인물로의 형상화는 자신의 삶에 만족할 줄 모르는 현대인들에게 오유지족(吾唯知足)의 깨달음을 전하기 위함이라 하겠다.

(3) 뺑덕어미와 월매

〈심청전〉의 뺑덕어미는 현실적이며 물질지향의 인물로 심봉사를 파행으로 치닫게 만드는 악인이다. 뺑덕어미는 심봉사의 첩으로 들어와 심청이 아버지를 위해 마련해 준 가산을 모두 탕진하는가 하면, 음탕하여 도덕적으로 지탄받는 여인이기도 하다. 뺑덕어미의 요부적인 기질과 물질지향적인 면이 〈떳다, 물에가 풍〉에서는 월매로 재탄생된다. 월매는 〈춘향전〉에서 춘향의 어머니이지만, 현대사회의 물질만능주의를 우회적으로 표현한 '얼마에요?'에 해당하는 사투리 '월매요?'를 전제하여 뺑덕어미를 월매로 바꾸었다.

> (안봉사) 그려! 그랴서 당신 이름이 월매제. …(중략)… 누가 비싼 가방 들고 다니믄 다짜고짜 쫓아가서 어이~ 이거 월매여? 누가 집 샀다고 허믄 그 집 찾아가서 어이! 이 집은 월매여? 이제가면 언제 오나~ 상여 들고 무덤가고 있는 상여꾼들 헌티 가서 어이~ 이 상여는 월매여? 그랴서 당신 이름이 월매인거시제.

가슴에 통장을 주렁주렁 달고 통장의 잔고가 늘어나는 행복으로 사는 월매는 사랑보다는 돈을 세상에서 가장 중요한 것으로 생각한다.

> (월매) 돈이다 세상은 돈이다. 돈이다 세상은 돈이다. 돈으로 돌고 도는 세상 돈이다. 하나부터 열까지 모두 다 돈이다. 돈이 없어 불행하고 돈이 있어 행복하고 돈이다 세상은 돈이다. 돈이다 세상은 돈이다. 돈 때문에 사랑하고 돈 때문에 이별하고 돈이다 세상은 돈이다 돈 있어야 시간 있지 돈 없으면 자유 있나 세상은 돈이다 세상은 돈이다. 돈으로 돌고 도는 세상은 돈이다. 세상은 돈이다 세상은 돈이다.

인용문을 통해 알 수 있듯이 월매는 돈이면 세상 무엇을 다 가질 수 있다는 신념에 사로잡힌 인물이다. 돈 때문에 웃고 우는 현대사회의 병폐를 풍자와 해학으로 담아 표현한 것이다. 〈심청전〉의 뺑덕어미가 자신의 안위만 생각하는 요부적인 인물이었다면, 〈떴다, 물에가 풍〉의 월매는 물질을 우선시하는 사회 풍조를 반영한 인물이라 하겠다.

(4) 안봉사

안봉사는 〈심청전〉에서 위기에 처한 심봉사를 구하는 인물이다. 또한 심봉사가 나쁜 꿈을 꾸고 죽을 걱정을 하자 좋게 풀이하여 심봉사에게 희망을 주기도 한다. 그래서 뺑덕어미와는 상반된 인물이다. 〈심청전〉의 안봉사가 심봉사에게 구원자적인 인물이라면, 〈떴다, 물에가 풍〉에 와서는 전혀 다른 인물로 각색된다. 그는 월매와 함께 세태풍자의 중요 대상인물로 형상화된다. 〈떴다, 물에가 풍〉의 안봉사는 몰락한 양반으로 심봉사와 절친한 친구이다. 친구로서의 인간적인 면모는 그가 심봉사의 집을 찾아가 곽씨부인의 안부를 묻기도 하고, 곽씨부인의 죽음을 같이 슬퍼해 주는 상황을 통해 확인 할 수 있다. 하지만 〈떴다, 물에가 풍〉의 안봉사는 극 초반부터 월매와 흥겨운 장단에 춤을 추며 등장하여 선정적으로 행동하는데 이는 문란한 현대사회를 풍자한 것이라 하겠다.

> (안봉사) 무릇 남자가 둥지를 떠날 적엔 아랫도리를 조심하라 하였거늘 여긴 오신 남정네들, 다들 아시겄소? 어찌 대답들이 시원찮은가.

안봉사는 몰락양반으로 겉으로는 물질을 우선시하는 세태를 안타까워하지만 양반으로서의 위엄과 소신을 지키지 못하고 월매의 경제력에 이끌려 행동할 따름이다. 안봉사 역시 물질을 좇는 세속적인 인물에 지나지 않는다.

(월매) 돈 꽃으로 피어있는 화려하고 비정한 저 세상을 보아라. 결혼을 하려면 무엇이 필요한가 돈!
(안봉사) 사랑!
(월매) 자식을 키우려면 무엇이 필요한가 돈!
(안봉사) 정성!
(월매) 꿈을 이루려면 무엇이 필요한가 돈!
(안봉사) 열정!
(월매) 돈이 있는 자와 없는 자 세상에서 누가 더 자유로운가.

안봉사는 극중 관객에게 심봉사와 곽씨부인의 관계, 심청의 탄생 배경 등을 설명하기도 하며 월매와 함께 세태를 풍자하기도 한다. 월매가 돈에 대한 집착을 버리지 못하는 인물이라면, 안봉사는 심봉사의 첩인 월매의 재물에 현혹되어 월매를 따라다니면서도 돈보다 귀중한 것이 사랑과 정성과 열정임을 말하기도 한다. 이런 점에서 안봉사는 이중적이고 기회주의자적인 성격을 가진 인물이라 할 수 있다.

4. 〈떴다, 물에가 풍〉의 욕망과 지향의식

〈떴다, 물에가 풍〉은 인간의 욕망을 현대적 시각에서 재해석하여 다양한 지향의식을 전달하고 있다. 그것은 기존의 작품에 금산사 설화를 가미하고, 그러는 중에 각색자의 의지가 반영되어 나타난 결과라 하겠다. 고전의 수용자와 현대의 수용자가 느끼는 〈심청전〉은 분명한 차이가 있다. 기존의 〈심청전〉은 수용층에게 관념적인 내용을 강요했지만, 지금은 그것이 더 이상 유효하지 않을 수 있다. 이제 현실적이거나 실용적인 범주에서 각색되어야 현대의 수용층에게 설득력을 가질 수 있다. 그래서 이 작품에서는 작품 구성의 순서를 전복하거나 등장인물의 특성에 변화를 주거나 중요 화소를 새롭게 개입시킨 것으로 볼 수 있다. 이것은 기존의 〈심청전〉에서 의도했던 것과는 다른 방향의 작가의식이라 하겠다. 그러한 사정을 지향의식의 관점에서 몇 가지로 나누어 살펴보도록 한다.

1) 물질만능에 대한 세태풍자

〈심청전〉은 심청의 효를 표면적인 주제로 내세우고 있지만, 그 이면을 보면 인간의 욕심과 물질에 대한 욕망을 중시하고 있다. 심봉사의 신체적 결함으로 벌어지는 사건 전개가 인간의 욕망을 은유적으로 풍자했다면, 남경상인과 뺑덕어미가 보여주는 행위는 사람과 애정도 사고팔아 물질적인 욕망을 추구했던[156] 당시의 사정을 반영한 것이라 하겠다. 뺑덕어미의 행태를 보겠다.

> 본촌의 셔방질 일수 잘ᄒᆞ여 밤낫업이 흘네ᄒᆞ난 ᄀᆡ갓치 눈이 벌게게 단이난 ᄡᅦᆼ덕어미가 심봉사의 젼곡이 만이 잇난 줄을 알고 자원첩이 되아 살더니[157]
>
> ᄡᅦᆼ덕어마가 음탐ᄒᆞ여 셔방질 일수 잘ᄒᆞᆫ단 말을 듯고 ᄯᅩᄒᆞᆫ 소문이 인근읍의 자ᄒᆞ여 ᄒᆞᆫ번 보기를 평ᄉᆡᆼ의 심즁 원일너니 심봉사와 ᄒᆞᆷ기 온단 말을 듯고 쥬인과 의논ᄒᆞ고 ᄡᅦᆼ덕어미를 ᄡᅦ여ᄂᆡ랴고 주인이 만단으로 ᄀᆡ유ᄒᆞ니 ᄡᅦᆼ덕어미도 ᄉᆡᆼ각ᄒᆞᆫ직 막상 ᄂᆡ가 ᄯᅡ러 가드ᄅᆡ도 잔치의 참예ᄒᆞ

---

156) 김미령, 「판소리계 소설을 통해 본 돈에 대한 욕망: 〈춘향전〉〈흥부전〉〈심청전〉을 중심으로」, 『고전과 해석』 9, 고전문학한문학연구학회, 2010, 23-29쪽.

157) 김진영 외, 앞의 책, 249쪽.

> 기 젼이 업고 도라온들 셩세도 젼만 못ᄒᆞ고 살길리 젼이 업셔ᄡᅳ니 차라리 황봉사를 ᄯᅡ라ᄡᅳ면 말연 신셰는 가장 편안ᄒᆞ리라 ᄒᆞ고 약속을 단단이 정ᄒᆞ고 심봉사 잠들기를 기달여 ᄂᆡ쎄리라[158)]

〈심청전〉에서 뺑덕어미는 자신의 안위를 위해 윤리적인 관념을 과감하게 벗어던진다. 유교적인 윤리보다 중요한 것이 경제적인 이익이기 때문이다. 인본보다는 자본에 중점을 두고 행동하는 실리적인 인간의 모습을 보이고 있다. 이러한 물질적 욕망과 그릇된 욕심은 〈떴다, 물에가 풍〉에서 월매를 통해 구현되고 있다.

> (월매) 심청이? 심봉사의 전처 곽부인이 낳은 딸 청이 말이오? 아 당연히 알제. (통장을 꺼내며) 이 통장들 보이시오? 한번 만져보시오… 그 심청이 덕분에 내가 이렇게 두툼한~ 인생을 사는 거 아니 것소?

월매는 뺑덕어미가 가진 현실적이고 물질지향적인 성격을 그대로 표방하면서 현대인들이 중시하는 스펙과 돈을 부각하고 있다.

> (월매) 동네사람들이 그럽디다 나 월매년이 목숨보다 더 중 헌, 아주 돈독 오른 독헌 년이라고. 그럼 내가 무러봅시다. 이 험난헌 시상을 살아가는디 돈보다 더 중요한 거시 뭐가 있소? 다들 말해보시오 뭐가 있소! 내 말이 틀렸소?
>
> (월매) 나가 뭐 잘못 생각하고 있는 것이요? 어이 여러분들~ 자기 딸자식 시집보낸다고 생각해보쇼~ 돈 많고 착한남자, 돈 없고 착한남자, 누굴 택하겄소? 당연히 답은 뻔헌 거 아니오?

158) 김진영 외, 앞의 책, 257-258쪽.

월매의 돈 타령은 다음 인용문에서 절정으로 치닫는데, 인간성이 상실되고 물질을 숭배하는 현대사회의 병폐가 고스란히 담겨 있다.

> (월매) 돈이다 세상은 돈이다. 돈이다 세상은 돈이다. 돈으로 돌고 도는 세상 돈이다. 하나부터 열까지 모두 다 돈이다. 돈이 없어 불행하고 돈이 있어 행복하고 돈이다 세상은 돈이다. 돈이다 세상은 돈이다. 돈 때문에 사랑하고 돈 때문에 이별하고 돈이다 세상은 돈이다 돈 있어야 시간 있지 돈 없으면 자유 있나 세상은 돈이다 세상은 돈이다. 돈으로 돌고 도는 세상은 돈이다. 세상은 돈이다 세상은 돈이다.
>
> (월매) 돈 꽃으로 피어있는 화려하고 비정한 저 세상을 보아라. 결혼을 하려면 무엇이 필요한가 돈! 자식을 키우려면 무엇이 필요한가 돈! 꿈을 이루려면 무엇이 필요한가 돈! 돈이 있는 자와 없는 자 세상에서 누가 더 자유로운가.

월매의 돈 타령은 돈이면 모든 것이 해결되는 사회풍토를 적나라하게 담고 있다. 돈으로 물질적인 것뿐만 아니라 사랑과 자유와 같은 정신적인 가치까지 사고팔 수 있다고 본 것은 물질만능주의가 불러온 크나큰 병폐를 지적한 것이라 할 수 있다. 이처럼 월매의 돈타령은 물질만능에 대한 부정과 배금주의 세태를 풍자한 것이라 할 수 있다. 이것은 기존의 〈심청전〉에서 이면적으로 다루었던 내용을 전면에 내세워 고발한 것이라 하겠다. 이는 빈익빈부익부의 현대 사회가 가지고 있는 문제를 지적한 것이기도 하다. 조선후기에 발아한 자본에 의한 계급주의가 작금에 들어와 사회적인 문제로 부각된 사정을 우회적으로 비판한 것이기도 하겠다. 자본에 의해 빚어진 계급의 문제가 돈에 더 집착하도록 했고, 그러는 과정에서 인간의 심성이 여지없이 파괴되는 지금의 현실을 전통의 작품을 활용하여 고발한 것이라 하겠다.

2) 욕망집착의 거부와 경계의식

인간의 욕망은 끝없는 욕심을 낳는다. 〈심청전〉에서 심봉사와 남경상인, 장승상부인이 대표적인 인물이라 할 수 있다. 먼저 심봉사는 내면에 자리 잡은 눈을 뜨고 싶은 욕망 때문에 자신의 형편을 생각하지 않고 공양미 삼백 석의 시주를 약속한다. 순간의 욕망이 분별력을 상실하게 만든 것이다. 남경상인 또한 더 많은 재물을 얻기 위해 사람을 제물로 바치는 일을 서슴지 않으며, 장승상부인은 집에서 노심초사 심청을 기다리는 아버지를 생각하지 않은 채 자신의 외로운 신세를 내세워 심청이 수양딸로 들어오기만을 바라고 있다. 문제는 〈심청전〉에서는 욕망에 사로잡힌 이들의 문제를 드러내고 있을 뿐 어떠한 시정도, 대안도 제시하지 않는다. 다만 심청의 효와 희생을 바탕으로 황후라는 신분상승과 심봉사의 개안으로 대리만족할 따름이다. 이는 초월적인 방법을 통해 현실 문제를 해결하려 한 것으로 안이한 방법론이요, 실현 불가능한 처사라 하겠다.

〈떳다, 물에가 풍〉에 와서는 〈심청전〉에 내재되어 있던 인간의 욕망을 고스란히 수렴하면서 그 정도를 심화시켰다. 심봉사의 경우 그는 자신의 개안을 위해 약조한 공양미 삼백 석에 부담감을 가지면서도 그것을 포기하지 않는다. 또한 돈과 스펙에 대한 인간의 욕심은 월매로 이어진다. 월매는 심봉사의 첩으로 들어와 심청이 남기고 간 돈으로 잘 살지만, 자신의 처지에 만족하지 못하고 양반인 안봉사를 유혹해 신분상승을 꾀한다.[159] 욕망에 사로잡힌 인물군상을 결핍의 심봉사와 월매를 통해 구현한 것이라 할 수 있다. 월매의 욕망을 제시해 본다.

(안봉사) 허허 … 드디어 본색을 드러내시는구먼. 그럼, 돈 없이 가난한 나랑은 왜 결혼을 하겠다는 거시오?

(월매) 그거야 돈을 내가 갖고 있응께 … 당신은 심봉사보다 집안 스펙이 더 짱짱하잖소. 그 명예를 내가 돈으로 사겠다는 것이제. 돈이 돈을 낳고, 돈이 명예와 만나 또 돈을 낳고 세상사 그런 거 아니겄소? 당신은 나의 거대한 플랜의 시작이오.

〈떳다, 물에가 풍〉에서 월매가 보이는 돈 타령은 현실에서 누구나 겪는 문제이다. 하지만 그것을 수수방관할 수만은 없는 노릇이다. 돈만 추구하는 비정한 사회가 우리가 추구하는 공동체가 아니기 때문이다. 이 작품에서 경제적 이익을 좇는 인물을 풍자하면서 현대인 각자가 스스로 반추하도록 한 것도 그 때문이다. 물질적·금전적인 야망과 집착을 풍자하면서 그것이 개인이나 공동체의 삶에서 절대적인 선이 아님을 경계한 것이라 할 수 있다. 그렇기 때문에 〈떳다, 물에가 풍〉에서 월매의 돈타령은 웃음을 선사하기 위한 단순한 장치가 아니라, 헛된 욕망을 버리고 물질의 노예로 살지 말 것에 대한 당부와 경계를 담은 것이라 하겠다.

3) 파사현정(破邪顯正)의 개안과 자유구현

〈심청전〉의 심봉사가 육체의 개안을 했다면, 〈떳다, 물에가 풍〉의

159) 안봉사 또한 가난한 양반으로 친구인 심봉사를 의식하면서도 월매가 가진 돈에 대한 유혹에서 자유롭지 못하다.

심봉사는 깨달음을 통한 마음의 개안을 한다. 〈심청전〉의 화두는 심봉사가 맹인이라는 신체적 결함과 심청이 인당수 제물로 바쳐지는 데 있다. 이 두 사건 사이에는 있는 공양미 삼백 석은 '장애물→깨달음→진정한 자유'의 과정을 거치도록 돕는다. 심봉사는 눈을 뜨기 위해 공양미 삼백 석을 시주해야만 한다. 이때 공양미 삼백 석은 심봉사나 심청에게 놓인 장애물이자, 인간이 쌓아 둔 욕망의 덩어리라 할 수 있다. 심봉사는 스스로 만족하지 못하고 그 욕망의 덫에 갇혀 헤어 나오지 못한다. 그 결과 딸인 심청을 희생하고 만다. 자신의 이익을 위해 딸을 희생시켜야 해서 천륜을 헤치면서까지 이익을 추구하는 모습을 보인다.

심봉사의 욕망에 대한 근원은 곽씨부인의 죽음에서 시작된다. 부인의 결핍으로 곧바로 다른 희생물을 찾았는데 그것이 심청이다. 심봉사는 심청이 자신의 곁에 없으면 초조함을 보인다. 이것은 어린 심청에게는 큰 부담이요, 장애이기도 하다. 그렇지만 효행이라는 관념에 사로잡혀 죽음을 무릅쓰고 모든 것을 감내해야만 한다. 심봉사의 개안의 욕망은 끝없이 자신의 이익을 추구하는 인간 욕망의 또 다른 표현이라 하겠다. 광명을 보듯이 이익을 찾아 헤매는 인간의 심리상태를 우의적으로 형상화한 것이다. 그래서 몽운사 화주승이 심봉사에게 개안의 대가로 요구한 공양미는 단순한 물질이 아니라 인간 내면에 자리 잡은 욕망덩어리라 할 수 있다. 이는 심봉사의 욕망을 가시적으로 보이기 위한 것이기도 하다.

마침내 심봉사는 딸의 죽음으로 시주한 공양미 삼백 석이 욕망의 근원임을 깨닫게 된다. 그래서 심청이 마련해 준 가산을 월매가 다 차지해도 상관하지 않으며, 월매와 같이 살아도 입을 꾹 다물고 전전긍긍하다가 곽씨부인과의 추억이 있는 금산사를 찾는다. 모든 것을 비우고 맹인잔치가 열리는 곳으로 향하는 발걸음은 심봉사가 깨달아 가는 과정을 보이는 것이라 하겠다. 심봉사가 자신의 욕망을 버리고 자신의 처지에 만족함을 얻어가면서 그는 점점 마음의 눈을 뜬다. 심청의 효심에 무조건 눈을 뜨기보다는 마음의 눈을 떠 자신의 문제를 들여다보고 세상의 이치를 터득하는 파사현정(破邪顯正)의 개안이라 하겠다.

> (심봉사) 나는 보인다 이제야 보인다 나 잃음으로서 얻을 수 있었네 눈이 멀어 진정한 세상을 이제야 볼 수 있게 되었네. 내 어두운 세상은 보이지 않으나 이제는 다시 볼 수 없는 너의 슬픈 얼굴이 보이는 구나 어찌 이 순간을 잊을 수 있을까 그저 함께하는 이 순간이 영원일 수 있다면 어찌 이 순간을 잊을 수 있을까 앞 못 보는 내겐 빛보다 어둠이 더 밝다는 것을 보인다 나는 보인다 그저 함께하는 지금 여기 영원일 수 있다면

심봉사가 마음의 눈으로 세상을 대하자 헤어진 심청과 함께 있는 지금 순간이 가장 소중하다는 것을 깨닫는다. 깨달음을 통해 심봉사는 빛보다 어둠이 더 행복할 수 있다는 것을 알게 된다. 자기만족을 통해 진정한 자유의 삶이 무엇인지 알게 된 것이다. 〈떳다, 물에가 풍〉은 인간의 행복과 진정한 자유는 물질과 욕망에 있지 않고, 오직 자기만족에 있으며, 이러한 자기만족은 마음에서 비롯되며 진정한 자유는 마음의 개안을 통해서만 구현할 수 있음을 제시하고 있다.

5. 맺음말

전통문화는 현대문화를 풍성하게 만드는 자산이라 할 수 있다. 전통

문화는 한국적 정서와 맞물려 누구나 친숙하게 받아들일 수 있어 활용에도 용이하다. 전통문화 중에서 흥과 해학을 담은 판소리는 누구나 참여하고 함께 즐길 수 있는 장르라 할 수 있다. 이 글에서는 그러한 판소리 중 창작 판소리극 〈떳다, 물에가 풍〉에 관심을 기울였다. 이 작품은 판소리계 소설 〈심청전〉에다 국보 62호인 김제 금산사 미륵전의 설화를 가미하여 현대적으로 재해석하였다. 여기에서는 앞에서 다룬 내용, 즉 〈떳다 물에가 풍〉의 극적 구성이나 인물의 형상화, 그리고 이 작품이 지향하는 바가 무엇인지 정리하는 것으로 결론을 삼고자 한다.

첫째, 〈떳다, 물에가 풍〉의 창작배경을 살펴보았다. 문화재청은 2018 전통산사문화재를 중심으로 새로운 문화재 향유프로그램을 운영 중이다. 전통산사의 가치와 우수성을 널리 알리고, 다채로운 체험 활동으로 문화재에 친근하게 다가갈 수 있도록 의도한 것이다. 김제 금산사에서 공연한 〈떳다, 물에가 풍〉은 판소리계 소설 〈심청전〉에 김제 금산사 미륵전 설화를 삽입하여 창작 판소리극으로 만든 것이다. 이 작품은 심봉사를 통해 진정한 자유는 육체적 개안이 아니라 마음의 개안을 통해서만 구현될 수 있음을 보이고 있다. 금산사 설화의 미륵불은 중생구제의 상징이며, 연못물은 더러움을 정화하는 의미를 가진다. 〈떳다, 물에가 풍〉은 심청의 출생, 심청과 아버지의 만남, 심봉사가 깨달아가는 과정을 통해 중생구제는 물론이거니와 물질만능의 풍토가 정화되기를 바라고 있다. 이러한 점에서 〈떳다, 물에가 풍〉은 〈심청전〉를 전제하면서 물질에 대한 욕망을 경계하기 위해 창작한 것이라 하겠다.

둘째, 〈떳다 물에가 풍〉의 극적 구성과 인물에 대해 고찰하였다. 〈심청전〉과 〈떳다, 물에가 풍〉은 모두 곽씨부인의 죽음, 심봉사의 신체결함, 심청이 인제수가 사건의 핵심이다. 〈심청전〉이 탄생과 봉양, 시주와 이별, 변신과 탐부, 재회와 개안의 네 단계 구성을 갖추었다면, 〈떴다, 물에가 풍〉도 총 네 개 장으로 구성되어 있다. 1장은 미륵전의 설화를 가미하여 심청이 태어난 사연을 다루었고, 2장은 곽씨부인의 죽음과 아버지의 개안을 위해 심청이 인당수 제물로 팔려가는 내용이 그려진다. 3장은 물질만능주의에 대한 사회적 문제를 월매를 통해 드러내었으며, 4장은 심청과 심봉사의 재회와 심봉사의 깨달음을 다루고 있다. 인물의 양상을 살펴보면, 심청은 아버지에 대한 무조건적인 사랑을 '효'로 승화시키는 인물이며, 심봉사는 현대인들에게 오유지족의 깨달음을 전하는 인물이다. 월매는 물질을 우선시하는 사회 풍조를 반영한 인물이고, 안봉사는 월매와 함께 세태풍자의 대상인물로 형상화되었다.

셋째, 〈떴다, 물에가 풍〉의 지향의식을 조망하였다. 〈떴다, 물에가 풍〉은 인간의 욕망을 현대적 시각에서 재해석하여 다양한 의식을 담고 있다. 첫째, 물질만능에 대한 세태의식을 담고 있다. 인간의 욕심과 물질에 대한 욕망이 〈떴다, 물에가 풍〉에서는 월매를 통해 구현되고 있다. 특히 월매의 돈 타령은 인간성이 상실되고 물질을 숭배하는 현대사회의 병폐가 고스란히 담겨 있다. 물질만능에 대한 부정과 배금주의 세태의 풍자를 엿볼 수 있다. 둘째, 욕망집착의 거부와 경계의식이다. 〈떴다, 물에가 풍〉에서는 물질적·금전적인 집착을 풍자하면서 헛된 욕망을 버리고 물질의 노예로 살지 말 것에 대한 경계의식을 담기도 했다. 셋째, 파사현정의 개안과 자유구현 의식을 담았다. 〈떴다, 물에가 풍〉의 심봉사는 깨달음을 통해 심안이 열린다. 인간은 자기만족을 통해 진정한 자유와 행복을 느낄 수 있는데, 심안이 열려야 이 모든 것이 가능하다.

〈떴다, 물에가 풍〉은 〈심청전〉을 국보인 금산사 미륵전 설화와 접목시켜 새로운 형태의 창작 판소리로 형상화한 작품이다. 특히 이 작품을 대중과 함께 향유할 수 있도록 공연했다는 점에서 그 의미가 남다르다. 현대적 관점에서 전통문화를 계승할 방향성을 제시한 것으로 평가할 수 있다. 앞으로도 우리 전통문화의 계승방안을 더 적극적으로 모색할 필요가 있다. 그것이 우리의 전통문화를 현재적 관점에서 가치를 제고하는 길이기 때문이다.

참고문헌

강기선, 「생명윤리와 불교의 종교교육」, 『종교교육학연구』 45, 한국종교교육학회, 2014, 1-28쪽.

강명관, 「조선후기 기녀제도의 변화와 京妓」, 『한국고전여성문학연구』 18, 한국고전여성문학회, 2009, 5-28쪽.

강현모, 「〈옹고집전〉의 서사구조와 교육적 의미」, 『한국언어문학』 56, 한국언어문학회, 2006, 47-72쪽.

강혜선, 「조선후기 사족 여성의 경제활동과 문학적 형상화 양상」, 『한국고전여성문학연구』 24, 한국고전여성문학회, 2012, 189-219쪽.

경일남, 『고전소설의 창작기법 연구』, 아세아문화사, 2007.

고광영, 「국립창극단 창극 〈심청가〉 연구」, 고려대학교 석사학위논문, 2015.

고동환, 「조선후기 서울 도시공간의 변동 - 상업발달과 관련하여」, 『서울학연구』 52, 서울시립대학교 서울학연구소, 2013, 149-175쪽.

고려대학교 민족문화연구원, 『고려대한국어대사전』, 고려대학교 민족문화연구원, 2009.

고석규, 「19세기 향촌지배세력의 변동과 농민항쟁의 양상」, 서울대학교 박사학위논문, 1991.

고수현·권정만, 「조선후기 윤증의 유교적 복지사상에 관한 탐색적 연구」, 『복지상담교육연구』 4, 한국복지상담교육학회, 2015, 19-39쪽.

고연화, 「창을 잃은 판소리계 소설 연구: 〈장끼전〉, 〈옹고집전〉, 〈배비장전〉을 중심으로」, 성균관대학교 석사학위논문, 2007.

국어국문학회 편, 『벽사 이우성선생 정년퇴직 기념 국어국문학논총』, 여강출판사,

1990.
국어국문학회 편, 『판소리연구』, 태학사, 1988.
권기성, 「잡극 〈심청왕후전〉의 계열 추정과 개작의 의미」, 『어문논집』 61, 중앙어문학회, 2015, 115-148쪽.
권순긍, 「〈배비장전〉의 풍자층위와 역사적 성격」, 『반교어문연구』 7, 반교어문학회, 1996, 227-244쪽.
_____, 「〈배비장전〉의 풍자와 제주도」, 『반교어문연구』 14, 반교어문학회, 2002, 49-61쪽.
_____, 「〈배비장전〉의 變改와 문화콘텐츠 양상」, 『반교어문연구』 40, 반교어문학회, 2015, 17-61쪽.
권영석, 「조선후기 소설의 풍자성 연구: 〈양반전〉과 〈배비장전〉을 중심으로」, 동국대학교 석사학위논문, 1987.
권영호, 「〈장끼전〉의 민요화와 그 의미」, 『문화와 융합』 11, 문학과언어연구회, 1990, 131-157쪽.
_____, 「〈장끼전〉 연구의 반성과 전망」, 『어문학』 52, 한국어문학회, 1991, 1-35쪽.
김경미, 「고소설 남성 인물의 형상화: 〈변강쇠가〉를 중심으로」, 『이화어문논집』 17, 이화여자대학교 이화어문학회, 1999, 75-91쪽.
김균태 외, 『한국 고전소설의 이해』, 박이정, 2012.
김기형, 『적벽가·강릉매화타령·배비장전·무숙이타령·옹고집전』, 고려대학교 민족문화연구소, 2005.
_____, 「〈빵파전〉의 전승 과정과 구성적 특징」, 『어문논집』 67, 민족어문학회, 2013, 45-68쪽.
_____, 「국립 창극단 공연 '창극 대본'의 현황과 특징」, 『판소리연구』 38, 판소리학회, 2014, 5-65쪽.
김남석, 「완판본 〈심청전〉을 통해 본 조선성악연구회의 창극 〈심청전〉 연구」, 『열상고전연구』 64, 열상고전연구회, 2018, 219-252쪽.
김대성, 「〈장끼전〉 연구」, 『청람어문교육』 6, 청람어문학회, 1991, 7-112쪽.
김덕진, 『조선후기 경제사연구』, 선인, 2002.
김동협, 「〈배비장전〉 연구」, 『동양문화연구』 11, 경북대학교 동양문화연구소, 1984, 125-141쪽.

김말순, 「조선후기 사회변동에 대하여 – 경제적·사회적·사상의 변동을 중심으로」, 『효성사학』, 효성여자대학역사학회, 1989, 51-57쪽.
김미령, 「판소리계 소설을 통해 본 돈에 대한 욕망 – 〈춘향전〉 〈흥부전〉 〈심청전〉을 중심으로」, 『고전과 해석』 9, 고전한문학연구학회, 2010, 7-34쪽.
김미영, 「〈심청전〉의 현재적 변모 양상에 대한 연구」, 『한중인문학』 14, 한중인문학회, 2005, 115-142쪽.
김미혜, 「장끼전 연구: 화소분석을 통한 주제고찰」, 성심여자대학교 석사학위논문, 1990.
김병임, 「〈심청전〉의 패러디 연구」, 숙명여자대학교 석사학위논문, 2001.
김석배, 「〈골생원전〉 연구」, 『고소설연구』 14, 한국고소설학회, 2002, 127-151쪽.
______, 「〈강릉매화타령〉의 판짜기 전략」, 『문화와 융합』 26, 문학과언어연구회, 2004, 162-198쪽.
김선현, 「〈변강쇠가〉에 나타난 공간과 유랑민의 삶」, 『판소리연구』 34, 판소리학회, 2012, 5-31쪽.
김성희, 「조선후기 민중의 유교윤리 전유와 사회의식 성장」, 『사학연구』 106, 2012, 175-202쪽.
김수중, 『고전소설과 문학정신』, 태학사, 2007.
김승호, 「진허가허를 통해 본 〈옹고집전〉의 형성과 서사미학」, 『국제어문』 63, 국제어문학회, 2014, 169-197쪽.
김영주, 「〈양반전〉과 〈배비장전〉의 이중적 풍자구조 연구」, 경북대학교 석사학위논문, 2006.
______, 「〈배비장전〉의 풍자구조와 그 의미망」, 『판소리연구』 25, 판소리학회, 2008, 111-136쪽.
______, 「19세기말~20세기 판소리 변모양상」, 경북대학교 박사학위논문, 2010.
김영호, 「옹고집전의 근원설화 재고」, 『동양학』 58, 단국대학교 동양학연구소, 2015, 1-21쪽.
김예숙·윤필상, 「국립창극단 〈심청가〉의 비극적 표현양상 연구」, 『한국학연구』 55, 고려대학교 한국학연구소, 2015, 49-83쪽.
김옥근, 『한국경제사의 이해』, 신지서원, 2001.
김용범, 「조선조 소설의 서사공간 연구」, 『한국학논집』 5, 한양대학교 한국학연구소, 1984, 127-161쪽.
김용범, 「국가 브랜드로서의 창극의 새로운 가치에 대한 연구」, 『한국언어문화』, 한국언어문화학회, 2004, 193-217쪽.
김용섭, 「조선후기에 있어서의 신분제의 동요와 농지점유」, 『사학연구』 15, 한국사학회, 1963, 1-50쪽.
_____, 『조선후기농업사연구 I - 농촌경제, 사회변동』, 일조각, 1970.
김은희, 「〈배비장전〉의 풍자성과 교육방안 연구」, 충남대교육대학원 석사학위논문, 2014.
김응환, 『고전소설의 윤리적 조명』, 한국학술정보, 2006.
김재호, 「〈옹고집전 연구 - 〈옹생원전〉을 중심으로」, 『도솔어문』 11, 단국대학교 인문대학 국어국문학과, 1995, 36-62쪽.
김재환, 『한국 동물우화소설 연구』, 집문당, 1994.
김정은, 「옹녀의 상부살풀이 과정으로 본 〈변강쇠가〉 연구」, 『겨레어문학』 44, 겨레어문학회, 2010, 63-90쪽.
김종군, 「고전소설 속 기녀의 정조의식과 가정 내 안주 문제」, 『한국고전여성문학연구』 11, 한국고전여성문학회, 2005,
김종대, 「〈변강쇠가〉의 서사구조와 갈등양상」, 『어문논집』 24, 중앙어문학회, 1995.
김종욱, 『한국 소설의 시간과 공간』, 태학사, 2000.
김종철, 「〈무숙이타령〉 (왈자타령) 연구」, 『한국학보』 18, 일지사, 1992, 62-101쪽.
_____, 「실전 판소리의 종합적 연구 - 판소리사의 전개와 관련하여」, 『판소리연구』 3, 판소리학회, 1992, 87-153쪽.
_____, 「〈변강쇠가〉의 미적 특질 - 괴기미 추구와 관련하여」, 『판소리연구』 4, 판소리학회, 1993, 275-316쪽.
_____, 「〈옹고집전〉 연구 - 조선후기 요호부민의 동향과 관련하여」, 『한국학보』 20, 일지사, 1994, 106-143쪽.
_____, 『판소리의 정서와 미학』, 역사비평사, 1996.
_____, 「〈배비장타령〉 외 기타 실전 판소리」, 『판소리의 세계』, 역사비평사, 2000.
김진영, 『고전서사의 향유와 전승』, 월인, 2017.
김진영 외, 「완판 84장본 열녀춘향수절가」, 『춘향전 전집』 4, 박이정, 1997.
_______, 『심청전 전집』 3, 박이정, 1998.

______, 『실창판소리사설』, 박이정, 2004.

김진희, 「조선조 서사물에 나타난 기생 섹슈얼리티의 함정」, 『한국고전여성문학연구』 23, 한국고전여성문학회, 2011, 335-370쪽.

김창현, 「〈변강쇠가〉의 해결될 수 없는 갈등과 그로테스크」, 『성균어문연구』 31, 성균관대학교 국어국문학회, 1996, 203-230쪽.

______, 「판소리 사설치레에 나타난 용장의 구조와 의미: 〈변강쇠가〉를 중심으로」, 『도남학보』 16, 도남학회, 1997, 223-252쪽.

______, 「〈변강쇠가〉, 뎁득이의 인물형상과 그 의미」, 『국제어문』 38, 국제어문학회, 2006, 225-253쪽.

김태영, 『한국의 사회사상』 2, 한길사, 1987.

김태준 역주, 『흥부전·변강쇠가』, 고려대학교 민족문화연구원, 2015.

김헌선, 「강릉매화타령 발견의 의의」, 『국어국문학』 109, 국어국문학회, 1993, 151-175쪽.

김현용, 「〈옹고집전〉의 근원설화 연구」, 『국어국문학』 62-63, 국어국문학회, 1973, 81-96쪽.

김현화, 「고전소설 공간성의 문예적 연구」, 충남대학교 박사학위논문, 2012.

김흥규, 「19세기 전기 판소리의 연행환경과 사회적 기반」, 『어문논집』 30, 고려대학교 국어국문학연구회 1991, 1-42쪽.

나종면, 『18세기 조선시대의 예술론』, 한국학술정보, 2009.

남필숙, 「여성주의 시각으로 본 〈장끼전〉」, 원광대학교 석사학위논문, 2003.

류정월, 「〈변강쇠가〉의 의미 층위 연구」, 『기호학연구』 34, 한국기호학회, 2013.

맹택영, 「〈장끼전〉 연구: 주인공의 환경세계와 현실인식을 중심으로」, 『인문과학논집』 17, 청주대학교 인문과학연구소, 1997, 71-100쪽.

문화재청, 『호남 문화유산 이야기 여행』, 대동문화재단, 2011.

민 찬, 『조선후기 우화소설 연구』, 태학사, 1995.

민혜경, 「고전소설에 나타난 기녀의 형상과 자의식」, 순천대학교 석사학위논문, 2010.

박경신, 「무속제의의 측면에서 본 〈변강쇠가〉」, 서울대학교 석사학위논문, 1985.

박경주, 「여성문학의 시각에서 본 19세기 하층 여성의 실상과 의미」, 『국어교육』 104, 한국국어교육학회, 2001.

박남일, 『좋은 문장을 쓰기 위한 우리 말 풀이사전』, 서해문집, 2004.
박명희, 「신재효본 판소리사설에 나타난 작가의식」, 이화여자대학교 석사학위논문, 1978.
박상란, 「21세기 〈춘향전〉 수용의 양상과 의미」, 『우리어문연구』 26, 우리어문학회, 2006, 37-61쪽.
박영민, 「정의의 관점에서 기생의 삶을 이해하기」, 『고전문학연구』 54, 한국고전문학회, 2018, 155-184쪽.
박윤선, 「〈옹고집전〉에 나타난 개인의 형성과 그 의미」, 『고전문학과 교육』 26, 한국고전문학교육학회, 2013, 173-195쪽.
박일용, 「〈변강쇠가〉의 사회적 성격」, 『고전문학연구』 6, 한국고전문학연구회, 1991, 170-200쪽.
______, 『조선시대의 애정소설』, 집문당, 1993.
______, 「조선시대 훼절담의 변이양상과 그 사회적 의미」, 『조선시대애정소설』, 집문당, 1993.
박 주, 『조선시대의 여성과 유교문화』, 국학자료원, 2008.
박진아, 「진가확인구조의 양상과 그 역할 연구: 쥐 둔갑설화와 〈옹고집전〉을 중심으로」, 『어문론총』 49, 한국문학언어학회, 2008, 179-212쪽.
______, 「〈게우사〉의 형성과 문학사적 위상에 관한 고찰」, 『국학연구논총』 12, 택민국학연구원, 2013, 78-101쪽.
박진태, 「배비장전 연구」, 『우리말 글』 1, 우리말글학회, 1983, 73-94쪽.
박철암, 「〈오유란전〉과 〈배비장전〉의 대비 연구: 훼절 양상을 중심으로」, 영남대학교 석사학위논문, 1995.
박현주, 「논개: 논개 순국 정신을 중심으로」, 우석대교육대학원 석사학위논문, 2004.
백승철, 『조선후기 상업사연구 – 상업론·상업정책』, 혜안, 2000.
부산옥, 「〈배비장전〉의 해학성 연구」, 제주대학교 석사학위논문, 1986.
서보영, 「영화 〈춘향전〉의 〈춘향전〉 수용 양상과 이본으로서의 특징」, 『문학치료연구』 45, 문학치료학회, 2017, 79-106쪽.
서연호, 「창극 발전의 새로운 방향과 방법 재고」, 『판소리연구』 2, 판소리학회, 1991, 7-23쪽.
서유경, 「20세기 초 〈심청전〉의 대중성」, 『판소리연구』 42, 판소리학회, 2016,

279-308쪽.
서유경, 「근대시기 〈심청전〉 극적 변용의 두 양상」, 『고전문학과 교육』 33, 한국고전문학교육학회, 2016, 185-210쪽.
서유석, 「〈변강쇠가〉에 나타난 기괴성의 구현양상과 의미」, 경희대학교 석사학위논문, 2003.
______, 「〈변강쇠가〉에 나타난 기괴적 이미지와 사회적 함의」, 『판소리연구』 16, 판소리학회, 2003, 29-59쪽.
______, 「〈옹고집전〉에 나타난 진가쟁주의 숨은 문제: 정체성과 실전문제를 중심으로」, 『어문연구』 38, 한국어문교육연구회, 2010, 155-181쪽.
______, 「〈장끼전〉에 나타나는 뒤틀린 인물 형상과 여성적 시선」, 『서강인물논총』 29, 서강대학교 인문과학연구소, 2010, 235-264쪽.
______, 「〈변강쇠가〉 기괴성의 현대적 변화 양상과 의미」, 『우리문학연구』 50, 우리문학회, 2016, 7-37쪽.
서은아, 「〈변강쇠가〉의 갈등구조와 그 의미」, 『태릉어문연구』 9, 서울여자대학교 인문과학대학 국어국문학과, 2001, 149-164쪽.
서인석, 「조선 후기 향촌 사회의 악인 형상 - 놀부와 옹고집의 경우」, 『인문연구』 20, 영남대학교 인문과학연구소, 1999, 47-78쪽.
서종문, 「〈변강쇠가〉 연구」, 서울대학교 석사학위논문, 1975.
______, 『판소리와 신재효 연구』, 제이앤씨, 2008.
서한교, 「17·18세기 丹城地方納粟人의 實態와 身分變動」, 『역사교육연구』 23·24, 한국역사교육학회, 1999, 855-887쪽.
서혜영, 「〈변강쇠가 연구: 남성인물을 중심으로」, 영남대학교 석사학위논문, 2009.
서혜은, 「고전소설에 나타난 기녀의 정절실현 양상과 그 사회적 의미」, 『문화와 융합』 25, 문학과언어연구회, 2003, 335-362쪽.
설성경, 「춘향전의 계통연구」, 연세대학교 박사학위논문, 1980.
설중환, 「〈변강쇠가〉의 구조와 사회적 의미」, 『한국학연구』 3, 고려대학교 한국학연구소, 1991, 19-48쪽.
성아사, 「세책 〈춘향전〉과 〈춘향전〉의 공시적 비교연구」, 『열상고전연구』 39, 열상고전연구회, 2014, 361-388쪽.
소인호, 「〈장끼전〉에 나타난 수절과 개가의 문제」, 『인문과학논집』 41, 청주대학교 인문과학연구소, 2010, 123-134쪽.
손대오, 『한국 고전문학의 의식지향』, 국학자료원, 2005.
손동국, 「〈강릉매화타령〉에 나타난 성적 욕망의 인식 문제」, 『한국어와 문화』 11, 숙명여자대학교 한국어문화연구소, 2012, 25-56쪽.
______, 「공간적 서사로서의 〈열녀춘향수절가〉 읽기」, 『한국고전연구』 31, 한국고전연구학회, 2015, 247-274쪽.
송성욱, 『춘향전』, 민음사, 2010.
송순정, 「판소리계 소설에 나타난 여성인물 연구」, 이화여자대학교 석사학위논문, 1993.
송주희, 「고전소설에 나타난 속이기의 서사기법적 연구」, 충남대학교 석사학위논문, 2008.
송철호, 「판소리계소설의 풍자양상과 의미 - 배비장전과 이춘풍전을 중심으로」, 『동남어문논집』 36, 동남어문학회, 2013, 5-21쪽.
신경남, 「〈변강쇠가〉의 구조와 애정 양상」, 『한국고전여성문학연구』 18, 한국고전여성문학연구회, 2009, 207-240쪽.
신규탁, 「중국불교의 효사상 형성」, 『동양고전연구』 8, 동양고전학회, 1997, 333-356쪽.
신동원, 「〈변강쇠가〉로 읽는 성·병·주검의 문화사」, 『역사비평』 67, 역사문제연구소, 2004, 307-332쪽.
신동흔, 「〈춘향전〉 주제의식의 역사적 변모양상 - 완판 계열 이본을 중심으로」, 『판소리연구』 8, 판소리학회, 1997.
신병주·노대환, 『고전소설 속 역사여행』, 돌베개, 2002.
신태수, 「고소설의 공간에 대하여」, 『한민족어문학』 28, 한민족어문학회, 1995, 215-255쪽.
신해진, 『역주 조선후기 세태소설선』, 월인, 1999.
신호림, 「〈심청전〉에 대한 현대적 상상력과 스토리텔링 전략 - 영화 〈마담뺑덕〉(2014)을 대상으로」, 『동양고전연구』 66, 동양고전학회, 2017, 303-330쪽.
신효경, 「〈배비장전〉에 나타난 신분의 한계와 극복방안」, 『어문연구』 87, 어문연구학회, 2016, 85-111쪽.
______, 「〈옹고집전〉에 나타난 윤리의식의 부재와 극복방안」, 『한국언어문학』 97,

한국언어문학회, 2016, 131-155쪽.
______, 「판소리계소설의 기녀의 양상과 서사적 기능」, 『어문연구』 93, 어문연구학회, 2017, 93-121쪽.
심재우, 「『審理錄』을 통해 본 18세기 후반 서울의 범죄 양상」, 『서울학연구』 17, 서울시립대학교 서울학연구소, 2001, 57-94쪽.
양민희, 「〈변강쇠가〉 연구: 등장인물의 기능과 특성을 중심으로」, 강원대학교 석사학위논문, 2006.
여세주, 「貞男毁節譚의 形成과 社會的 意味」, 『한민족어문학』 16, 한민족어문학회, 1989, 259-278쪽.
오경복, 「〈심청전〉과 〈달아달아밝은달아〉에 나타난 재생원형연구」, 이화여자대학교 석사학위논문, 1980.
오동규, 「조선후기 지방행정에 있어서 수령의 역할과 부패 유발구조에 관한연구」, 한서대학교 석사학위논문, 2003.
오세길, 「〈옹고집전〉 근원설화의 변이 양상」, 『국어국문학』 11, 동아대학교, 1992, 225-236쪽.
오영교, 『조선후기 사회사 연구』, 혜안, 2005.
______, 『조선후기 체제변동과 속대전』, 혜안, 2005.
오종록, 「조선시대의 관료제도 및 그 운영의 특성: 부정부패의 구조적 원인과 관련하여」, 『한국사연구』 130, 한국사연구회, 2005, 3-27쪽.
우선희, 「남성훼절소설의 서사적 특징과 문화사적 위상」, 성신여자대학교 석사학위논문, 2014.
우창호, 「〈장끼전〉의 형성과정 再考」, 『문화와 융합』 15, 문학과언어연구회, 1994, 183-208쪽.
______, 「조선후기 세태소설 연구」, 경북대학교 박사학위논문, 1996.
우한용, 「창극의 소통구조와 언어미학」, 『국어국문학』 145, 국어국문학회, 2007, 9-32쪽.
우혜영, 「변강쇠가의 인물 특성과 성담론 연구」, 배재대학교 석사학위논문, 2008.
______, 「〈장끼전〉·〈변강쇠가〉 연구 - 인물 표현 양상을 중심으로」, 배재대학교 박사학위논문, 2013.
원영상, 「불교의 효사상에 대한 고찰」, 『한국선학』 23, 한국선학회, 2009, 553-

590쪽.

유귀영, 「〈심청전〉에 나타난 인물 형상화 연구」, 경북대학교 석사학위논문, 2009.

_____, 「판소리계 소설 속 하층여성의 烈에 대한 인식과 그 의미」, 『판소리연구』 39, 판소리학회, 2015, 173-202쪽.

유선무, 「판소리소설의 인물행동에 관한 연구: 성의 표현을 중심으로」, 건국대학교 박사학위논문, 1988.

유영대, 「창극의 전통과 새로운 무대: 국립창극단의 창극 〈청〉을 중심으로」, 『판소리연구』 27, 판소리학회, 2009, 245-274쪽.

유은숙, 「〈배비장전〉 연구: 인물의 성격을 중심으로」, 상지대학교 석사학위논문, 1998.

유학주임교수실 편저, 『유학사상』, 성균관대학교출판부, 2001.

윤미연, 「〈배비장전〉에 나타난 웃음의 기제와 그 효용」, 『문학치료연구』 1, 문학치료연구학회, 2004, 193-217쪽.

_____, 「〈배비장전〉의 웃음 속에 담긴 욕망」, 『태릉어문연구』 13, 서울대학교 인문과학대학 국어국문학과, 2006, 133-147쪽.

윤보윤, 「《天倪錄》과 고전소설의 대비적 고찰 - 〈御史巾幗登筵上〉, 〈提督裸裎出櫃中〉과 〈배비장전〉을 중심으로」, 『인문학연구』 34, 충남대학교 인문과학연구소 2007, 325-350쪽.

윤분희, 「〈변강쇠가〉에 나타난 여성인식」, 『판소리연구』 9, 판소리학회, 1998, 325-349쪽.

윤정안, 「〈강릉매화타령〉의 귀신 장난의 의미」, 판소리학회 제77차 정기학술대회, 2015.

윤종배, 「조선후기 서사한시에 나타난 체제모순과 삶의 갈등」, 『동양고전연구』 10, 동양고전학회, 1998, 59-81쪽.

윤종선, 「〈심청전〉의 현대적 수용양상 연구」, 고려대학교 박사학위논문, 2011.

이강엽, 「신재효 〈변강쇠가〉의 성과 죽음의 문제」, 『열상고전연구』 6, 열상고전연구회, 1993, 196-223쪽.

_____, 「자기실현으로 읽는 〈옹고집전〉」, 『고소설연구』 17, 한국고소설학회, 2004, 225-250쪽.

이 걸, 「〈춘향전〉과 〈서상가〉의 비교연구」, 『돈암어문학』 30, 돈암어문학회, 2016,

329-373쪽.
이명련, 「한·중 세시풍속 연구」, 부산외국어대학교 석사학위논문, 2006.
이명복, 「조선시대 관리범죄에 관한 연구: 조선왕조실록의 사례를 중심으로」, 동국대학교 박사학위논문, 2005.
이명현, 「〈오유란전〉과 〈배비장전〉 대비고찰」, 『어문논집』 29, 중앙어문학회, 2001, 185-205쪽.
이문성, 「고대본 〈자치가〉의 특성과 의미」, 『판소리연구』 36, 판소리학회, 2013, 421-447쪽.
______, 「성묘사의 전통 속에서 본 〈변강쇠가〉의 기물타령」, 『한국학연구』 22, 고려대학교 한국학연구소, 2005, 121-138쪽.
______, 「인물 작명과 골생원의 형상으로 본 〈강릉매화타령〉」, 『판소리연구』 30, 판소리학회, 2010, 265-291쪽.
______, 『조선후기 막장 드라마 강릉매화타령』, 지성인, 2012.
______, 「충남대본 〈雄雉傳〉의 試論」, 『한성어문학』 32, 한성대학교 한성어문학회, 2013, 179-192쪽.
______, 「〈옹고집타령〉의 초기 형태와 지향」, 『우리문학연구』 49, 우리문학회, 2016, 33-56쪽.
이상엽, 「조선후기 지방행정에 있어서 이서(吏胥)의 역할과 부패 유발요인」, 『한국행정학보』 36, 한국행정학회, 2002, 19-37쪽.
이상일, 「〈배비장전〉 작품 세계의 재조명 - 구조, 풍자와 웃음, 인물을 중심으로」, 『판소리연구』 39, 판소리학회, 2015, 231-260쪽.
이상일 외, 『한국고전소설의 세계』, 돌베개, 2005.
이상택, 「춘향전 연구 - 춘향의 성격분석을 중심으로」, 『국문학연구』 3, 서울대학교, 1966.
이상현, 「〈裵裨將傳〉의 根源說話 연구」, 부산외국어대학교 석사학위논문, 1993.
______, 「〈춘향전〉 소설어의 재편과정과 번역: 게일 〈춘향전〉 영역본(1917) 출현과 그 의미」, 『고소설연구』 30, 한국고소설학회, 2010, 375-417쪽.
이석래, 「〈옹고집전〉의 연구」, 『관악어문연구』 3, 서울대학교 국어국문학과, 1978, 339-351쪽.
______, 「장끼전 연구」, 『성심어문논집』 9, 성심어문학회, 1986, 1-18쪽.

이성호, 「〈변강쇠가〉의 부수적 인물고찰」, 동국대학교 석사학위논문, 2006.
이영석·민유기 외, 『도시는 역사다 – 조선 후기 서울의 변화』, 서해문집, 2011.
이영자, 「시민사회와 정치학」, 『현상과 인식』 24, 한국인문사회과학원, 2000, 41-62쪽.
이완형, 「〈옹고집전〉의 징치구조와 방어기제적 성격」, 『한국어문학연구』 59, 한국어문학연구학회, 2012, 329-353쪽.
이재영, 「〈옹고집전〉의 이데올로기 재현 전략과 길들이기」, 『국제어문』 40, 국제어문학회, 2007, 127-153쪽.
이정원, 「〈변강쇠가〉의 성담론 양상과 의미」, 『한국고전연구』 23, 한국고전연구학회, 2011, 101-132쪽.
이정훈, 「강릉매화타령계 소설의 남성 성의식: 〈오유란전〉 〈배비장전〉 및 강릉매화타령〉을 중심으로」, 전북대학교 박사학위논문, 1997.
이주영, 「〈변강쇠가〉에 나타난 몸의 형상과 죽음에 대한 인식」, 고려대학교 석사학위논문, 2007.
______, 「〈변강쇠가〉에 나타난 강쇠 형상과 그에 대한 적대의 의미」, 『어문논집』 58, 민족어문학회, 2008, 5-33쪽.
이채영, 「〈변강쇠가〉에 나타난 원혼의 함원과 해원」, 『어문논집』 45, 중앙어문학회, 2010, 289-314쪽.
이태문, 「〈장끼전〉의 형상화 방식과 그 특징」, 『열상고전연구』 15, 열상고전연구회, 1997, 233-256쪽.
이호철, 「조선후기의 사회경제적 발전과 그 성격」, 『경제논집』 35, 서울대학교 경제연구소, 1996, 389-424쪽.
이훈상, 「조선후기 지방 파견 화원들과 그 제도, 그리고 이들의 지방 형상화」, 『동방학지』, 연세대학교 국학연구원, 2008.
이희승, 『국어대사전』, 민간서림, 2001.
인권환, 「〈옹고집전〉의 불교적 고찰: 근원설화와 주제를 중심으로」, 『민족문화연구』 28, 고려대민족문화연구소, 1995, 159-194쪽.
______, 「실전 판소리 사설 연구: 〈강릉매화타령〉, 〈무숙이타령〉, 〈옹고집타령〉을 중심으로」, 『동양학』 26, 단국대학교 동양학연구소, 1996, 69-108쪽.
______, 『판소리 창자와 실전 사설 연구』, 집문당, 2002.

임수현, 「〈변강쇠가〉의 서사구조 고찰」, 『한국고전연구』 5, 한국고전연구학회, 1999, 61-79쪽.

임학성, 「조선시대 노비제의 추이와 노비의 존재 양태」, 『역사민속학』 41, 한국역사민속학회, 2013, 73-99쪽.

장교운, 「〈변강쇠가〉의 갈등구조와 성의 의미」, 순천대학교 석사학위논문, 2005.

장동표, 「조선후기 군현단위의 부정부패와 이서층 중심의 포흠」, 「한국사연구』 130, 한국사연구회, 2005, 29-52쪽.

장석규, 「〈옹고집전〉의 구조와 '구원'의 문제」, 『문화와 융합』 11, 문학과언어연구회, 1990, 261-291쪽.

_____, 「〈옹고집전〉의 구조적 통일성과 서술 원리」, 『국어교육연구』 22, 국어교육학회, 1990, 231-291쪽.

_____, 「〈관우희〉·〈관극팔령〉의 창작방법과 송만재·이유원의 작가의식」, 『문화와 융합』 12, 문학과언어연구회, 1991, 239-258쪽.

_____, 「〈옹고집전〉」, 『판소리의 세계』, 문학과지성사, 2000.

장성남, 「〈변강쇠가〉 갈등구조의 이원성」, 『한국언어문학』 44, 한국언어문학회, 2000, 213-234쪽.

장순희, 「춘향전의 인물과 독자의 욕망 구조」, 『한국문학논총』 55, 한국문학회, 2010, 193-230쪽.

장시원·이영훈, 『한국경제사』, 한국방송대학교출판부, 2003.

장예원·차충환, 「낭시의 공동체 이론을 통해 본 〈변강쇠가〉의 한 성격」, 『비평문학』 62, 한국비평문학회, 2016.

장혜전, 「〈심청전〉을 변용한 현대희곡 연구」, 『기전어문학』 12-13, 수원대학교 국어국문학회, 2000, 135-162쪽.

전상욱, 「방각본 춘향전의 성립과 변모에 관한 연구」, 연세대학교 박사학위논문, 2006.

_____, 「〈춘향전〉 외연의 한 양상; 한문본 〈春香新說〉 및 일본어본 〈鷄林情話春香傳〉을 중심으로」, 『열상고전연구』 34, 열상고전연구회, 2011, 273-299쪽.

정구선, 『한국 중세의 천거제도』, 서경문화사, 2007.

정노식, 『조선 창극사』, 조선일보사, 1940.

정명문, 「음악극 〈인당수 사랑가〉 연구」, 『우리어문연구』 39, 우리어문학회, 2011,

611-645쪽.

정미영, 「〈변강쇠가〉의 여주인공 옹녀의 삶과 왜곡된 성」, 『여성문학연구』 13, 한국여성문학학회, 2005, 191-216쪽.

정병설, 『나는 기생이다』, 문학동네, 2007.

정병욱 교주, 『배비장전·옹고집전』, 신구문화사, 1974.

정병욱, 「왈자타령」, 『증보판 한국고전시가론』, 신구문화사, 2000.

정병헌, 「〈변강쇠가〉에 나타난 신재효의 현실인식」, 『한국언어문학』 24, 한국언어문학회, 1986, 181-192쪽.

______, 「판소리의 지향과 실창(失唱)의 관련성 고찰」, 『판소리연구』 32, 판소리학회 2011.

정상진, 「〈옹고집전〉의 서민의식과 판소리로서의 실전고」, 『문창어문논집』 23, 문창어문학회, 1986, 159-177쪽.

정석종, 『조선후기 사회변동 연구』, 일조각, 1983.

정선화, 「〈장자못 전설〉의 수용양상 및 교육적 의의에 관한 연구」, 아주대교육대학원 석사학위논문, 2003.

정수동, 「유교와 불교의 효사상」, 『동아시아불교문화』 7, 동아시아불교문화학회, 2011, 259-287쪽.

정수연·전은자, 「조선후기 탈춤 연행구조에 관한 연구 – 광대, 향리 집단을 중심으로」, 『대한무용학회논문집』 47, 대한무용학회, 2006.

정승열, 「〈배비장전〉의 연구: 희극적 상황을 중심으로」, 고려대학교 석사학위논문, 1980.

정약용, 『茶山論叢』, 을유문화사, 1972.

정연식, 『일상으로 본 조선시대 이야기 2』, 청년사, 2001.

정유정, 「대중가요 음반 속 〈춘향전〉의 수용과 변개 양상」, 『국문학연구』 34, 국문학회, 2016, 97-114쪽.

정인숙, 「〈덴동어미화전가〉에 나타난 조선후기 화폐경제의 발달 양상 및 도시생활문화의 탐색」, 『국어교육』 127, 한국어교육학회, 2008.

정인한, 「〈옹고집전〉의 설화 연구」, 『문화와 융합』 1, 문학과언어연구회, 1980, 141-158쪽.

정인혁, 「〈변강쇠가〉 구조연구」, 서강대학교 석사학위논문, 1999.

정지영, 「변강쇠전: 조선후기 성 통제와 하층여성의 삶」, 『역사비평』 65, 역사문제연구소, 2003, 352-370쪽.

정진영, 「향촌사회에서 본 조선후기 신분과 신분변화」, 『역사와 현실』 48, 한국역사연구회, 2003.

______, 「조선시대 사족의 위상과 존재양상; 사족과 농민 - 대립과 갈등, 그리고 상호 의존적 호혜관계」, 『조선시대사학보』 73, 조선시대사학회, 2015, 153-191쪽.

정천구, 「〈변강쇠가〉의 갈등양상과 의미 재해석」, 『어문학』 76, 한국어문학회, 2002, 463-482쪽.

정충권, 「〈옹고집전〉의 이본의 양상과 그 의미」, 『판소리연구』 4, 판소리학회, 1993, 317-347쪽.

정출헌, 「〈장끼전〉에 나타난 조선후기 유랑민의 삶과 그 형상」, 『고전문학연구』 6, 한국고전문학회, 1991, 234-277쪽.

______, 「판소리에 나타난 하층여성의 삶과 그 문학적 형상」, 『구비문학연구』 9, 한국구비문학회, 1999.

정출헌 외, 『고전문학과 여성주의적 시각』, 소명출판, 2003.

정충권, 「〈옹고집전〉의 이본의 양상과 그 의미」, 『판소리연구』 4, 판소리학회, 1993, 317-347쪽,

______, 「판소리계 소설의 민중성과 대중성」, 『개신어문연구』 23, 개신어문학회, 2005.

정하영, 「〈변강쇠가〉 성담론의 기능과 의미」, 『고소설연구』 19, 한국고소설학회, 2005, 167-198쪽.

______, 『춘향전의 탐구』, 집문당, 2005.

정흥모, 「〈강릉매화타령〉형 이야기 연구」, 고려대학교 석사학위논문, 1985.

조 광, 『조선후기 사회의 이해』, 경인문화사, 2010.

조광국, 「19세기 향락상에 대한 평, 천민 여성의 자의식 구현의 한 양상: 〈이춘풍전〉 〈무숙이타령〉 〈삼선기〉를 중심으로」, 『한국고전여성문학연구』, 한국고전여성문학회, 2000, 213-239쪽.

조동일, 김흥규, 『판소리의 이해』, 창작과비평사, 1978.

조성택·최연택, 「고려와 조선왕조의 관리등용제도 변화연구: 음서제를 중심으로」,

『한국행정사학지』 27, 한국행정사학회, 2010, 1-22쪽.
조영주, 「아버지 콤플렉스의 관점에서 본 〈옹고집전〉의 주제와 전승양상」, 『한국문예비평연구』, 한국현대문예비평학회, 2015, 111-137쪽.
조준호, 「〈배비장전〉에 나타난 골계성 연구」, 대구대학교 석사학위논문, 2003.
조홍기, 「한국과 서양의 음악 후원제도 비교연구」, 『모드니 예술』 2, 한국문화예술교육학회, 2009, 307-320쪽.
주형예, 「19세기 판소리 소설 〈심청전〉의 여성재현 – 공감과 불화의 재현 양식」, 『한국고전여성문학연구』 14, 한국고전여성문학회, 2007, 488-518쪽.
지성호, 「"판소리 '춘향전'에 진주 기생 논개 등장"」, 『연합뉴스』, 2015.05.20.
진은진, 「〈흥부전〉에 나타난 악과 세속적 욕망」, 『판소리연구』 26, 판소리학회, 2008, 229-252쪽.
최기숙, 「돈의 윤리와 문화 가치 – 조선후기 서사 문학의 경제적 상상력」, 『현대문학의연구』, 한국문학연구학회, 2007, 181-218쪽.
______, 「"둔갑"의 생리, 그 욕망과 수용의 문학적 맥락 – "둔갑설화"와 옹고집전에 투영된 "둔갑" 행위의 문학적 전제와 문학적 상상력」, 『동방학지』, 연세대학교 국학연구원, 2008.
______, 「"효녀 심청"의 서사적 탄생과 도덕적 딜레마 – 감성적 포용과 전향의 맥락」, 『고소설연구』 35, 한국고소설학회, 2013, 65-103쪽.
최동원, 『판소리의 미학과 역사』, 민속원, 2005.
최동현, 「문학적 갈등으로 본 〈변강쇠가〉」, 『국어문학』 61, 국어문학회, 2016, 103-130쪽.
최래옥, 「〈옹고집전〉의 이본고」, 『국어국문학』 84, 국어국문학회, 1980, 247쪽.
______, 「〈옹고집전〉」, 『한국학논집』 11, 한양대학교 한국학연구소, 1987, 347-377쪽.
______, 「〈옹고집전〉의 제문제(諸問題)연구」, 『동양학』 19, 단국대학교 동양학연구소, 1989.
최미정, 「직업을 가진 조선시대 여성에 대한 연구방법 고찰」, 『한국고전여성문학연구』 6, 한국고전여성문학회, 2003, 5-47쪽.
최상민, 「최인훈의 '심청' 재현과 의미」, 『한민족어문학』 49, 한민족어문학회, 2006, 421-448쪽.
최순원, 「〈李春風傳〉의 硏究 – 能動的 女性人物을 中心으로」, 충남대학교 석사학위논문, 1996.

최승연, 「고전의 해체와 뮤지컬적 감성의 내장 – 뮤지컬 키드의 전통 활용 방식에 대한 고찰」, 『한국문학이론과 비평』 63, 한국문학이론과 비평학회, 2014, 353-381쪽.

최영갑, 『공자와 맹자의 도덕철학』, 한국학술정보, 2006.

최원오, 「무숙이타령의 형성에 대한 고찰」, 『판소리연구』 5, 판소리학회, 1994, 299-322쪽.

______, 「조선후기 판소리 문학에 나타난 하층 여성의 삶과 그 이념화의 수준」, 『한국고전여성문학연구』, 한국고전여성문학회, 2003, 115-159쪽.

최재우, 「보조인물의 성격으로 본 '춘향전' 이본 간의 특성 차이; 〈남원고사〉와 84장본 〈열녀춘향수절가〉를 중심으로」, 『열상고전연구』 33, 열상고전연구회, 2011, 125-155쪽.

최진형, 「고소설 향유 관습의 한 양상: 장끼전 작품군을 중심으로」, 『고소설연구』 18, 한국고소설학회, 2004, 5-32쪽.

______, 「판소리 서사체의 주제에 대한 일고찰」, 『반교어문연구』 27, 반교어문학회, 2009, 213-245쪽.

최천집, 「조선 후기 진·가 확인형 소설의 형성기반과 서사 세계」, 경북대학교 박사학위논문, 2006.

최혜진, 「〈변강쇠가〉의 여성 중심적 성격」, 『한국민속학』 30, 한국민속학회, 1998, 387-412쪽.

______, 「판소리계 소설의 골계적 기반과 서사적 전개 양상」, 숙명여자대학교 박사학위논문, 1999.

______, 「판소리계 소설에 나타난 가족의 형상과 그 의미」, 『여성문학연구』 13, 한국여성문학회, 2005, 31-56쪽.

______, 『계우사·이춘풍전』, 지식을만드는지식, 2009.

______, 「〈장끼전〉 작품군의 존재 양상과 전승과정 연구」, 『판소리연구』 30, 판소리학회, 2010, 353-394쪽.

______, 「〈옹고집전〉의 이본과 변모 양상 연구」, 『판소리연구』 36, 판소리학회, 2013, 595-625쪽.

판소리학회, 『판소리의 세계』, 문학과지성사, 2000.

하경숙, 「뺑덕어미의 인물형상과 현대적 변용양상」, 『동양문화연구』 19, 동양문화연구원, 2014, 210-240쪽.

하은하, 「변강쇠의 위반과 반문명적 성격: 장승과 강쇠의 대결을 중심으로」, 『태릉어문연구』 7, 서울여자대학교 인문과학대학 국어국문학과, 1997, 101-119쪽.

한국고전문학연구회, 『고전소설연구의 방향』, 새문사, 2001.

한우근, 『한국통사』, 을유문화사, 1970.

한정미, 「〈梅花歌라〉의 전반적 이해」, 『판소리연구』 10, 판소리학회, 1999, 161-182쪽.

한탁근, 『한국통사』, 을유문화사, 1970.

허 권, 「유네스코 세계문화유산의 문화콘텐츠화 방안 연구」, 한양대학교 석사학위논문, 2010.

허원기, 「심학(心學)의 눈으로 바라본 〈옹고집전〉」, 『고소설연구』 41, 한국고소설학회, 2016, 341-371쪽.

현길언, 「운명적 공간과 선택적 공간」, 『한국언어문학』 18, 한국언어문화학회, 2000, 321-350쪽.

홍광표, 「한국사찰의 세계문화유산 등재를 위한 전략」, 『한국교수불자연합학회지』, 사단법인 한국교수불교자연합회, 2010, 39-68쪽.

황인완, 「〈변강쇠가〉의 줄거리 체계와 작중인물의 성격과 작중 기능」, 고려대학교 석사학위논문, 1988.

Jean Baudrillard(1979), De la seduction, 배영달 역, 『유혹에 대하여』, 백의, 1996.

찾아보기

【ㄴ】

【ㅅ】

【ㅈ】

【ㅎ】

신효경(申孝京)

충남대학교 교육대학원에서 석사학위, 같은 대학교 대학원에서 박사학위를 취득하였다. 대전교육청뉴스 작가와 임시정부수립 100주년 기념 『대전교도소사』 발간 감수위원으로 활동하였으며, 지금은 충남대학교에 출강하고 있다.
주요 학술 논문으로 「〈배비장전〉에 나타난 신분의 한계와 극복방안」(2016), 「〈옹고집전〉에 나타난 윤리의식의 부재와 극복방안」(2016), 「판소리계 소설에 나타난 기녀의 양상과 서사적 기능」(2017), 「〈사씨남정기〉의 꿈속 인물과 서사적 기능」(2018), 「〈춘향전〉의 공간활용과 서사적 기능」(2019), 「〈심청전〉의 현대적 변용과 의미」(2019), 「〈홍길동전〉의 층위적 공간과 욕구 단계의 상관성 고찰」(2019) 등이 있다.

한국서사문학연구총서 30

판소리계 소설과 비판담론

2020년 9월 10일 초판 1쇄 펴냄

지은이 신효경
펴낸이 김흥국
펴낸곳 도서출판 보고사

책임편집 이순민
표지디자인 손정자

등록 1990년 12월 13일 제6-0429호
주소 경기도 파주시 회동길 337-15 2층
전화 031-955-9797(대표),
02-922-5120~1(편집), 02-922-2246(영업)
팩스 02-922-6990
메일 kanapub3@naver.com / bogosabooks@naver.com
http://www.bogosabooks.co.kr

ISBN 979-11-6587-085-0 93810

정가 27,000원